★ ★ ★ ДАНИЛ ★ ★ ★
КОРЕЦКИЙ

НАЙТИ «САТАНУ»

Издательство АСТ
Москва

УДК 821.161.1-312.4
ББК 84(2Рос=Рус)6-44
К66

Корецкий, Данил Аркадьевич.

К66   Найти «Сатану» / Данил Корецкий. — Москва : Издательство АСТ, 2015. — 416 с.

ISBN 978-5-17-090299-6

Дружба трех курсантов Академии ракетных войск совпала с событиями «холодной войны»: в строй вступает ракетная система «Периметр», обеспечивающая удар возмездия по возможному агрессору, международный договор требует ее ликвидации, но одна ракета — по западной классификации «Сатана» — оставлена нести боевое дежурство в автоматическом режиме. Цепочка случайностей и авиационная катастрофа вывели «Сатану» из-под контроля: люди, знающие о ее существовании, ушли из жизни, и о «засадной» ракете все забыли. Судьбы курсантов сложились по-разному, но главное, их дружба закончилась из-за ложного навета, а жизненные пути разошлись. И только через тридцать лет, когда нашли упавший в тайгу самолет с документацией, судьбы генерала, подполковника и бывшего капитана сплелись в трагический узел вокруг готовящейся к старту «Сатаны»...

УДК 821.161.1-312.4
ББК 84(2Рос=Рус)6-44

ISBN 978-5-17-090299-6

Часть первая
ПУЛЬС «МЕРТВОЙ РУКИ»

ГЛАВА 1
Проект «Периметр»

3 февраля 1978 года
Алтайский край

Заяц-беляк особенно активен ранним утром, в предрассветных сумерках, хотя зимой это не дает ему никаких преимуществ — сквозь ледяную корку не добраться даже до безвкусной, жухлой прошлогодней травы.

Заснеженная тайга озарилась розовыми лучами восходящего солнца. Белые вершины гигантских елей, окружающих большую поляну, заалели, словно свечи по краю белого праздничного торта. Но традиционных красно-желтых розочек и других кремовых украшений на поляне не было: только тени еще лежали на небольших сугробах, которые через несколько минут начнут искриться, словно сахарная пудра...

Впрочем, никакого отношения к еде это место не имело, и заяц, обгладывающий мерзлую кору толстенной ели, не рассчитывал поживиться на этой, с виду самой обычной, лесной полянке каким-нибудь прошлогодним корешком или клочком сена. Ни кремом, ни сахаром здесь не пахло, иногда особо чувствительный нюх зайца или лисы улавливал запах металла, острый химический дух горючего, смазки и других изделий человеческих рук, а следовательно, держаться от этого места следовало подальше, чтобы не нарваться на капкан. Поэтому звериных следов на поляне почти не видно.

Хотя капканов здесь как раз и не водилось! Колючая проволока вокруг действительно натянута, имелись датчики движения, сигнальные мины, система «Сетка-100», испепеляющая любое живое существо, которое приблизится к ограждению на пятьдесят сантиметров, даже крайне редкая вещь — автоматические пулеметы, и те ждали своего момента, а вот капкана не было! Хотя то, что здесь скрывалось, было гораздо страшнее любого капкана, даже медвежьего...

Но насчет близости людей чутье зверей не подводило: в двухстах метрах, в наружном КП[1] — заглубленном бункере из бетона и стали, толпились перед большим монитором, на котором кроме лесной поляны ничего и не видно, два старших офицера и двое гражданских, которые вообще-то были в части большой редкостью. Командир дивизии суровый генерал-майор Помазков, безымянный розовощекий полковник из штаба РВСН[2] и штатские сидели перед экраном, что выдавало их высокое положение. И действительно, тот, который постарше, дородный и седой, — это главный конструктор «Воеводы» Усов — Герой Соцтруда и лауреат всевозможных премий. На вид ему далеко за шестьдесят. Второй помоложе — в районе пятидесяти и не такой вальяжный: худой, сумрачный, глаза горят голодным блеском искателя признания, почестей и славы. Усов называет его Филиппычем.

---

[1] КП — командный пункт.

[2] РВСН — ракетные войска стратегического назначения.

За спинами высоких гостей, стоя, теснились местные офицеры: ответственный дежурный майор Пирогов, замполит капитан Рябоконь, начальник особого отдела майор Сизенко. Командир полка подполковник Ребров занял место за пультом связи.

— Майор Резник, доложите готовность! — приказал он в микрофон образца, наверное, еще пятидесятых годов — тяжелый и надежный, как и вся военная продукция того времени.

— Пусковой расчет к пуску готов! — глухо доложил с двадцатиметровой глубины старший «стреляющего расчета», сидящий в подвешенной на мощных пружинах и амортизирующих рычагах капсуле и способный выполнить свою работу даже после прямого ядерного удара. Правда, такой вывод базировался на теоретических расчетах — к счастью, на практике эту возможность никто не проверял.

— Пусковой расчет к пуску готов, товарищ генерал-майор! — продублировал доклад подполковник Ребров.

— Внерегламентная подготовка выполнена? — строго спросил тот.

Ребров звонко ударил себя по лбу.

— Сейчас выполним, товарищ генерал-майор!

Заяц не зря опасался невидимо присутствующих поблизости людей. Только что в утреннем лесу никого не было, и вдруг, как из-под земли, появился расхристанный солдатик, в сбитой на затылок шапке и незастегнутом тулупе. Он выбежал на середину площадки, наклонился и прямо на снегу, рукой в рукавице, написал метровыми буквами: «ТАНЯ». После чего так же быстро исчез.

— Что это было? — спросил второй штатский в крайнем недоумении.

— Это оберег такой, товарищ ученый, — пояснил Ребров. — Напишут его на изделии — пуск проходит штатно, не напишут — обязательно какая-то хрень приключится. Однажды даже «карандаш» на стартовом столе взорвался, восемьдесят человек погибли...

Филиппыч скептически усмехнулся.

— А кто такая эта Таня?

— По-разному говорят. Или красивая официантка в офицерской столовой, или вредный прапор Татьяничев с прозвищем Таня... Неважно! Главное: напишешь — летит, не напишешь — кирдык...

— Суеверие, — тихо сказал Филиппыч, и бдительный замполит быстро закивал.

Но сидящие перед монитором глянули неодобрительно.

— На своем сотом пуске рассуждать будешь, Филиппыч, — резко сказал Усов. — А пока молчи и моли... — Он покосился на особиста, замполита и оборвал фразу. — Молчи, короче! Сейчас все станет ясно!

В КП наступила тревожная тишина, все замерли, будто статуи.

— Пуск! — скомандовал Ребров.

Заяц прятался за корневищем дерева и с любопытством наблюдал. Некоторое время ничего не происходило. И вдруг раздался скрип, снег с надписью «ТАНЯ» стал подниматься, потому что он находился на многотонной крышке ШПУ[1], которая медленно, но верно открылась и стала вертикально, обнажив темный зев, из которого исходил легкий, постепенно густеющий пар. Заяц встал на задние лапы, повёл в разные стороны ушами, жадно потянул носом морозный воздух, в котором теперь отчетливо пахло и капканами, и ядо-

---

[1] Шахтная пусковая установка.

химикатами, и еще чем-то очень опасным... Надо было уносить ноги, но любопытство пересиливало страх.

Под землёй мощно ухнуло — на сорокаметровой глубине сработали заряды пороховых аккумуляторов давления. Заяц крупными прыжками поскакал прочь — любопытство любопытством, но шкура-то дороже!

Из черного жерла появился густой дым и отблески огня, затем медленно выглянула огромная затупленная голова подземного чудовища. Вроде как огляделась и пошла дальше, легко и быстро потянулась вверх длинным и толстым черным туловищем, вылетела из шахты, следом вырвалось желтое пороховое пламя, как напутственный поцелуй ада, и тут же включились двигатели первой ступени — вот это уже был гром так гром — не то что заяц, а все зверье в округе позабивалось в норы, берлоги и под корневища.

А ракета уже рвала небо, стремительно набирая скорость. Американский разведывательный спутник «Лакросс» зафиксировал объявленный учебно-боевой пуск МБР[1] на территории СССР. Перепуганное зверье постепенно приходило в себя. «Р 36М» — самая мощная ракета в мире, способная нести десять ядерных боеголовок индивидуального наведения и сорок холостых, для создания ложных целей, покрытая теплозащитным слоем тёмного цвета, позволяющим преодолевать пылевое облако после ядерного взрыва, — стремительно понеслась ввысь, словно чёрная молния в лучах восходящего солнца. Недаром по классификации НАТО ее называли «Сатаной».

Хотя все шло штатно, в бункере особого оживления не наблюдалось. Конечно, настоящая радость

---

[1] Межконтинентальная баллистическая ракета.

начинается, когда головная часть попадет в цель, но обычно, при хорошем начале, обстановка на КП сразу разряжается, на лицах появляются улыбки, звучат шутки, какие-то байки... А сейчас и генерал Помазков, и генеральный конструктор Усов, а особенно Филиппыч сидели как на иголках, как будто главное испытание им еще предстояло и в его успехе они не были уверены.

«Карандаш» уже лег на боевой курс, когда в Ужурской ракетной дивизии с интервалом в четыре минуты стартовала вторая «Сатана». Это тоже был заявленный пуск, и он тоже был зафиксирован «Лакроссом».

Информация, полученная от американского спутника и подтвержденная сейсмологическими станциями, пошла по цепочке, регистрируясь в десятках журналов и компьютерных программ. Она обрывалась на уровне оперативных дежурных и руководителей смен, не поднимая из постелей только что уснувших руководителей Пентагона и Белого дома: плановые пуски — обычное дело, не о чем тревожиться...

Но на самом деле это были не обычные разрозненные пуски в Алтайской и Ужурской дивизии. Это было конечное экспериментальное испытание совершенно новой системы, и оно, конечно же, давало руководителям США основания для тревоги. Но они об этом не знали.

* * *

Даже в Алтайской дивизии, и даже в сердце пуска — в бетонном КП, про суть происходящего знали не все. Для большинства — это плановый ежегодный пуск, и только присутствие генерального конструктора и его коллеги вызывало некоторые вопросы. Но и это не является чем-то из ряда вон выходящим — конструкторы иногда присутствуют на пусках, чтобы лично убедиться, как ведут себя их «изделия» в войсках.

— Товарищ конструктор, вас «Камертон» на связь запрашивает! —буднично сообщил подполковник Ребров.

«Камертон» — позывной командного пункта Ужура, и там дежурил заместитель генерального конструктора. Усов вздрогнул и быстро схватил тяжелую трубку специальной связи.

— Поздравляю, Владимир Фёдорович! «Изделие» ушло в соответствии с расчетами. — Голос заместителя был изменён аппаратурой ЗАС[1], но в нем отчетливо чувствовалась радость.

— Роль «стреляющей смены»? — отрывисто уточнил Усов.

— Вообще никакой! Они в этот момент даже за пультом не сидели!

— Ну что ж, поздравляю!

Усов пристегнул трубку к аппарату и на вопрошающие взгляды ответил всем сразу:

— Головное изделие подняло ожидающее! Оба идут на цель!

Помазков улыбнулся. На его всегда каменном лице улыбка выглядела непривычно.

— Можно считать, что система работает?

— Дождемся вестей с Куры, — Усов похлопал своего молодого спутника по плечу. — Тогда Филиппыч получит все пряники: и Звезду Героя, и лауреатство, и все остальное...

Филиппыч блаженно улыбался. Голодный блеск в глазах погас.

---

[1] ЗАС — засекречивающая аппаратура связи.

Через двадцать минут поступило сообщение с камчатского полигона Кура: зафиксировано попадание головных частей обеих ракет в заданный квадрат!

— Теперь можно сказать, что система работает! — торжественно объявил Усов. — Представляю вам руководителя проекта «Периметр» Головлева Александра Филиппыча! Конечно, по телевизору его не покажут и в газетах портрет не напечатают, но в историю ракетно-ядерного щита он вошел навеки! Поздравляю, Александр Филиппович!

Все по очереди обняли конструктора. От его мрачности не осталось и следа, худощавое лицо радостно лучилось. Помазков позвонил главнокомандующему РВСН Толстунову, звонко доложил об успехе, почтительно выслушал ответ.

— Есть, товарищ генерал-полковник! Служу Советскому Союзу!

— Через пять минут доложат Самому! — сказал он. — Все причастные будут представлены к государственным наградам!

Он крепко сжал руку Головлева.

— Началась новая эра! Если противник первым ударит и уничтожит все командные пункты и штабы управления, «Периметр» нанесет ответный удар даже без участия людей!

— Так это и есть «Периметр»? — восторженно спросил майор Пирогов. Как выяснилось, ответственный дежурный был единственным не посвященным в таинство сегодняшнего пуска. — А как же он работает?

Особист Сизенко снисходительно похлопал коллегу по плечу.

— Очень просто! Первой стартует командная ракета, которая дает сигнал и поднимает все остальные!

Зайдешь потом, распишешься в журнале о неразглашении...

Генерал Помазков многозначительно поднял палец:

— Вы вдумайтесь: одна «Р 36М» способна полностью уничтожить штаты Вермонт, Мэриленд и Род-Айленд! А тут вся армада пойдет на супостата! Все, началась новая эра!

Генерал, потирая руки, прохаживался по тесному помещению командного пункта. Его распирали чувства победителя.

— Знаешь, Ребров, как американцы назвали нашу систему?

— Никак нет, товарищ генерал-майор! — вытянулся подполковник.

— «Мертвая рука»! По-моему, очень красноречиво...

— Тогда сегодня забился пульс «Мертвой руки», — сказал Александр Филиппович Головлев и улыбнулся. Он заметил, что относиться к нему все стали уважительно и уже никто не называл просто по отчеству.

4 июня 1979 года
Москва

На станции метро «Площадь Ногина» было, как всегда, людно. Три курсанта спускались по лестнице, не без удовольствия вдыхая прохладный воздух с неповторимым запахом московской подземки. Двум из них он был хорошо знаком: Серёга Веселов был коренным москвичом, Георгий Балаганский, помотавшись с отцом по гарнизонам, уже пять лет жил в столице. Высокие, спортивные, с открытыми лицами, они были похожи друг на друга и потому, наверное, подружились еще на первом курсе. На втором курсе к ним как-то незаметно прибился Мишка Дыгай — коренастый, широкоплечий, неуклюжий — хотя последняя черта, возможно, объяснялась тем, что он был родом из никому не известного Вотинска, по неизвестно кем выработанной классификации относился к второсортному племени провинциалов и смущался этого, а потому вел себя неуклюже.

Все трое, как, впрочем, и остальные курсанты, тщательно готовились к увольнению. Начищенные полировочной пастой бляхи и пуговицы кителей сияли так, что, казалось, все вокруг должны обращать на них внимание. Ведь из замкнутого мирка академии, где все были единообразно-одинаковыми, они вырвались в большой мир, где явно и наглядно отличались от остальных. Но большинство прохожих абсолютно не интересовали ни их сверкающая фурнитура, ни начищенные до блеска хромовые сапоги, ни погоны с твёрдыми вставками и скрещенными орудийными стволами... Лишь девушки иногда задерживали взгляды на бравой троице, но они точно так же смотрели и на гражданских молодых людей.

— Ну что, может, ко мне домой махнём? — спросил Веселов.

— И что мы там будем делать, книжки читать? — ухмыльнулся Дыгай. — У папы, наверное, много книг?

— Да, две комнаты заставлены полками, — кивнул Сергей. — Но не в них дело. Мама яичницы нажарит с колбасой, поедим домашнего...

— Не стоит домой забиваться, — покачал головой Мишка. — Давай куда-нибудь на люди! Девчонок склеим, поедим в какой-нибудь кафешке...

— Может, тогда в парк Горького поедем? — предложил Сергей. — Там сейчас девчонок полно будет... И шашлычная с чебуречной, и ресторан...

— Поехали! — поддержал Мишка. — Я там ещё и не был ни разу.

— Ну, в парк так в парк, — согласился Георгий.

Веселов не ошибся: девушек в парке Горького оказалось много. Некоторые с родителями или с парнями, большинство без присмотра: они гуляли по тенистым аллеям парами, тройками, реже — группами побольше. И ясно было, что сюда они пришли не просто подышать свежим воздухом в центре суетной Москвы, а, скорей всего, завести приятное знакомство и найти себе кавалера, а может, и спутника жизни. Но несколько подходов закончились неудачно: потенциальных кавалеров мягко, но непреклонно отшили. За полтора часа толкотни на переполненных народом аллеях никого склеить тройке курсантов не удалось: они только вспотели и проголодались.

— Что-то день сегодня неудачный, — выразил мнение Мишка.

Именно он играл главную роль в атаках на слабый пол, и неудачи можно было в значительной степени отнести на его счет.

— Как-то ты грубовато цеплялся, — поморщился Сергей. — Надо тоньше, вежливей...

— Это как? — округлил глаза Мишка. У него была простецкая внешность, асимметричное лицо и большой рот, который сейчас перекосился, усиливая эту асимметрию.

— Анекдот рассказать? — Сергей знал огромное количество анекдотов на все случаи жизни.

— Ну, расскажи, — кивнул Мишка. Рот у него выровнялся, и асимметрия уменьшилась.

— Грузин приехал в Москву, пришел в парк и давай хватать девушек за руки: «Слушай, красавиц, пойдем в постель!» Те с писком вырываются, кричат: «Дурак!» и убегают. Его московский друг говорит: «Не так, Гоги! Вначале про звезды поговори, про книги любовные — Мопассана, Золя... А когда познакомитесь, оно само собой всё и получится. Понял?» Тот кивает: «Понял!» Подбегает к девушке, хватает за руку: «Красавиц, звезды видишь? Мопассана читал? Пойдем в постель!» Вот так и ты...

— Да это я просто не в форме. — В Мишке взыграл комплекс провинциала. — Жарко, и жрать охота!

Он снял фуражку и вытер вспотевший лоб.

— А вот, смотрите, хорошие девушки. — Георгий проводил взглядом двух подружек. — Особенно та, слева, рыженькая...

— Давай сделаем перерыв, подкрепиться надо, — сказал Дыгай.

— У тебя одно на уме!

— Такой уж я — простой парень из деревни! — со скрытой обидой произнес Мишка.

— Хватит ссориться! — вмешался Веселов. — Пойдем, поедим, знаю я одно место...

«Одно место» оказалось чебуречной на окраинной аллее. Она была наполовину пустой, и курсанты облюбовали столик на тенистой веранде. За прилавком стояла располневшая дама средних лет со следами былой красоты на обильно напудренном лице.

Георгий взял тарелку со стопкой золотистых поджаристых чебуреков, Сергей — глубокую тарелку с овощным салатом, а Мишка неожиданно заказал пива. Его товарищи переглянулись, но возражать не стали, а бывшая красавица равнодушно повернула блестящую ручку крана и наполнила три кружки желтоватым, слабо пенящимся напитком.

Уютно устроившись в углу веранды, ребята сняли фуражки, повесили на стулья кители, отстегнули галстуки, расстегнули рубашки, и жадно набросились на чебуреки, с удовольствием запивая их холодным пивом.

— А жизнь налаживается! — оживленно подмигнул Мишка и поднял свою кружку. У него была широкая ладонь и короткие толстые пальцы.

— Давайте за нас! Пусть будет как в кино: «Один за всех, и все за одного!»

— Давайте, — Сергей беспокойно огляделся. — Как бы нас патруль не накрыл...

— А-а-а, — беспечно махнул рукой Мишка. — Если накроет, то и без пива за нарушение формы отдерет и увольнительные аннулирует! И потом, помнишь поговорку: «Кто не пьёт — тот стучит!»

От сидящих за столиком неподалеку мужчин подошел один — лет тридцати, в синей рубашке и коричневых брюках.

— Это вам, ребята, от нашей компании, — он поставил на стол блюдце с несколькими кусочками вяленой рыбы. — Счастливой службы!

— Спасибо! — растроганно поблагодарил Георгий.

— Видишь, нас уважают! — выпятил грудь Дыгай. — Надо еще пива взять!

— Нет, хватит, — сказал Сергей.

Он занимался боксом и избегал спиртного. Так же, как и Георгий, который тоже ходил в ту же секцию. Впрочем, и Дыгай увлекался борьбой, но его ничего не смущало.

— Как хотите. А я добавлю.

Но к прилавку уже выстроилась очередь, и он вернулся ни с чем.

— Что-то меня спать потянуло, — сказал Балаганский.

— Замашки у вас, товарищ курсант, генеральские: спать после обеда! — улыбнулся Веселов.

— Значит, станет генералом, — сказал Мишка. — А что? У тебя же батя личный пилот главнокомандующего — замолвит словечко.

— Откуда ты знаешь про моего батю? — мрачно спросил Георгий и нахмурился.

Слова и интонации Дыгая ему не понравились. И тот это почувствовал.

— Да у нас ведь все про всех знают, — смягчил тон Мишка. — У Сергея отец — профессор дипломатической академии.

«Странно, — подумал Балаганский. — В личном деле про отца написано: пилот отдельного авиаотряда РВСН. И всё! Откуда и кто может знать, что он летает с Толстуновым?»

— А у меня батя — слесарь! — соскочил с темы Мишка.

После этого детям именитых родителей было неловко его в чем-то упрекать. И действительно, Георгий отвел свой грозный взгляд.

Курсанты привели себя в порядок: застегнулись, вернули на положенное место галстуки, надели кители и фуражки. На аллеи парка они вышли образцовыми военнослужащими, как будто сошли со строевых плакатов, которые висят на плацу любой воинской части СССР.

— Куда теперь пойдём? — спросил Дыгай.

— Может, ко мне? — предложил Балаганский. — Родители на даче, поспим спокойно, чайку попьем...

— Ну, ты даёшь! — возмутился Веселов. — Получить увольнение и спать вповалку? Если так, то и я домой мог бы поехать или Люське позвонить... Мы же вместе пошли!

— Ну, а куда ты предлагаешь?

— Да хоть в кино сходим. Или еще тут погуляем, может, все-таки склеим подруг...

— Ну, давай так!

Но в кино курсанты не попали. Выйдя к фонтану, они увидели сцену, которая всем не понравилась, особенно Балаганскому. Впереди стояли четверо курсантов в чёрной военно-морской форме, с золотистыми нашивками третьекурсников. Они взяли в кольцо трех девушек, среди них была и та рыженькая, которую Георгий заприметил еще час назад. Девушки пытались прорваться, но кольцо было прочным и грубым.

— Не дергайтесь, красавы, моряки этого не любят! — Самый низкий из них схватил рыженькую за запястье и больно сжал.

Та закричала.

— Ну-ка, быстро! — скомандовал Георгий, и ракетчики подбежали вплотную.

— Разошлись, живо! — сдерживаясь, спокойно сказал Балаганский. — Девчонок отпустили и разошлись!

— О, что это тут к нашему борту волной прибило? — пренебрежительным тоном спросил низкорослый. — А если не отпустим, что будет?

— Я тебе глаз на жопу натяну! — без дипломатических изысков рявкнул Дыгай.

— Что?! — Все четверо развернулись к ракетчикам. — Сапоги[1], вы совсем оборзели!

Один из моряков сильно толкнул Дыгая в грудь, тот отлетел на несколько шагов и чуть не упал. Воспользовавшись тем, что внимание переключилось,

---

[1] «Сапоги» — презрительное название моряками, в чью форму входят ботинки, представителей сухопутных родов войск.

девушки выскочили из разорванного кольца и побежали прочь по аллее.

— Вы на кого тянете? — не успокаивался самый агрессивный моряк. — Вы хоть раз по океану ходили?

— А ты в шахте под землей сутками сидел? За ядерной кнопкой? Говори, сидел? — Дыгай, как петух, наскакивал на своего обидчика.

Хотя сам Мишка под землей еще не сидел, только на тренажере УКП в училище, и никакой ядерной кнопки там, естественно, не было. Впрочем, и его противник вряд ли избороздил много океанов. Но вступать в дискуссии он был не расположен и хотел вновь оттолкнуть Мишку, но на этот раз тот поймал его за руку, присел и довольно четко выполнил «мельницу». Мореман улетел в кусты и на некоторое время притих.

— Полундра, наших бьют!

Морячки стали снимать ремни, привычно наматывая их на руку.

«Если видишь, что драки не избежать, бей первым!» — вспомнил Георгий мудрое наставление отца в детстве. То же самое, кстати, говорил и тренер. Он ударил того, кто стоял посередине, раньше, чем тот рубанул пряжкой. Прямой правой в челюсть... Но то ли он попал неудачно, то ли моряк оказался крепок: пошатнулся, но на ногах устоял.

— Уфф! — выдохнул он, и на Георгия пахнуло крепким алкогольным духом.

Моряки были явно в хорошем подпитии. Но и они пили. «Обоюдная пьяная драка» — вот как напишут во всех документах...

Противник ударил бляхой, как кистенем, Балаганский подставил левую руку, удар пришелся плашмя по предплечью. Ладно! Георгий с подшагом нанёс боковой удар правой в голову. В этот раз пьяный морячок на ногах не устоял и опрокинулся на спину, подняв облачко пыли с сухой земли. Веселов рядом с ним уложил того, кто стоял слева. Но из кустов уже вылез первый и, рванув Балаганского за плечо, развернул к себе — кулак с размаху врезался в скулу. В голове закружилось, во рту он почувствовал вкус крови, перед глазами всё поплыло... Моряки размахивали бляхами так, что свистел рассекаемый воздух. Ракетчики тоже сняли ремни.

— Милиция! — раздался пронзительный женский крик неподалёку. — Сюда, милиция!

Этот неожиданный крик прервал на мгновение потасовку, и Георгий заметил, что метрах в двадцати от них уже образовался круг из любопытных.

— Бежим! — крикнул он.

«Фрр...» — просвистел в воздухе морской ремень, и бляха с якорем, описав дугу, чиркнула Веселова по щеке.

Потасовка возобновилась с новой силой, в ход пошли удары ногами... Только треск мотоцикла и свисток милиционера окончательно остановили драку.

— Полундра! — раздался истошный крик, и все бросились врассыпную.

Кольцо зрителей поспешно расступилось. Моряки побежали в одну сторону, ракетчики — в другую. Сзади слышался рокот мотоцикла, он явно приближался. По дороге не уйти, догонят...

— За мной! — крикнул Георгий и свернул в кусты.

Слева и справа было слышно тяжёлое дыхание друзей и треск ломающихся под ногами веток. Милицейский свисток и крики остались позади. Неожиданно кусты расступились, друзья оказались перед высоким забором из металлических прутьев. Что делать? Тут не перелезешь...

— Давай вдоль забора, должен же где-то быть проход?! — тяжело дыша, крикнул Балаганский.

И действительно, метров через сорок они наткнулись на протоптанную дорожку и брешь в заборе: прутья были разогнуты в разные стороны, образовав довольно широкую щель. По очереди они пролезли наружу и, оказавшись за забором, почувствовали себя в относительной безопасности. Остановились, быстро привели себя в порядок, немного отдышались, осмотрели ушибы.

Дыгай пострадал меньше всех — на нем не осталось никаких следов. У Балаганского набухал синяк на скуле, на плече отпечаталась бляха с якорем. Веселов зажимал рукой рану на щеке. Из-под пальцев тонкой струйкой сочилась кровь.

— Рассекли, суки, — пояснил Сергей на взгляды товарищей. Он наклонился, сорвал растущий у забора подорожник, и стал стирать с него пыль носовым платком.

— Влипли, блин! — с сожалением промолвил Дыгай. — За это и из академии могут выпереть.

— Откуда они узнают? — сказал Веселов, прикладывая лист подорожника к ране. — Скажу — упал...

— Ну да, и Жорка упал!

— Мало ли какие бывают совпадения! — буркнул Сергей. — Главное, языками не болтать! Я домой поеду, у меня мама врач — сделает все что надо. Поехали со мной, Жорик!

— Да нет, я тоже домой. Бодягу приложу — она хорошо синяки сводит...

— А я в кино схожу да вернусь в академию, — сказал Дыгай. — Неудачный сегодня день!

Сергей поехал на такси, Дыгай двинулся пешком, а Георгий пошел к метро. У входа на станцию он неожиданно увидел девчонок, которых они отбили от моряков.

— Здравствуйте, девочки! — обратился он к ним.

Девчонки явно обрадовались.

— Спасибо, что вы нас спасли!

— Ну, спасли — слишком громко сказано. Только лучше вам отсюда побыстрей уехать. Давайте познакомимся, я Георгий...

Обращался он к рыженькой, и та первой протянула узкую ладошку.

— А я Женя...

Неудачно складывающийся день мог закончиться очень благоприятно.

18 июня 1979 года
Москва

Сегодня жара, солнце слепит и выжигает мозги. На улице Горького не протолкнешься. Приезжие с сумками, кульками и пакетами мечутся между «Елисеевским», ГУМом, ЦУМом и «Детским миром», сметая с полок отсутствующий в провинции дефицит. Хотя может ли быть дефицитом обычная сырокопченая колбаса, сливочное масло или растворимый кофе в серо-коричневых банках? Если спросить об этом неспешно прогуливающихся в обеденный перерыв служащих Госплана и других расположенных в самом центре солидных ведомств, сбросивших на время отдыха строго официальный вид и расстегнувших пиджаки, те только пожмут плечами да отойдут подальше, чтобы избежать дальнейших провокаций.

Место ведь непростое: вот рядышком гнезда непуганых иностранцев — отели «Националь» и «Интурист» — словно перенесенные злым волшебником островки чуждого капиталистического мира, пугающего и притягивающего одновременно.

«В притоне много вина, здесь льются виски до дна, здесь вечно дремлет печаль, здесь рвет аккорды рояль...»

И виски водится в этих почти заграничных барах-притонах, и все остальное прилагается. Вот толкутся на пятачке симпатичные, праздничного вида девчонки, непривычной для страны советов профессии: не ткачихи, не мотальщицы, не вагоновожатые — проститутки, причем валютные!

Чуть подальше деловито переговариваются, привычно осматриваясь по сторонам, фарцовщики и спекулянты — первые бизнесмены советской эпохи. Среди этой публики полно агентуры — милицейской или комитетской, потому что среди маскирующихся под друзей иностранцев вполне может оказаться самый настоящий шпион, не говоря уже о журналисте-провокаторе, который задает такие наглые и надуманные вопросы про дефицит. А гуляющая здесь средняя советская номенклатура без дефицита не страдает: у них продуктовые заказы, талоны в простенькие спецраспределители, хотя они знают, что для простых смертных где-нибудь в Рязани, Саратове, да что там! — и в самой Москве сырокопченая колбаса и растворимый кофе редкость необыкновенная. Но если на провокационный вопрос им отвечать придется — изобразят удивление: какой-такой может быть дефицит?

Легкий ветерок лениво метет не слишком замусоренные тротуары, разгоняет над дорогой сизый дымок выхлопов немногочисленных пока еще машин. В основном это «Жигули», «Москвичи» и «Волги», изредка проносятся в Кремль или на Старую площадь

«Чайки» высшей номенклатуры. Вот они искренне верят, что все продукты, которые находятся на их столах, имеются и в холодильниках всех остальных советских граждан! Только кто же к ним подберется, чтобы такой вопрос задавать? Вокруг охрана, режимные зоны, почтительная вышколенная обслуга — другой мир, другая жизнь...

Но вне этого мира дефицит есть. И в отдыхе, и в развлечениях, и в одежде, и в еде... Даже мороженое в дефиците! Нет, конечно, сливочное, пломбир, эскимо — покупай, пожалуйста. А вот клубничного, малинового, черничного — нигде не увидишь!

Правда, на глухом торце знаменитого сталинского дома на Горького, 6, товарищ Леонид Ильич Брежнев зовуще простер вперед руку с громадного полотнища и ободряюще улыбается, а внизу надпись: «Решения XXV съезда КПСС — в жизнь!» И каждому ясно — выполним решения съезда и тогда уж заживем, так заживем: и дефицит исчезнет, и черничное мороженое везде появится!

Правда, оно и так есть, причем совсем рядом, наискосок, в кафе «Космос», у которого, переминаясь с ноги на ногу, томится унылая очередь провинциалов. Она почему-то не движется, может, оттого, что представители золотой молодежи ныряют в стеклянную дверь беспрепятственно, если не считать препятствием недовольный ропот толпы, но толпа здесь ничего не решает, ибо решает все мордатый швейцар Иван Федотыч — отставник из бывших служивых, который пропускает только тех, кто дает щедрые чаевые. Ну, или тех, кто может доставить ему неприятности.

В общем, в Москве совсем другая жизнь, и никто здесь не вспоминает про холодную тайгу, про Алтайскую дивизию, успешно испытавшую систему «Периметр», про ядерных монстров, дремлющих до поры в своих холодных бетонных норах, про крохотные капсулы унифицированных командных пунктов, в которых всегда, и в данную минуту тоже, несет службу «стреляющая смена»... А не вспоминают по одной простой причине: не знает основная масса советских граждан про тайны ракетно-ядерного щита, да и знать не должна!

Но вот совершенно случайно объявился и тот человек, кто к военным тайнам допущен и все это знает. Ему девятнадцать лет, зовут Георгий Балаганский, у него красивое лицо, короткая стрижка, рост метр восемьдесят, широкоплечий, длинная мощная шея. В бежевых штанах из лёгкой ткани, шведке и клеенчатых босоножках вместо привычной формы он чувствовал себя легко и вольготно. И думает он сейчас не о будущих дежурствах на двадцатишестиметровой глубине у пульта с красной кнопкой, а о прохладе «Космоса» с его разнообразием мороженого, которым он пообещал угостить рыжую Женю — стройную, улыбчивую, туго упакованную в зеленый открытый сарафан и крепко держащую его под руку. Собственно, под поход в «Космос» он и назначил ей свидание. Но про то, что войти в кафе будет не легче, чем в командный пункт управления стратегической ракетой, он и понятия не имел. Но кто проходил через шестидесятисантиметровые стальные двери стратегического бункера, того вывеска «Мест нет» не остановит, даже если ее охраняет бывший участковый Иван Федотыч.

— Открывай, старослужащий! — обойдя навеки застрявшую очередь, обратился Георгий к благодушно маячившему в проеме, под спасительным ветерком, швейцару. И, понизив голос, добавил: — Мне должны были столик у окна оставить.

Говорил он уверенно, даже немного свысока, да еще подмигнул вдобавок. Бывший участковый вначале оторопел от такой наглости. Не похоже, что этот молокосос собирается сунуть ему в карман пятерку или хотя бы трешку: у него на фейсе написано, что в кармане отродясь лишнего рубля не водилось, да и одет в какой-то ширпотреб. Значит, надо гнать наглеца в три шеи! Но наглость такая откуда?! «Старослужащий», «столик у окна», да еще мигает... Обычные наглецы так себя не ведут!

— Кто тебе столик заказывал? — буркнул он, внимательно срисовывая привычным взглядом короткую прическу, решительный прищур глаз и развитую мускулатуру.

— Ты что, маленький?! — скривился Георгий. — Куратор команду дал! На, смотри!

Он вытащил из нагрудного кармана клетчатой шведки удостоверение с потертой звездой на обложке, открыл и сунул под нос Ивану Федотычу.

«Министерство обороны СССР. Курсант Балаганский, в/ч 85306...»

Стеклянная дверь кафе «Космос» распахнулась.

— Ладно, иди, — буркнул бывший участковый. — Только всё надо делать как положено. А ты весь порядок перевернул...

— Работа перевернула, — Георгий, увлекая за собой Женю, нырнул в манящую прохладу.

Очередь опять взроптала, но Федотыч привычно не обратил на нее внимания. Он думал: правильно поступил или дал маху? Непростой, видать, парень... Хотя без должности, курсант... Но курсантов к оперативной работе тоже привлекают... И потом — сегодня курсант, а завтра лейтенант, да еще придет обслуживать эту зону... Правда, никто не предупреждал, как положено. Видно, у них бардак, как везде. Да ладно, лучше пропустить такого, чем потом получить на задницу неприятности...

Вопреки объявлению, мест в зале было достаточно, даже столик у окна на втором этаже нашелся. За ним они и расположились, рассматривая, как течет внизу в обе стороны озабоченная своими делами публика, от которой они так удачно отделились и над которой вознеслись.

— Как тебе это удалось? — спросила Женя, осматриваясь.

Чистый светлый зал, невысокий подиум, где вечером играл джазовый квартет, а сейчас проекционный телевизор транслировал на экран мультфильм «Ну, погоди!». Декорированные стеклянными шариками стены не очень удачно имитировали звёздное небо. Девочка лет шести, в клетчатом синем платьице, быстро расправившись со своим мороженым, безуспешно пыталась выковырять маленьким пальчиком одну такую «звездочку». Полная семейная пара за соседним столиком контролировала дочку умиленными взглядами, не переставая опустошать щедро наполненные металлические вазочки. Наискосок от них ели мороженое и пили шампанское две ухоженные и хорошо одетые девушки: высокая гибкая брюнетка с прической конский хвост и коротко стриженная блондинка. Они курили длинные сигареты, красиво выпуская дым кольцами.

— Ну, почему нас пустили?

— С красивыми девушками вход вне очереди! — нашелся Георгий и сам обрадовался такому остроумному ответу-комплименту.

Официантки разносили заказы: это были не просто привычные шарики, а целые композиции, украшенные вафлями, печеньем, политые вареньем или разноцветными сиропами.

— Вот, я такое хочу! — Женя оживилась при виде какого-то фиолетового паруса с красной глазурью и подобием вафельного флага. Называлось такое мороженое не «Пиратский флаг», а «Рассвет в космосе».

Через несколько минут принесли заказ. Георгий нахмурился: «Рассвет в космосе» для Жени — рубль тридцать, шоколадное и крем-брюле для себя, политое шоколадом и присыпанное ореховой крошкой, чтобы дороже, — восемьдесят копеек, два коктейля «Шампань-коблер» — по рубль семьдесят, пирожные по сорок копеек... Ничего себе тут цены! Хорошо, что у Веселова трешку занял... В десятку, конечно, уложится...

— Вкусно! — оживилась Женя, разоряя свой «космический рассвет». — О чем задумался?

— Да так... Скоро окончу учебу, и начнется новая жизнь... Как все сложится?

— Хорошо сложится! Даже не сомневайся! — уверенно сказала девушка, хотя то, что происходило внизу, у входа, способно было начисто перечеркнуть ее обещание.

— Готовить надо такие вопросы, Иван Иванович, — вроде без укора отвечал на обычный вопрос «Как дела?» швейцар, хотя укор в его голосе все же присутствовал. — Я ж как солдат — мне сказали, я сделал! А он без предупреждения корочки показывает! Откуда я знаю, что это за в/ч 85306? И что курсантов привлекаете, я тоже не знал...

— Подожди, подожди, Федотыч, — стоящий перед ним строгий мужчина в шляпе и темных каплевидных очках развел руками.

Несмотря на летнюю одежду, вид он имел официальный: может, оттого, что и белая рубашка, и синие брюки были тщательно выглажены, а скорее — официальность просто давно въелась в крупные черты его решительного лица.

— Что ты несёшь?! Я у тебя просто спросил как дела, а ты мне какие-то сказки рассказываешь...

— Так я же объясняю: парень какой-то, курсант, говорит, вы ему столик заказывали наверху, у окна.

— Что, по имени назвал?

— Нет, просто сказал: «куратор».

— Как он выглядит?

— Высокий, крепкий, на военного похож. И девчонка с ним хорошенькая — рыжая, талия узкая, ноги голые вот досюда... — ребром ладони Федотыч показал докуда именно — получилось чуть ниже его ширинки.

— Я после института обратно в Сызрань не вернусь! — продолжала Женя. — В Москве останусь, тут архитекторы тоже нужны. Ну и что, что пока в общаге, — перетерплю. Я всего добьюсь, чего захочу! Как вон та девчушка упорная — смотри, как шарик выковыривает! Силёнок не хватает, а не отступает!

— У нас рядом был аэродром, — сказал Балаганский, исподволь любуясь Женей. — И пацаны болтали: когда самолет садится, от трения колёс бетонка нагревается, пыль-грязь плавятся, а потом стекленеют шариками.

— И ты верил? — мило улыбнулась девушка.

И улыбалась она тоже мило.

— Пока отец не взял меня с собой, верил.

— Слушай, а почему ты не пошёл в лётное, как папа?

— В военкомате была разнарядка только в ракетное. Хотя мы с отцом все равно в одном роде войск оказались.

— А он на истребителе летает?

— Нет, на обычном Ан-24.

— А, знаю... Такой маленький, неказистый. На Ту-104 престижней! Слушай, а как так: ты ракетчик, он летчик, а вы в одних войсках?

Георгий усмехнулся с чувством скрываемого превосходства. В РВСН была своя авиация, а отец пилотировал самолет главнокомандующего. Про «неказистость» Ан-24 Георгий бате тоже говорил, но тот только многозначительно прищурился и ответил: это не простой Ан, он хитрый... Как сын ни расспрашивал, в чем состоит хитрость, Балаганский-старший так и не ответил. Но Жене, конечно, всего знать не надо: это служебные сведения, возможно, даже секретные. Тех вопросов, которые она задала, вполне достаточно, чтобы он сообщил о них рапортом в особый отдел академии, потому что, если верить многочисленным инструктажам капитана Ивлева, она может выполнять задание иностранной разведки! Конечно, семнадцатилетняя девчонка в короткой юбке не похожа на шпиона, но Ивлев особо упирал на то, что шпион никогда не похож сам на себя: им может быть добродушный улыбчивый дядя, добрая старушка, слепой музыкант в подземном переходе... Но писать рапорт на Женьку он, конечно, не будет. Вместо этого он протянул руку и слегка щелкнул ее по носу:

— Много ты знаешь, что престижней! Доедай лучше свое мороженое!

По залу неспешно прошелся мужчина в шляпе, импортных темных очках и модной одежде. Он небрежно взглянул на Георгия и скрылся где-то в подсобных помещениях. Но курсант почему-то обратил на него внимание и даже посмотрел ему вслед.

Брюнетка и блондинка расплатились и ушли. Георгий проводил их взглядом, отметив плавность походки девушки с конским хвостом, но тут же спохватился и отвел взгляд, чтобы не обижать Женьку.

Мультик закончился, его сменил выпуск новостей.

— Генеральный секретарь ЦК КПСС, Председатель Президиума Верховного Совета товарищ Леонид Ильич Брежнев и Президент Соединенных Штатов Америки Джимми Картер подписали в Вене Протокол об ограничении стратегических вооружений, — торжественно сообщил диктор.

На экране лидеры двух стран, в окружении свиты, подписывали каждый листок со своим текстом, потом референты поменяли листки и они снова подписали. Рукопожания, аплодисменты, вспышки блицев...

— Полное претворение в жизнь подписанных в Вене документов открывает новые возможности для того, чтобы прекратить наращивание арсеналов ракетно-ядерного оружия, обеспечить их действенное количественное и качественное ограничение. Решение этой задачи явилось бы новым этапом сдерживания гонки ядерных вооружений и открывало бы дорогу к существенному сокращению вооружений и к реализации высшей цели: полному прекращению производства и ликвидации запасов ядерного оружия. Это еще один шаг на пути к окончанию «холодной войны», — радовался диктор.

Он говорил что-то еще про мир, дружбу, разоружение, сокращение огромных ядерных арсеналов, которые могут сотни раз уничтожить весь земной шар, но никого из присутствующих это особенно не заинтересовало. И если Георгий снова наморщил лоб, то не потому, что озаботился сообщением, а оттого, что Женя заказала кофе, да и он присоединился к ней для приличия, а теперь прикидывал, на сколько может вытянуть здесь кофе и не пробьет ли оно в его бюджете дыру, как американский «Атлас» в слабо заглубленном КП.

Услышанное почему-то насторожило только Женю.

— Слушай, Жора, а на тебе это не отразится? — Рыжая голова кивнула в сторону экрана. — Может, у тебя и работы теперь не будет?

— Странная мысль, — искренне удивился Георгий. — У молодого лейтенанта работа будет всегда! Это лишних полковников и генералов на пенсию поотправляют! А кто вместо меня будет сидеть под землей на боевом дежурстве?

— А жена твоя тоже под землей будет? — невольно вырвалось у девушки.

— Почему под землей? В городке, в квартире будет ждать меня со смены!

У Жени почему-то испортилось настроение. А у Георгия улучшилось: счет оказался около семи рублей, он оставил мелочь «на чай» и мог, не дожидаясь стипендии, отдать долг Веселову. Так что можно было считать, что свидание удалось на славу!

* * *

Следующая неделя прошла под знаком подписания Договора ОСВ-2. Об этом событии писали газеты, говорили по радио, показывали телепередачи...

— Символические часы Судного дня являются проектом американского журнала ученых-атомщиков, запущенным в 1947 году создателями первой атомной бомбы, — торжественно говорил строгий диктор. — Эти часы, показывающие без нескольких минут полночь, наглядно демонстрируют уровень напряженности в мире и развитие ядерного вооружения. Полночь символизирует момент ядерного катаклизма. Решение о переводе стрелок принимает совет директоров журнала при помощи внешних экспертов, среди которых, в частности, восемнадцать лауреатов Нобелевской премии. В 1947 году стрелки установили в положении без семи минут полночь...

На экране появился большой циферблат, стрелки на котором почти сошлись.

— Ближе всего к полуночи эти часы стояли в 1953 году, когда СССР и США испытали термоядерные бомбы: они показывали двадцать три пятьдесят восемь, — скорбно сказал диктор. Но тут же его голос снова окреп. — Политическая обстановка в мире меняла положение стрелок, после подписания Договора ОСВ-2 они были сдвинуты на две минуты назад и сейчас показывают двадцать три пятьдесят три! Будем надеяться, что дальнейшее развитие процесса разоружения отодвинет час Судного дня в неопределенную даль!

На другом канале симпатичная дикторша в строгой кофточке радостно сообщала:

— Советский народ, единодушно поддерживая политику мира, проводимую нашей партией и Советским государством, положительно оценивает достигнутые в ходе венской встречи результаты. Успехи этой политики придают советским людям новые силы и энергию в осуществлении великих задач коммунистического строительства...

На кондитерской фабрике «Красный Октябрь» и на швейной фабрике «Большевичка» состоялись собрания трудовых коллективов, которые показали даже в информационной программе «Время». И шоколадницы, и швеи радовались очередному шагу по пути разрядки и благодарили за него партию и правительство.

А совещание, которое прошло в Министерстве обороны по этому же вопросу, широко не рекламировалось и в новостях не показывалось. Да и атмосфера среди полковников и генералов царила вовсе не такая веселая, как среди работниц «Красного Октября» и «Большевички». Потому что веселиться нечему: сокращению подлежали целые дивизии, перспективные разработки «изделий» сворачивались, снимались с боевого дежурства Боевые железнодорожные ракетные комплексы... А значит, сокращался личный состав, срезались «потолки» званий, ожидающий присвоения генеральского звания полковник так и оставался полковником, да еще на пенсии. И среди генералов ожидался «звездопад», так что радости на лицах участников совещания не было.

Несмотря на то, что министр обороны выступил с успокаивающей речью, дескать, «резать по-живому не будем, в первую очередь сократим неукомплектованные должности, всем дадим дослужить до пенсии...», генералы и полковники знали цену этим обещаниям...

После общего собрания министр провел несколько кулуарных встреч и, наконец, остался наедине со своим заместителем, главнокомандующим РВСН Толстуновым.

— Дело плохо? — спросил генерал-полковник.

Министр умудренно пожал плечами.

— Это политика. Могло быть и хуже!

— Да понимаю, я... Людей жалко.

— Брось, Виктор Дмитриевич! — Министр махнул сухонькой ладошкой. — На нашем уровне мы работаем с кадрами, а не людьми. Никто у них генеральских пенсий не отнимет, да и льготы останутся... Устал я! Еще вопросы есть?

— С «Периметром» что будем делать? — глядя в сторону, спросил главком. — Только развернули систему, такой козырь получили, и все под нож?!

— Не спеши, Виктор Дмитриевич! Работа эта поэтапная, рассчитана на пять-семь лет. Притчу про Ходжу Насреддина помнишь? «За десять лет или я умру, или ишак, или шах». Так и здесь. Ликвидацию «Периметра» оттянем, поставим в план на поздний срок... А там — мало ли как все обернется. Может, вопрос сам собой рассосется, или ситуация изменится, или вообще этот договор расторгнут! Так что не дрейфь, мы еще повоюем. В крайнем случае, момент подойдет — к Самому пойдем, придумаем что-нибудь... Не у одного тебя душа за державу болит!

ГЛАВА 2
Вербовка

Москва. Академия РВСН

Помещение гулко звенело ложками и приглушенными разговорами. Пахло здесь обычным советским общепитом: подгоревшей кашей, не отмывающимся до конца посудным жиром, едкими дезинфекционными средствами. Только военная форма курсантов, длинные — на отделение столы да шныряющие по залу дневальные в белых халатах поверх рабочих комбинезонов отличали столовую Академии РВСН от тысяч других точек питания, разбросанных от Саратова и до Камчатки. Как и во всех столовых, процесс приема пищи сопровождался обычной болтовней или обсуждением волнующих народ проблем.

— Говорят, на следующий год набор сократят, — озабоченно бурчал слева Огурцов. — Да и нас на госэкзаменах «резать» будут, чтобы на вольнонаемные должности распределить. Ну, типа инженеров...

— Васька, вечно ты паникуешь! — урезонивал товарища Сизов. — Объявили же в приказе: за счет сокращения вакантных должностей и офицеров, достигших пенсионного возраста... Бобрыкин же под землю не полезет — у него живот в люк не пройдет...

— Ему уже никуда лезть не надо, будет из кабинета руководить!

Балаганский не выспался, да и настроение у него было, мягко говоря, не очень хорошим. Он без аппетита поковырялся в надоевшей перловке, размазал по горбушке белого хлеба «шайбу» масла, посыпал сахаром и, откусив приличный кусок, запил сладким чаем. Сонливость постепенно стала проходить.

— Небось, в увольнительной, домашними пирожками отъедался? — проницательно предположил Мишка Дыгай, сидевший напротив.

— Почему так решил? — рассеянно спросил погружённый в свои мысли Георгий.

Мишка довольно захохотал.

— А я сразу вижу — раз от казенной каши нос воротишь, значит, без пирожков с вишнями да курагой не обошлось!

— Тебе надо было не на ракетчика, а на особиста учиться! — хмыкнул сидящий справа Веселов. — Они всё знают! Точнее, почти всё...

Он потрогал щеку. Она почти зажила, только тонкая розовая полоска осталась.

— Нашелся Шерлок Холмс, — буркнул Балаганский. — Я Женькины пирожки приносил и всех угощал. Так что тут много ума не надо...

— Значит, эту рыжую стройняшку Женькой зовут? — уточнил Дыгай. — А она, вообще, ничего...

— Только пирожки, скорее всего, не она жарила, — сказал Веселов. — Мамаша — сто процентов даю. Я когда со Светкой встречался, она тоже блистала: борщи, голубцы, вареники. А Вера Петровна уехала — и всё закончилось...

— Так что, не удалось ей тебя загарпунить? — веселился Мишка. У него было сегодня хорошее настроение. — Сорвался с крючка?

— Почему «сорвался»? Я и не сидел на твоем крючке... А чего Жорка такой грустный?

— Чего, чего... Ничего! — огрызнулся Балаганский.

На самом деле было очень даже «чего»! Воспоминания о пирожках настроения не улучшили, наоборот... У Женьки была задержка, уже шестой день! А это не борщ и не пирожки... Если считать курсантов престижного военного училища китами, то это самый настоящий гарпун, с которого действительно не соскочишь! Женитьба в планы Георгия не входила. Во всяком случае — до окончания училища. Потом, когда разъедутся по гарнизонам в глухую тайгу, — тогда да, тогда лучше, когда под рукой жена... И пирожки, и борщи, и все остальное... Но это потом, а не на втором курсе.

— Вот у меня один раз вышел случай, — начал опытный Веселов: он был привлекательным «китом» — из интеллигентной московской семьи, с квартирой на Цветном бульваре, поэтому охота на него шла плотная — гарпуны так и свистели вокруг. — Приходит Вера, глаза на мокром месте: мол, залетела... А сзади мамаша стоит и водит головой слева направо, а голова у нее вот такая, как танковая башня, и будто прицеливается стомиллиметровками... — Он нарисовал ладонями квадрат вокруг головы, потом сложил ладони трубочками, приложил к глазам и медленно повернулся направо и налево... — У меня, конечно, душа ушла в пятки...

Балаганский, да и весь курс, знал эту историю наизусть, но сейчас ему было не до чужих приключений и переживаний. Он представил плачущую Женьку с орущим на руках ребенком. «А вдруг сдуру аборт сде-

лает? Говорят, потом может совсем детей не быть...»
Теперь Женька предстала в образе одинокой, никому
не нужной тетки, укачивающей плюшевого мишку и,
опять-таки, льющей горькие слезы... «Или жениться?
Какая разница — годом раньше, годом позже... А может, пронесёт ещё?!»

— Ладно, Серега, хватит твоих историй. — Георгий
встал. — Что у нас на первой паре? «Баллистика»?

— Да, — погрустнел Веселов. — Я как не подготов-
люсь, меня Сухой обязательно вызовет... — И внезапно оживился: — Слушай, Жорик, выручай — подними
руку да выступи подольше, потяни время, может, я и
проскочу... А я на «противоракетке» тебя прикрою...

— Ладно, «прикрывальщик»...

Они уже заходили в класс материальной части,
когда навстречу выскочил высокий, худой и вечно со-
гнутый, как удочка, — то ли из-за роста, то ли из-за не-
посильного груза ответственности, старший сержант
Иващук. И сейчас он был, как всегда, озабочен:

— Веселов, ты замсекретчика, иди, получай спец-
тетради!

— А Фролов где? — недовольно спросил Сергей.

— Заболел, освобождение у него! А ты, Балаганский, зайди к Бобрыкину...

Вот те на! Зачем он понадобился заместителю начальника по воспитательной работе?

— А что случилось?! — вскинулся Георгий и посмотрел на часы.

До начала занятий оставалось двадцать пять минут.

— Мне начальники не докладывают, — отмахнулся командир группы. — Может, насчет КВН или еще
что-то...

— Может, насчет того дела? — засопел сзади Дыгай, явно имея в виду драку с моряками.

— Вспомнил! Когда это было!

В принципе, Георгий был активистом и в вызове к главному воспитателю ничего необычного не видел. Но какая-то нотка тревоги в душе все же появилась. Может, это из-за Женьки? Вдруг она родителям все рассказала, а те накатали «телегу» в политотдел?! Это такой гарпун, с которого точно не соскочишь! Да нет, не может быть, они бы вначале просто по душам поговорили!

Переступив порог кабинета, Георгий оторопел: кроме подполковника Бобрыкина за приставным столом сидел неприметный худощавый капитан с острым лисьим лицом и цепким взглядом. Ко второму курсу практически все курсанты уже знали его под выразительным прозвищем «молчи-молчи» — это был оперативник особого отдела капитан Ивлев.

— Следуйте с товарищем капитаном, курсант! — не ответив на приветствие, сухо сказал главный воспитатель, хотя с бессменным руководителем команды КВН у него были добрые отношения.

«При чём здесь особист? — судорожно пытался собраться с мыслями Балаганский. — Если даже «телега» от родителей, то этим делом замполит должен заниматься». Георгий вновь представил заплаканную Женьку с новорожденным ребёнком на руках. «Да это вообще не вопрос, женюсь — и дело с концом!» — решил он.

Кабинет особиста располагался за службой коменданта училища. «Хитро придумали, — подумал Георгий. — Удобно: сразу здесь и арестовать могут!» Впрочем, арестовывать его точно не за что! Или есть за что?! Ну, подрались с моряками, так те сами начали... Да и последствий никаких — может, пара синяков, и всё...

Холодно-официальный Ивлев неспешно занял своё место за столом. На вид ему было лет двадцать пять, Балаганский подумал, что, сидя в ракетной шахте, он вряд ли в таком возрасте стал бы капитаном. Курсанту особист сесть не предложил — Георгий неловко сутулился посреди кабинета, не зная, куда деть руки и чувствуя себя нашкодившим мальчишкой-переростком. «Молчи-молчи» достал из кармана кителя связку ключей, отомкнул лязгнувший внутренними запорами массивный сейф, который стоял здесь, наверное, ещё со времён Железного Феликса, портрет которого прямо над ним и красовался. Из железного чрева появилась картонная папка красного цвета.

«Моё личное дело», — догадался Балаганский. И хотя он знал, что на каждого курсанта ведется личное дело, а может, и не одно, на душе стало ещё тоскливее. Ивлев потянул завязки, раскрыл папку, пролистнул пару листов, изобразил, что внимательно читает... У него были густые черные волосы, сквозь ровный пробор слева проглядывала белая кожа.

— Догадываетесь, почему вы здесь?

«Наверное, из-за той драки?» — хотел спросить курсант, но тут же вспомнил слова отца: «всезнание» особистов от длинных языков обслуживаемого контингента...

— Никак нет, товарищ капитан! — отчеканил он.

— То есть вы часто делаете то, за что могут вызвать в особый отдел?

Ивлев нахмурился, как будто обнаружил в деле следы явного предательства.

— Нет, конечно! — поспешил откреститься от такого предположения Георгий.

— Значит, редко?

— Ну, не знаю...

— Смелее! Раз в неделю, два раза в месяц или чаще?

Георгий понял, что каждый ответ делает ему хуже, а не лучше, и почувствовал себя мухой, которая все сильнее запутывается в клейкой и липкой паутине.

— Я вообще ничего такого не делаю, — сказал он. — В смысле, такого, что входит в сферу интересов военной контрразведки!

Капитан оторвался от личного дела и с интересом взглянул на курсанта.

— Грамотный! — сказал он, и по тону было непонятно — это хорошо или плохо.

— Значит, понимаете, что драка в общественном месте как раз входит в сферу наших интересов! А вы разве пришли и рассказали об этом чрезвычайном происшествии?

«Знают, все знают!»

Георгий потупился.

— Конечно, ходить в дорогие кафе приятнее, чем рассказывать о нарушении дисциплины... Даже если эти кафе расположены в местах постоянного пребывания иностранцев, где находиться курсанту-ракетчику вообще не рекомендуется... Вы на инструктажах бывали? Расписку давали?

Глаза капитана беспощадно блестели. Балаганский испытал обреченность, с которой запутавшаяся муха ждет приближения хозяина паутины.

— Так это никакие не особенные места, — попытался всё же оправдаться он. — Это обычная улица, обычное кафе-мороженое...

— Вкусное мороженое было?

— Ну, да...

Надо было, конечно, ответить: «Так точно!», но Георгий был окончательно сбит с толку. Впрочем, капитан не обратил внимания на нарушение устава.

— Кстати, а Евгении Агеевой мороженое понравилось?

«Значит, все-таки из-за Женьки... Но почему особый отдел?!»

— Да, конечно... У нас все в порядке, мы сами разберемся.

— А что у вас «в порядке»? — насторожился Ивлев. Но курсант вновь нашелся:

— Да вот, жениться собираемся... — И на всякий случай добавил: — В перспективе...

— А перспективы у тебя не блестящие! — Особист прочел последний лист личного дела.

— По... Почему?! — с трудом спросил Георгий.

Капитан Ивлев захлопнул папку, пристукнув ладонью по обложке, навалился грудью на стол и впился взглядом в глаза девятнадцатилетнего парня, как хищник перед прыжком.

— Да потому, что ты, курсант особорежимного военного учебного заведения, пришел в зону оперативного прикрытия органов госбезопасности, ввел в заблуждение внештатного сотрудника органов и, прикрываясь несуществующими полномочиями, ссылаясь на офицера-куратора, в обход очереди прошел в кафе! А главное — необоснованно предъявил внештатному сотруднику служебное удостоверение, выдающее твою принадлежность к Академии РВСН!

К такому повороту событий Балаганский оказался совершенно не готов! Раздумья о Женькиной беременности показались теперь просто смешными. Он понял, что влип гораздо серьезнее и женитьбой здесь не отделаешься. Вон, оказывается, сколько он нарушений допустил! Из академии за такое запросто выпрут! А может, и арестуют....

— Вижу — дошло, чем это тебе грозит, — смягчил тон капитан. — Отец у тебя уважаемый офицер, с самим Главкомом летает, но тут и он не поможет! Присаживайся!

Георгий кулем плюхнулся на краешек стула. Утренний чай с маслом подкатил комом к горлу. Такое иногда случалось — при сильном волнении его тошнило.

Ивлев едва заметно улыбнулся.

— Вот так-то лучше! В ногах правды нет!

— А где она есть, правда? — хрипло спросил Балаганский.

— А вот она! — Ивлев снова открыл скрипнувшую дверь сейфа и показал на стопку папок, таких же, как лежащая на столе.

— Меня отчислят? — по-прежнему хрипло спросил Георгий.

Ему уже было все равно. Только как тогда семью с грудным младенцем обеспечивать? Одно дело — офицер-ракетчик: оклад, звание, пайковые, коэффициенты всякие, другое — уволенный по компрматериалам курсант-неудачник...

Ивлев дружески улыбнулся, встал, обошел стол и, облокотившись на крышку, дружески похлопал Георгия по плечу. Он явно подражал героям сериала «Семнадцать мгновений весны»... Только было непонятно — кому: Мюллеру или Штирлицу.

— Ну что ты, Жора! Ты же у нас золотой фонд, гордость академии! К тому же сын кадрового офицера! Ну, наделал ты, конечно, глупостей, но я-то понимаю: не умышленно! Не со зла! Это все легко исправить!

— А как? — Георгий стал оживать.

— Да очень просто! Особым отделам, чтобы иметь правдивую информацию о происходящем, нужны верные, преданные люди, на которых мы можем опираться. Такие парни, как ты...

Балаганский начал кое-что понимать.

Про вербовки курсантов ходили глухие слухи, и хотя говорить об этом было не принято, но, вместе с тем, наличие информаторов являлось одним из аспектов службы в ракетных частях. Поскольку они обеспечивали безопасность ракетно-ядерного щита, то функция их считалась общественно полезной, хотя официально никакой такой функции в армии не существовало.

— Не возражаешь добровольно сотрудничать с органами военной контрразведки? — совсем дружески спросил капитан Ивлев.

— Да, нет... Только... Что я должен буду делать?

— Информировать меня о происходящем в коллективе. О возможных вербовочных подходах представителей иностранных разведок. О готовящихся террористических актах, ну и так далее...

— Об этом я и так бы сообщил.

— Ну, вот видишь. От тебя не требуется ничего противозаконного. Пиши! — Ивлев положил на стол чистый лист бумаги и шариковую ручку. — Я, Балаганский Георгий Петрович...

Выйдя в коридор, Балаганский с облегчением перевел дух и посмотрел на часы. Пятнадцать минут. Всего четверть часа занял разговор с капитаном Ивлевым. И вроде бы ничего не изменилось, только протянулась невидимая связь между ним и могущественным особистом, да появился у него секретный псевдоним Зорький, который он выбрал себе сам.

По дороге в класс ему вдруг пришло в голову, что в группе он такой не единственный. Откуда Ивлев узнал про драку? На месте происшествия их было трое: он сам, Веселов и Дыгай. Значит... А может, ничего и не значит:

особой тайны из того случая они не делали, история расползлась по всему курсу... С другой стороны, Ивлев по роду службы знал, что отец летает с командующим, а Дыгаю узнать это было неоткуда. А он узнал...

Друзья ждали его у входа.

— Так ты прикроешь меня от Сухого? — нетерпеливо спросил Серега Веселов.

— Конечно! Мы же договорились!

— А зачем тебя вызывали? — спросил Мишка Дыгай. — Чего хотели?

— Да так, про КВН говорили... Надо команду обновлять...

— Может, меня возьмешь? — оживился Мишка. — Лучше репетировать, чем на самоподготовке сидеть...

— Ты сначала в юморе потренируйся! — ответил Балаганский и твердым шагом прошёл мимо.

Он чувствовал себя уверенно: что ни делается — всё к лучшему. Только надо сходить с отцом посоветоваться...

* * *

Смыться из академии на все выходные в пятницу было нереально. Да и в субботу с утра — тоже, надо уважительную причину сочинять. Курсант Балаганский решил без необходимости ничего не придумывать и не мозолить глаза начальству, поэтому до обеда присутствовал на занятиях. Всё равно особо торопиться некуда — к Женьке он решил не идти. Как переживал тогда из-за ее беременности, ночей не спал, сколько всего передумал, а оказывается, она пошутила! Сама рассказала, дура: «Это была проверка, я тебя испытывала!» — и улыбается идиотской улыбкой. А он собрался ей предложение делать!

Была бы умной, сказала бы: «Ой, я так переживала из-за этой задержки! И тебя, бедного напугала...» А она и не скрывает, что на нервах поиграть решила! И — раз — вмиг опротивела рыжая красавица! Никаких чувств, как отрезало! Нет, хватит, это перевернутая страница... Надо позвонить Лиде — третьекурснице мединститута, как-то познакомились на вечере танцев: в академию нарочно студенток приглашают. Симпатичная девушка, умная. Она и телефон оставила, а он так и не позвонил, закрутился с этой рыжей...

После обеда он принял участие в уборке территории: на гражданке это называется субботником, а в армии ПХД — парко-хозяйственный день. Выполнив все свои обязанности курсанта, Георгий только ближе к восемнадцати часам получил увольнительную записку, вышел через КПП и направился к станции метро «Площадь Ногина». Родители жили в служебной квартире на Юго-Западе, и через час он уже звонил у обитой дерматином двери.

Открыла мама. По её красным опухшим глазам Георгий сразу понял — плакала.

— Привет, мам! Что случилось?

— Дядя Яша погиб.

— Как?!

Мария Ивановна обняла сына, на минутку прижавшись лицом к его жесткому отглаженному кителю, под которым учащенно билось сердце. Георгий вспоминал дядю Яшу — друга и однокашника отца по лётному училищу, весельчака, который всегда приносил маленькому Жорке какие-нибудь сладости или фрукты. Да и когда он вырос, дядя Яша всегда интересовался его делами, разговаривал по душам, рассказывал всякие случаи из жизни летчиков.

— Проходи на кухню, там отец. Еда на столе — поешь!

Мать погладила его по спине, поцеловала в щеку и ушла в комнату. Георгий прошёл на кухню. Отец сидел в одиночестве, тяжело оперев локти на стол, и сосредоточенно смотрел на ополовиненную бутылку водки, как на интересного и желанного собеседника. Большая сковорода жареной картошки на деревянной подставке, нарезанные вдоль на четыре части огурцы в глубокой тарелке, серый хлеб, две наполненные рюмки, одна из них накрыта ломтиком хлеба... Отец никогда не пил в одиночестве, да и вообще за всю свою жизнь он видел отца выпившим всего несколько раз.

— Здравствуй, сынок! — Пётр Семёнович оторвал взгляд от бутылки. — Присаживайся! Совсем взрослый стал... А тут видишь, какое дело...

— Здравствуй, пап!

Балаганский-младший придвинул стул и сел.

— Выпить не предложу. Не нужно тебе привыкать с молодых лет! Хотя у меня повод есть...

— Как это случилось?

— В Афган послали, — понизил голос отец. — Про интернациональный долг слышал?

— Слышал, — кивнул Георгий.

— А про «Стингер»?

— Нет. Что это?

— Типа гранатомёта с самонаводящейся ракетой. Секретная штука. Американцы душманам такие поставили, теперь те наши самолёты и вертолёты сбивают.

— Вот гады! Жалко дядю Яшу. Слухи-то ходят, что наши там воюют, но когда вот так... Аж мурашки по спине...

— Шестнадцать дней всего там пробыл. И всё в тайне, на памятнике написали: «Трагически погиб». Как будто он просто разбился, а не на войне... Да ты поешь, пока картошка не остыла!

Георгий достал из ящика стола вилку, зацепил кусочек: какой уж тут аппетит?

— В газетах, — отец ткнул пальцем в лежавшую на крае стола позавчерашнюю газету «Труд», — о чём угодно написано: о передовиках производства, о надоях, урожаях. А вот о том, что наши ребята воюют и героически погибают, — ни слова! Иногда проскочит — мол, в Афганистане законное правительство воюет с мятежниками, и всё...

— У нас ребята болтали, что, вроде, есть там такие секретные подразделения наши, что если их кто-то увидит, то всех убьют, даже наших.

— Что за ерунда? — удивлённо взглянул на сына Петр Семенович. — Вы там вообще поменьше болтайте на эту тему! Не хватало ещё из училища из-за длинного языка вылететь!

— Не вылечу! — уверенно сказал Георгий. — А как думаешь, правда есть такие подразделения?

— Глупости не говори! Ты же офицером скоро будешь... Сам подумай: зачем убивать, если всегда можно ввести в заблуждение?! И не только противника, а если нужно, то и своих. Разрабатывается легенда прикрытия, и под ней работаешь...

— Как это?

— Да по-разному! Помнишь, ты все расспрашивал, почему у меня самолет «хитрый»?

— Ну...

— Потому что часто полеты главкома надо маскировать, чтобы никто не знал — куда и зачем он летит.

— И что?

— А вот что... — Петр Семенович протянул руку и взял с газовой плиты коробок спичек. Положил его плоской стороной на стол и придвинул к сковороде с картошкой. — Часть пути я лечу так... — Он поставил коробок на ребро и двинул его к бутылке. — А часть так! И получается, что в одном квадрате летел один борт, а в другом — другой!

— Подожди, подожди... — не понял Георгий. — Как так получается? Самолет ведь один и тот же?

Отец кивнул:

— Самолет один, да транспондеров на нем два!

— Это еще что такое?

— Приемопередатчик, который на запрос с земли автоматически посылает идентификационный код. На каждом борту один транспондер, а у меня — два! Захожу в диспетчерскую зону. — Петр Семенович ладонью изобразил летящий самолет. — Тут же приходит запрос: «Кто летит?» А мой идентификатор отвечает: «Борт «С-1149». Так его диспетчер и зарегистрировал. Перехожу в следующую зону контроля, включаю второй автоответчик, а он на дежурный запрос отвечает: «Борт «К-2101». Так и регистрируется. Попробуй потом разберись, кто куда летел! А если местность пустынная — степь, там, или тундра, можно еще на бреющем пройти, чтобы вообще под радар не попасть... — Отец приблизил ладонь к самому столу и провел над клеенкой. — Это мне Виктор Дмитриевич подсказал! Тогда сам черт не определит маршрута! Понял теперь?

— Понял... — удивленно ответил Георгий.

— Только имей в виду, эта информация с грифом «Сов. секретно». Я тебе раскрыл государственную тайну.

— А почему раньше не раскрывал?

— Да потому, что раньше ты зеленым пацаном был, а сейчас — без пяти минут лейтенант Советской армии. И опять же — сын мой... Да ты ешь, ешь! А я выпью... За упокой души его лётной!

Отец залпом опрокинул рюмку, поднёс к лицу кусок хлеба, понюхал и положил обратно в тарелку.

— Ну, батя, я тебе тоже тайну раскрою, — сказал Георгий, за обе щеки уплетая жареную картошку. Он отвлекся, и аппетит появился сам собой.

— Какие у тебя тайны? — покосился Петр Семенович. — Небось, жениться надумал?

— Нет. Особист меня завербовал.

— Вот оно что. — Отец невозмутимо налил еще рюмку. — На патриотизме или на компре?

— На компре...

Георгий рассказал, как было дело. Петр Семенович хмыкнул.

— Железная «компра»! Парень девушку без очереди провел мороженого поесть! Правда, удостоверение ты зря засветил, но всё равно за это головы не рубят...

— Ну, а теперь что? — спросил Георгий.

— Да ничего! Ты с ними не ссорься, на рожон не лезь. Если шпион объявится, диверсанты или другая угроза безопасности Родины, — ты, конечно, информируй. А если кто-то из ребят анекдот расскажет, то не пачкайся. Это уже не патриотизм, а стукачество.

— Да я, собственно, так и думал.

— Ну, и хорошо, что мы думаем одинаково.

На кухню бесшумно, бочком вошла Мария Ивановна.

— Слушай, Петя, ты похлопочи перед Виктором Дмитриевичем, чтобы Жору по распределению в Москве оставили.

Отец свел брови.

— Как ты думаешь, с какими глазами я к главкому подойду с такой просьбой? Когда я чего просил?

— Ну, хотя бы, чтоб в Афганистан не отправили...

— А насчет этого и просить не надо: стратегических ракет в Афгане нет, значит, и выпускнику ракетной академии там делать нечего. А в шахте посидит пару лет — все с этого начинают, это важный опыт.

— Ты ничего для себя не просишь. Другой бы уже давно в ордерской квартире жил, а не в служебной.

— Какая тебе разница? — привычно огрызался Петр Семенович. — Что, ордер комнат прибавит? Будем точно так же жить, как и сейчас...

— Свое — это не чужое, — возражала мать. — Случись что — и нас мигом выселят.

— Что может случиться? Я разобьюсь? Так семью никто не тронет!

Мать скорбно покачала головой и так же бесшумно вышла.

— Пап! А тебя в Афган не отправят? — пронзенный внезапно пришедшей мыслью, спросил Георгий. — Летчики там требуются.

Петр Семенович махнул рукой.

— Отправят, не отправят... Какая разница? Кому суждено сгореть, тот не утонет!

Георгий посмотрел Петру Семеновичу в глаза. От этого взгляда отец, показалось, смутился.

— Ну что ты, честное слово! То мать все учит: попроси то, попроси се... Теперь ты... Просить начальство — это последнее дело. Хотя Виктор Дмитриевич меня уважает, может, и выполнил бы просьбу. Только уважать, думаю, перестал бы. А что важнее: уважение или квартира?

Георгий хотел предложить задать этот вопрос матери, но передумал, подошел, обнял отца, прижался к крепкой спине, как когда-то в детстве.

ГЛАВА 3

Как встретишь, так и проведешь...

*31 декабря 1981 года
Москва*

Tакое количество телевизоров, как за два часа до наступления Нового года, в Советском Союзе не включается, пожалуй, никогда, даже во время показов знаменитых сериалов, собирающих у мерцающих экранов все поколения, опустошающих улицы и потому снижающих уровень преступности. Чёрно-белые «Рассветы» в «хрущевках», цветные «Рубины» в «сталинках» и частных особняках, миниатюрные «Ровесники» на проходных предприятий, работающих в круглосуточном режиме... Может, это объясняется выраженным развлекательным характером передач, может, особым настроением населения, по-детски ожидающего чудесных перемен, которые объявит в поздравлении советскому народу первое лицо государства...

Но до этого момента часовая стрелка должна описать еще два круга, а пока в миллионах домов идет подготовка к знаменательному событию: готовятся традиционные оливье, селедка «под шубой» и винегрет, открываются зеленый горошек, сардины и шпроты, нарезается хлеб и «Докторская» колбаса, а в холодильнике

ждут своего часа холодец, горчица, масло, «Советское
шампанское», «Столичная» и «Московская» водка, а
кое-где и коньяк, который широкого распространения
в стране не получил — во-первых, дорогой, во-вторых,
по устойчивому представлению широких народных
масс, «пахнет клопами» и вопреки столь же устойчивым
представлениям в охлаждении не нуждался, к винегре-
ту и селедке не подходил и даже специально нарезан-
ным, посыпанным сахаром лимоном не закусывался.

Но в семье Веселовых с коньяком были на «ты»,
поэтому бутылка французского «Мартеля» в холодильнике не пряталась, а гордо стояла рядом с финским
клюквенным ликером «Арктика» посередине большого овального стола, сервировка которого тоже значительно отличалась от среднестатистических столов
Страны Советов. Здесь были и красная икра, и крабы,
и итальянский сервелат, и испанский хамон, и консер-
вированный угорь, не говоря о шпротах, сайре, пече-
ни трески и паштетах из утки... Накрывающие на стол
Веселов с Балаганским глотали слюни, да и вальяжно
развалившийся на диване Дыгай, хотя и смотрел с интересом «Кавказскую пленницу», одновременно наблюдал за товарищами и время от времени восклицал:

— Улет! Девчонки будут в отпаде! — Этим он, с одной стороны, подчеркивал собственную незаинтере-
сованность невиданными деликатесами, с другой —
ненавязчиво напоминал, что он не просто «сачкует»,
в то время как друзья «пашут», а пожинает заслужен-
ные плоды основной работы: ведь именно он «склеил»
представительниц прекрасного пола, которые призва-
ны сделать эту ночь незабываемой в гораздо большей
степени, чем какая-то «забугорная» жратва и выпивка...

— А точно придут они, твои девчонки? — недоверчиво спрашивал Сергей в очередной раз, как будто

ожидал от Мишки каких-то особых, стопроцентных гарантий — чего-то вроде расписок, написанных кровью, хотя те, как известно, выдаются по совсем другому поводу и совершенно другому адресату.

Но у Мишки не было даже обыкновенных, чернильных расписок, да и стопроцентной уверенности, очевидно, тоже не было, поэтому он норовил «соскочить» со скользкой темы:

— Придут, придут, куда они денутся! Ты лучше скажи: предки раньше не заявятся?

— Нет, конечно! Они же на даче, с друзьями... Раньше второго не приедут...

— Класс! — Дыгай довольно потянулся.

Просторная трёхкомнатная квартира на Цветном бульваре произвела на него сильное впечатление: все свои семнадцать лет до поступления в академию он прожил с семьей из пяти человек в насыпном бараке в шахтерском поселке под Карагандой и даже не представлял, что существуют подобные жилища: со шкурой тигра в спальне, африканскими статуэтками из черного дерева, ассегаями зулусов и прочей экзотикой... А еще бар с красивыми импортными бутылками, шкаф с подписными изданиями, невиданный музыкальный центр. И вот такие хоромы находятся в его распоряжении! Ну, почти в его... Точнее, и в его тоже...

— А во сколько они придут? — теперь заинтересовался Георгий. — Ты хоть правильно объяснил, куда ехать?

Возможность отпраздновать Новый год вместе выпала у друзей впервые. Если не считать встречу своего первого Нового года в академии, когда они вместе оказались во внутреннем наряде за пререкание со старшиной курса — изрядным, надо сказать, долбо...бом.

— Как договорились, в двадцать два часа. — Мишка украдкой глянул на часы. — Ну, или в двадцать два тридцать. Адрес Серега сам написал, я его и отдал Маринке.

— А они хоть красивые?

— Да откуда я знаю! — возмутился Дыгай. — Маринка симпотная, сказала, и подружки не хуже...

— Ну, и где они? — поставил вопрос ребром Веселов. — Уже двадцать два сорок!

Но тут закуковал импортный звонок.

— Где, где! Вот!

Дыгай вскочил, суетливо вставил ноги в потертых носках в тапочки, накинул невзрачный серый пиджачок, глянул на себя в зеркало и скривился. Рукава длинноваты, белая рубашка застирана и приобрела желтоватый оттенок, да еще эти дурацкие тапочки!

— Надо было всем форму надеть... Парадную!

— Зачем? — удивился Веселов, неспешно поправляя галстук.

На нем был темно-синий финский двубортный костюм, который сидел как влитой, галстук в тон, кипенно-белая сорочка и ослепительно блестящие новые штиблеты... И Балаганский выглядел не хуже: купленные у спекулянтов джинсы, красивый пуловер, сквозь треугольный вырез которого виднелась отутюженная белая рубашка с расстегнутым воротом, и туфли догадался с собой взять.

Мишка вдруг почувствовал себя бедным родственником.

— Для единообразия! — рявкнул он. — Чтобы видно было, что мы ракетчики!

— Это и так видно! — Веселов покровительственно похлопал товарища по плечу. — Беги, открывай!

Через минуту в просторном холле уже слышались оживленные женские голоса, запахло снегом, терпкими духами и ожиданием чего-то необычного. Парни поняли, что обыденность закончилась и начинается праздник.

— Здравствуйте, мальчики! Извините за опоздание! Там такой мороз, метель, такси поймать не смогли... Я Инесса, — представилась высокая стройная брюнетка с длинными волосами.

Она была в темно-коричневой дубленке, розовой мохеровой шапочке и обмотанном вокруг шеи длинном мохеровом шарфе такого же цвета. На ногах — облегающие сапоги до колена на высоченных шпильках.

«Как она на них ходит? — подумал Балаганский. — И яркая какая — за версту видно! Небось, кавалеры прохода не дают...»

— А это Марина и Алла...

Раскрасневшиеся девушки отряхивали снег с головных уборов и одежды, оценивающе посматривали на встречающих молодых людей, с любопытством разглядывали висящие на стенах африканские маски, ритуальные фигурки из черного дерева, скрещенные копья папуасов и оскаленную голову самого настоящего ягуара.

— Ой, прям как в музее! — воскликнула Марина.

Круглолицая и курносая, явная уроженка сельской местности, она составляла подходящую пару для Дыгая, который, пытаясь быть галантным, неуклюже помогал ей освободиться от видавшего виды пальтеца.

— Ой, я же оливье принесла! — Марина протянула Мишке клеенчатую сумку-мешок. — Сама сделала! Думаю, ребята с этим не справятся, а без него какой Новый год? Ой, а у вас тапочки есть?

Две другие девушки ничего, кроме самих себя, не принесли, явно считая, что и этого вполне достаточно. Миловидная блондинка с прической каре по имени Алла царственным жестом сбросила короткую шубку на руки Веселову, сверху положила меховую шапку-ушанку мужского фасона, оставшись в обтягивающем гибкую фигуру черном брючном костюме. Брюки были заправлены в белые простеганные сапоги на «манной каше».

— А ты что, ездишь в Африку? — стрельнула она быстрыми глазками по маскам и копьям.

— Нет, это отцу подарили.

— У нас другая дичь, покрупнее, — важно сказал Дыгай, доставая из тумбочки тапочки для подруги. — Марина, пойдем на кухню, надо твой салат выложить в вазу.

Балаганский помогал раздеться Инессе, точнее, она благосклонно позволяла ему себе помогать. Георгию нравилась эта манера, наверное, потому, что девушка ему сразу же приглянулась. Создавалось впечатление, что он ее где-то видел. Но где? Под дубленкой на ней оказалось короткое зеленое платье с открытыми плечами и большим вырезом на спине, демонстрирующим гладкую белую кожу.

— Не замерзнешь в бальном платье? — спросил Георгий, преодолевая неловкость и удивляясь этому: он всегда свободно чувствовал себя с девушками.

— А разве есть такая опасность? — улыбнулась Инесса, продемонстрировав жемчужные зубки. — На балах гусары затанцовывали дам до седьмого пота!

— Ну, мы не гусары, — брякнул Веселов. — Мы ракетчики!

— И чувствую я, у ракетчиков на наш счет совсем другие планы, — усмехнулась блондинка.

— Дать вам тапочки? — смешался Сергей.

— Зачем? — вскинула брови Алла. — На балы разве ходят в тапочках? Мы взяли туфли!

Она присела на тумбочку и принялась снимать сапоги. Георгий и Сергей с интересом наблюдали.

— От ваших взглядов, гусары, у меня ножки дымятся! Вы не могли бы оставить нас ненадолго? Помогите вашему товарищу, он делает что-то важное на кухне...

— Конечно, как скажете, — кивнул Балаганский, и они покорно прошли на кухню.

Но Дыгай в помощи явно не нуждался: он взасос целовал Марину и страстно щупал ее за ягодицы. И хотя назвать это занятие неважным никто из молодых людей не решился бы, они не стали вмешиваться, давать советы или комментировать происходящее, а тихо ретировались.

Веселов прошел в гостиную, а Балаганский бесшумно прокрался к прихожей и встал у неплотно прикрытой двери.

— Ты посмотри, как не везет! — услышал он досадливое восклицание Инессы. — Я молнией колготки порвала! Что теперь делать?

— А запасных нет, что ли? — удивилась Алла.

— Нет. Откуда я знала, ведь в приличную компанию шли...

— Попроси иголку с ниткой и зашей!

— Еще чего! Пусть Маринка в зашитых колготках ходит, она простая, как веник! Я лучше их совсем сниму!

— Ну, ты даешь!

— А что делать...

Веселову стало неудобно, и он вернулся в гостиную. Маринка, как ни в чем не бывало, поставила на стол хрустальную салатницу со своей продукцией, Сергей и Мишка смотрели в окно, за которым густо падали большие мохнатые снежинки. Вид у них был задумчивый.

— Что загрустили, товарищи курсанты? — окликнул их Георгий.

— Да так, — нехотя ответил Веселов. — Новый год, новая жизнь... Кто знает, что она несет...

— Что-что... Офицерские погоны — вот что! — оживился Дыгай. — Как заявлюсь к себе в Углевое...

— Ты еще получи эти погоны,— огрызнулся Сергей.

— Получим! Мы без пяти минут офицеры...

— А вот и мы, — перебил его веселый голос Аллы. — Почему нас никто не встречает? Марина, хватит выполнять роль прислуги! Мы почетные гостьи! Пусть гусары стараются нам угодить!

— Дались ей эти гусары, — раздраженно буркнул Мишка. — Раскомандовалась тут...

Балаганский ничего этого не слышал — он как зачарованный рассматривал Инессу. Она надела зеленые, в тон платью, лодочки на шпильках, а между двумя зелеными цветами, контрастируя с ними, белели длинные ноги. Голые ноги! Летом это самое обычное зрелище, но сейчас, когда все девушки до неприличия отягощены одеждой, голые ноги оказывали возбуждающее воздействие. Георгий непроизвольно представил, как они продолжаются под зеленой тканью, как соединяются вместе, переходя в остальное голое тело... Инесса рассматривала его в упор, как будто читала мысли, и под этим пристальным взглядом он почувствовал, что краснеет.

— Давайте садиться, уже почти одиннадцать, надо Старый год проводить! — скомандовал Веселов.

Вспоминая занятия по этике и эстетике, курсанты отодвинули стулья, усаживая своих дам, принялись предлагать напитки и закуски. Вид стола привел девушек в восторг:

— Ой, я такого никогда не пила и не ела, — простодушно призналась Марина. — Я хочу всё попробовать!

— Я вижу, вы деловые ребята! — криво улыбнулась Алла. — Признайтесь, фарцовку крутите? Или чеки ломаете под «Березкой»?

Курсанты ничего не поняли.

— Это ты на каком языке? — спросил Дыгай.

— Shut up, a bough![1] — резко выкрикнула Инесса. Но тут же взяла себя в руки и с улыбкой пояснила: — У нее бывший парень в милиции работал, вот и нахватались словечек! Не обращайте внимания!

— Ой, при чем тут милиция и фарцовщики?! — воскликнула Марина. — Я же тебе говорила, тут все интеллигентно: у Сережи папа — профессор в дипломатической академии! И мама — врач в поликлинике МИДа!

— Зам. главного врача, — скромно поправил Сергей. Он уже привык к роли завидного жениха, которого пытаются загарпунить девушки на выданье. И эта роль ему даже нравилась.

Тем временем Дыгай наполнил бокалы и рюмки.

— За нашу встречу! — торжественно провозгласил он. — Хорошо, что я познакомился с Маринкой, а она привела своих очаровательных подруг!

Тонко прозвенел хрусталь. Марина пила ликер, Алла — коньяк, Инесса — сухое вино. Ребята налили себе коньяк. Застолье покатились по привычным рельсам. Второй тост подняли за присутствующих дам, причем курсанты пили «по-офицерски» — стоя и отставив локоть. Потом за Старый год, потом за родителей, за товарищей, за учителей... Балаганский и Веселов только пригубляли свои рюмки, зато Дыгай опрокидывал их до дна. Марина и Алла от него не отставали, причем Марина «пробовала» не только ликер, но и коньяк, и вино. Зато Инесса пила очень умеренно. Она грациозно поднимала бокал, деликатно пригубляла и аккуратно ставила на стол. Совершенно очарованный Георгий положил под столом ладонь на

---

[1] Прикуси язык, сука! (англ.).

круглое гладкое колено, но она сняла нескромную руку, хотя и ответила крепким многозначительным пожатием.

— Девочки, кому бутерброд с красной икрой? — спрашивал Дыгай. — А кому с черной? — Он быстро изготавливал бутерброды, но чаще отправлял их себе в рот. — И крабы... Кушайте крабы, девочки! Мариночка, дай я тебе положу...

О своей подруге Мишка не забывал, о других девушках заботились Сергей с Георгием, которые под влиянием общей атмосферы тоже махнули по несколько рюмок коньяку и заметно повеселели. Поначалу немного скованная, компания разгорячилась и к полуночи почти достигла нужной кондиции.

Между тем минутная стрелка приближалась к двенадцати. На всех телеэкранах необъятной страны в этот момент было одно и то же изображение: диктор Центрального телевидения Игорь Кириллов зачитывал поздравление советскому народу от имени Генерального секретаря ЦК КПСС, Председателя Президиума Верховного Совета СССР Леонида Ильича Брежнева.

Дыгай поспешно разливал шампанское. Поздравление подходило к концу. Курсанты встали и про себя загадывали желания в надежде, что в этом, судьбоносном году, они наверняка сбудутся. Девушки, как верные подруги, стояли рядом и, осознавая важность момента, не отвлекали будущих офицеров.

— С Новым годом, дорогие товарищи! — произнёс диктор.

Начали бить куранты, и миллионы граждан замерли с поднятыми бокалами «Советского шампанского», рюмками водки, а где-то и с кружками самогона или мутного флотского «шила», в ожидании двенадцатого удара, после которого начнется Новый год и новая жизнь, которая будет хоть в чем-то лучше прежней. Курсанты были частью народа и не составляли исключения.

— Три, четыре... — вслух считал удары Веселов. — Пять... Десять...

Зазвенел хрусталь с искрящимся шампанским...

— Одиннадцать... Двенадцать!

Три парня и три девушки выпили заветные бокалы.

— Ур-рр-ра! С Новым годом!

Мишка поцеловал Маринку в губы, глядя на них, поцеловались Сергей с Аллой. Георгий обнял Инессу за талию, она не возражала, но вместо губ подставила гладкую щеку. В бокале выпукло блестела последняя капля шампанского. «Нужно родителям позвонить, поздравить!» — подумал он.

Мишка увлекся поцелуями, и Маринка стала вырываться.

— Чего ты? Здесь все свои! — подбодрил её Дыгай. — А на свадьбе вообще перед толпой народа целоваться придётся!

— А с этого места поподробней! — оживилась Маринка. — Ты что, делаешь мне предложение? Смотри, сколько у нас свидетелей!

— Не спеши, это только репетиция, — сдал назад Мишка. — Предложение сделаем при родителях, со сватами, как положено...

— Технично съехал с темы, гусар! — прищурилась Алла. Она заметно опьянела. Как, впрочем, и все.

— Никуда я не съехал, — обиделся Дыгай. — Спешить некуда. Распределюсь, приеду в часть, осмотрюсь — какие условия. А потом уже можно сватов засылать!

— А я бы на твоём месте не откладывал!— смеялся Веселов.

— Это еще почему?

— Да потому, что распределят тебя в глухомань, кругом на тысячу километров тайга, и самая завидная невеста там — какая-нибудь лосиха... Прикормишь ее — и пользуй без всякой свадьбы, без сватов и лишних расходов! А Маринка, как ни крути, гораздо лучше лосихи!

— И оливье умеет готовить!— вставила Алла.

— Не нагнетай! — Мишка с пьяным упорством покачал пальцем. — Сейчас такой глухомани и нет!

— Еще как есть! — не сдавался Веселов. — Знаешь анекдот?

— Какой?

— Брежнев выступает на съезде партии: «Вот что пишут нам товарищи из Сибири: «Срочно пришлите два эшелона водки, зэпэтэ, народ протрезвел, зэпэтэ, спрашивает, куда девали царя-батюшку...»

Все расхохотались. Особенно веселились девчонки:

— Вот умора! — хохотала Алла.— Выходит, они революцию пробухали!

— Молодец, Сережа! — вторила подруге Инесса. — Расскажи еще!

— Еще? — Сергей польщенно задумался. — А-а, вот... Знаете, что такое бормотуха «Пять звездочек»?

— Такой не бывает, — сказала Марина. — Бормотухой называют низкосортное пойло, какую-нибудь брагу, или вино плохое... Какие тут могут быть звездочки?

— Нет, это наш дорогой Леонид Ильич! — расхохотался Веселов.

Георгий под столом ударил его ногой — мол, чего разболтался! Но товарищ не обратил на него внимания, только отодвинулся.

— А почему? — поинтересовалась Инесса.

— Потому, что у него пять звезд Героя и не говорит, а бормочет!

Снова все засмеялись. По телевизору шел «Голубой огонёк». Вероника Маврикиевна и Авдотья Никитична изображали гардеробщиц, принимающих верхнюю одежду у артистов балета. Но на них никто не смотрел.

— Давайте за Новый год выпьем! — предложил Балаганский. — Пусть принесет то, что мы от него ждем!

— Конечно, вам принесет! — саркастически хмыкнул Мишка. — С такими предками останетесь в Арбатском военном округе, будете служить где-нибудь в штабе с девяти до шести, а потом переоденетесь в гражданку — и иди куда захочешь... В пивбар, например, или в театр, или девчонок клеить... А мы, пролетарии, в шахты пойдем, под землю, сутки — двое, через день — на ремень! Так что пути у нас разойдутся...

— Дурак ты, Мишка! Мне родители сто раз говорили, чтобы я по дипломатической линии двинулся, там у них действительно всё схвачено! Сейчас бы получил распределение в посольство какой-нибудь цивилизованной страны и поехал себе спокойно... Я сам жизненный путь выбрал! — спокойно ответил Веселов. — И тоже пойду под землю — без этого опыта настоящим ракетчиком не станешь! И друг наш в шахту пойдет. Так, Георгий?

Балаганский ничего не сказал, только рукой махнул. Сергей встал с рюмкой и провозгласил:

— За ракетные войска! Мужчины пьют стоя, женщины — до дна!

Так и выпили.

— Ракетчики — особая профессия. — Дыгай оседлал своего любимого конька.— Вот я был на практике, сидел за боевым пультом, а мой напарник-майор отлучился в гальюн...

Георгий встал, вышел в прихожую, где стоял один из телефонов, набрал домашний номер.

— Привет, мам! С Новым годом! Что-то у тебя голос печальный...

— Да так, задумалась... Отца никогда дома нет — всё на службе да на службе... Теперь и тебя годами видеть не буду... А уже старость на носу...

— Ну, перестань! Праздник ведь! Надо о хорошем задумываться!

— Да я стараюсь, только не получается. Предчувствия какие-то...

— А папка где?

— Спать лег. У него ранним утром вылет. Я одна сижу перед телевизором — вот тебе и весь праздник!

— Ну, мам, это же служба! Поздравь его от меня. Приду, расцелую тебя в щечки! Не грусти! Пока!

Настроение у Георгия тоже слегка испортилось. Он вернулся в гостиную, сел на свое место, обнял Инессу за плечи, она не возражала, даже вроде прижалась навстречу. Настроение снова улучшилось.

— ...и получается, всё от меня зависит, — разглагольствовал Мишка. — Вот она, красная кнопка! А вот мой палец! — Он со значением продемонстрировал толстый и кривоватый указательный палец. — Нажму — и всё: атомная война, миру конец!..

Сергей покатывался со смеху: Мишка мало того что врал — он плел несусветную чушь. Зато девчонки слушали, раскрыв рты.

— Хватит, Миха! — перебил товарища Георгий. — Все уже поняли: тебя надо любить и беречь! Давай выпьем за дружбу! Вот окончим академию, разъедемся по гарнизонам, и что, всё закончится? Нет, конечно! Давайте договоримся: съезжаться каждый год и встречаться в столице!

— Это тебе всё равно к родителям ездить, — покачал головой Дыгай. — А прикинь, как мне, например, из Амурской области за семь тысяч вёрст летать?!

— Да очень просто! Билет бесплатный, дни на дорогу прибавляются к отпуску... Что сложного?

— Не это главное! — воскликнул Дыгай. — Давай договоримся: кто первый по карьерной лестнице поднимется, тот и остальных к себе подтянет!

— За дружбу! — поднял бокал Веселов.

— Стоя! — сказал Дыгай.

— Стоя — за дам! — возразил Балаганский. — И за ракетные войска!

— И за дружбу тоже!

Все рассмеялись и выпили стоя за дружбу. Праздник входил в ту стадию, когда все веселятся и перебивают друг друга.

На экране пел Вахтанг Кикабидзе:

Невозможно прожить без печали,
Но хочу я, друзья, пожелать,
Чтобы в радости вы забывали,
Что недавно пришлось горевать...

— Выключите эту тягомотину, давайте, наконец, танцевать! — потребовала Алла.

— Давно пора! — поддержала Марина. Она раскраснелась и была неестественно оживленной.

— Желанье дам — закон для офицеров!

Сергей встал из-за стола, вырубил телевизор и включил недоступную для многих сверстников мечту — японский двухкассетник «Шарп». Из динамиков полилась модная песня диско-группы «Boney M».

Начались танцы — вторая часть празднества. Собственно, это был повод пообжиматься с девушками, разгорячиться и плавно перейти к тому, ради чего их и приглашали. Хотя никогда не знаешь, удастся третье отделение или нет. Могут просто продинамить: собраться и уйти, могут сослаться на «критические» дни, которые удивительным образом совпали у всех троих, могут... Хотя у Георгия грешных мыслей в голове не было: он прижимал к себе Инессу и находился на вершине счастья, большего ему не требовалось. Только чувствовать в руках гибкое тело, вдыхать пряный аромат рассыпавшихся по плечам волос...

— А ты свободно по-английски говоришь? — спросил он.

— В общем, да...

— А что ты сказала Алле?

— Чтоб чушь не молола. — В нежном голоске проскользнули злые нотки.

— Мне всё равно, что она мелет. Алла мне неинтересна...

— А кто интересен?

— А ты не догадываешься?

Одна мелодия сменяла другую, танцевали полчаса, сорок минут, час... Всем стало жарко, парни сняли пиджаки, Алла тоже последовала их примеру, оставшись в довольно откровенной полупрозрачной блузке. Партнеры прижимались друг к другу все плотнее, Мишка, не скрываясь, щупал Маринку за все места, она поощряюще смеялась. Шлепанье их тапочек, казалось, перекрывало музыку, привлекало внимание и вызывало смех остальных. Прелюдия затягивалась, но чтобы нарушить монотонность второго отделения и перейти к завершающей части, нужен был какой-то повод: событие, знак, чей-то пример... Затянувшееся действо нарушила Маринка: издав неопределенный звук, она вырвалась из мишкиных объятий и, прижимая ладонь ко рту, бросилась в сторону прихожей.

— Намешала ликер с шампанским и коньяком, — прокомментировал Веселов. И крикнул Мишке: — Иди, помоги девчонке!

Это происшествие и стало знаком: танцы сами собой прекратились, Веселов куда-то увел Аллу, Георгий растерянно стоял напротив Инессы и впервые не знал, что делать дальше.

— Мне показалось, что мы встречались, — сказал он распространенную банальность. — Я тебя где-то видел...

— Может быть, — отозвалась девушка. — А где?

— Вот не помню...

Она в упор рассматривала Георгия. Глаза у нее тоже были зелеными, в цвет платью и туфлям. Они таинственно мерцали.

Балаганский неловко кашлянул.

— Мне кажется, вы больше с Аллой дружите, а Марина так, сбоку припека...

— Ты наблюдательный, — кивнула Инесса. — Так и есть! Просто у нас сорвалась одна компания, а тут Машка со своим предложением: приличные ребята, курсанты... Ну, мы и рискнули...

— И не жалеете?

— Пока нет, — со значением улыбнулась Инесса. — Во всяком случае, я не жалею...

— Гм... Пойду посмотрю, как там они, — буркнул Балаганский и быстро вышел в прихожую.

Из санузла доносились характерные каркающие звуки: кого-то рвало. Приоткрыв дверь, он увидел, что Маринка двумя руками оперлась о ванну и извергает в нее роскошный ужин, а Мишка стоит сзади и совершает ритмичные движения... При первом беглом взгляде, Георгий подумал, что он делает ей искусственное дыхание, но как-то странно — не так, как их учили в курсе первой медицинской помощи: там надо нажимать на грудную клетку, а не на нижнюю часть туловища... К тому же у Мишки были спущены штаны, а юбка Маринки задрана на спину, так что со второго взгляда до Балаганского дошло, что на самом деле здесь происходит. Он тихо прикрыл дверь и вернулся в гостиную.

Верхний свет был потушен, горел только торшер. Инесса, подобрав ноги, сидела на диване, зеленые туфельки стояли рядом, точнее, стояла одна, а вторая лежала на боку. Георгий аккуратно поставил и вторую, робко присел на диван. Ногти на ногах у Инессы были накрашены ярким красным лаком, и это его удивило: все знакомые девушки делали педикюр только летом, когда пальцы на виду.

— Ну, что там? — спросила Инесса.

— Марине плохо, Мишка ей помогает. А где Сергей с Аллой?

— Наверное, легли спать. Поздно уже...

Неожиданно для себя Георгий погладил гладкие ступни.

— У тебя ноги холодные...

— Да, всегда. И руки тоже. Но ты можешь их согреть...

Проснулись все поздно, попарно выкупались в ванне, смывая друг с друга следы бурной ночи и попутно усугубляя ее последствия. Потом сели за стол. Есть никто не хотел, выпивать тоже. Ограничились кофе, да Мишка все-таки проглотил какой-то бутерброд. Балаганский и кофе не пил: он не сводил взгляда с Инессы. Девушка собрала длинные волосы в конский хвост, и вдруг он вспомнил, где ее видел.

— Мы действительно встречались, — наклонившись к маленькому розовому ушку, произнес он. — Летом позапрошлого года, в «Космосе»!

— Вот как? И ты до сих пор меня помнишь?

— Да... Ты курила такую тонкую сигарету и красиво выпускала дым кольцами...

— Удивительно! — Инесса обворожительно улыбнулась. — Даже такие детали запомнил? Кстати, я давно бросила курить.

Георгий часто представлял будущую службу: затерянная в лесах или степях ракетная часть, изнурительные, выматывающие нервы дежурства, давящая на плечи ответственность за судьбы мира... И сейчас он вдруг понял, что если в неуютной служебной квартире его будет ждать Инесса, то все остальное не будет иметь никакого значения!

— Выходи за меня замуж! — неожиданно для самого себя сказал он. — Сегодня пойдем к моим родителям, познакомимся. Нет, сегодня отец в полете... Завтра или послезавтра. И сразу после праздников подадим заявление!

— Ты серьезно? — засмеялась Инесса. — Такого у меня еще не было!

— О чем вы там шепчетесь? — ревниво спросила Алла.

— Секрет! — сказал Балаганский.

— Потом поговорим! — Инесса положила свою ладошку на его тяжелую руку. — В таких делах спешить нельзя.

Уже после полудня стали прощаться. Вначале ушли девушки, парни стали обмениваться впечатлениями.

— Я Мишке сказал: помоги девочке, а он ее... Хорош помощник! — смеялся Веселов, и Балаганский его поддерживал.

— Ладно, я просто раньше вас начал, — защищался Дыгай. — А вы что, по-другому помогали?

— Слушай, Мишка, а что между ними общего? — спросил Веселов. — Марина и эти девочки — разных полей ягоды!

— Не знаю, — пожал плечами Мишка. — Они одновременно в Иняз поступили и первое время вместе квартиру снимали, чтобы дешевле. А потом в общежитии место появилось, Маринка и переехала. А на Новый год девчонки в какую-то компанию намылились, но когда Маринка расписала, какие тут крутые парни, они и переиграли...

Балаганский покачал головой.

— Не совсем так. Та компания у них сорвалась, вот они к нам и пошли.

— Сорвалась? — удивился Дыгай. — Маринка говорила наоборот — им до последнего звонили и звали, а они отговаривались.

— Ладно, какая разница! — вмешался Веселов. — Главное, Новый год встретили отлично. А есть примета: как встретишь год, так его и проведешь!

Товарищи с ним согласились как по первому, так и по второму вопросу. Расходились все довольные праздником.

13 января 1982 года
Москва

На стене за столом секретаря комитета комсомола майора Беликова красовался вымпел «За высокие показатели в социалистическом соревновании». Сам майор в форменной рубашке с расстегнутым воротником и отстегнутым, висящим на заколке галстуком деловито перебирал какие-то бумаги, не обращая внимания на вошедшего Веселова. Каждую свою речь он начинал словами: «Мы, ракетчики...», хотя в войсках не служил, что объяснял внезапно севшим зрением, и после окончания академии сразу занял свое нынешнее кресло. Однако, сидя в нем, он дослужился до майора гораздо быстрее, чем в ракетной шахте.

То ли за напористость и прямолинейность, то ли за непропорционально крупную голову на хрупком туловище, Беликов получил прозвище Гвоздь. И действительно, с погонами, свисающими с плеч, он был похож на вбитый в кресло гвоздь больше, чем на ракетчика. Веселов невольно улыбнулся.

— Я смешно выгляжу? — проницательно спросил Беликов, поднимая голову.

— Никак нет!

— Чему тогда вы улыбаетесь, курсант?

— Да... нет, — растерялся Веселов. — Это я так, просто...

— Может быть, анекдот вспомнили? — ледяным тоном поинтересовался Беликов.

По спине Сергея пробежал неприятный холодок. Ещё минуту назад не ожидавший от вызова в комитет комсомола ничего плохого, теперь он буквально физически почувствовал исходящую от этого щуплого человечка угрозу.

— Не понимаю, товарищ майор!

— Вы, я вижу, вообще ничего не понимаете, товарищ курсант! Не понимаете, что говорите, что делаете... Как, в таком случае, можно вам доверить ядерный щит страны?!

Гвоздь кипел праведным гневом, лицо его раскраснелось, глаза метали молнии. Веселов решил, что лучше промолчать.

— Я жду объяснений, курсант! — повысил тон Беликов. — Расскажите уж и мне ваши любимые антисоветские анекдоты, которые рассказывали в присутствии гражданских лиц!

— Не было такого, — растерянно выдавил из себя Веселов.

— Ах, вот как?! Так и запишем: «Был неискренен, пытался ввести в заблуждение руководство...»

Майор надел очки и сделал пометки в лежащем перед ним ежедневнике. Потом перевернул лежавшие на углу стола листы желтоватой бумаги, развернул их веером и поднял, как выигрышную комбинацию карт.

— Смотри, курсант! Вот свидетельства студенток факультета иностранных языков Московского педагогического института Лисиной, Каргаполовой и Манякиной. Они утверждают, что при совместной встрече Нового года ты рассказывал политические анекдоты про Генерального секретаря ЦК КПСС товарища Брежнева!

Веселов сделал два нетвердых шага вперёд и пристально вгляделся в объяснительные, написанные разным, но похожим между собой каллиграфическим почерком. Под двумя размашистые и под одной куцая подпись. Последняя наверняка принадлежит этой дуре Марине. В глазах поплыло... Если разыскали девчонок, значит, за него серьезно взялись! «Если выпрут из комсомола — автоматическое отчисление из академии, — подумал он. — Но кто же из верных друзей настучал? Жорка или Мишка?»

Главный комсомолец академии положил объяснения девушек обратно и снял очки. Злые языки говорили, что в них не диоптрические, а простые стекла.

— Свободен, курсант! Пока. Завтра в шестнадцать часов в актовом зале состоится общее собрание комсомольцев курса. Подумай, как будешь оправдываться перед товарищами! Хотя, что бы ты там ни придумал, вряд ли они захотят терпеть в своих рядах антисоветчика! Иди!

— Есть, — еле выдавил Веселов, развернулся через левое плечо и на негнущихся ногах вышел из кабинета.

В коридоре его ждали Балаганский и Дыгай.

— Ну, чего он хотел? — спросил Балаганский.

— Небось, теплое местечко на комсомольской работе предлагал? — усмехался Дыгай.

Сергей презрительно осмотрел обоих.

— Завтра из комсомола исключать будут.

— Да ты что?! За что?!

— За анекдоты политические, которые на Новый год вам рассказал, — сказал он и пошёл дальше, давая понять, что разговаривать им не о чем.

— Не понял! — сказал Дыгай.

— Что ты не понял?! — Балаганский схватил его за грудки. — Зачем Жорку сдал? Что он тебе сделал? Ну, посмеивался немного, так без зла, шутейно...

— Ты что, офуел?! — отработанным движением Дыгай сбил захват. — С чего ты на меня бочку катишь?! Может, сам и настучал, а теперь стрелки переводишь?

Челюсть у него была открыта, и Георгий с трудом сдержал руку. Просто повернулся и пошел прочь. Дыгай смотрел вслед и крутил пальцем у виска. На лице его было написано искреннее недоумение.

В вестибюле уже висело объявление: «14 января в 16 часов состоится комсомольское собрание курса. Повестка дня: персональное дело комсомольца Веселова».

Из кабинета Беликова Веселов направился прямиком в общую библиотеку.

— Здравствуйте, Евгения Ивановна!

Молодая миловидная женщина за стойкой встретила его приветливо:

— Здравствуй, Сережа! Как сессия?

— Спасибо, нормально. Два экзамена сдал и зачет.

— Ну, а к нам зачем? У тебя же спецдисциплины.

— Евгения Ивановна, можно позвонить домой по городскому?

— Только недолго, ты же знаешь — не положено.

— Спасибо, я быстро.

Веселов поднял трубку. Она казалась тяжелее, чем обычно. И диск проворачивался с трудом.

— Алло, — почти сразу ответил знакомый голос.

— Здравствуй, пап!

— Здравствуй, Сережа! Что-то случилось?

— Меня из комсомола собираются исключить.

— За что?

— За анекдоты политические.

— Сколько раз предупреждал! — убитым голосом произнес отец. — Это дело серьезное... Ты понимаешь, что этим и нас с матерью подставляешь?

— Пап, не время сейчас! Завтра собрание. Ты можешь что-то сделать?

Отец долго молчал. Очень долго.

— Попробую, — наконец неуверенно сказал он. — С матерью посоветуемся, подумаем, на кого можно выйти. Только это совершенно другая сфера. Говорили тебе — иди по нашей линии...

— Спасибо, папа! — Сергей положил трубку.

Неужели из-за такой ерунды ему сломают жизнь? Молодому человеку в это не верилось. Может, потому, что он не хотел верить, а может, оттого, что не знал жизни. «Ничего, может, и обойдется», — подумал он.

* * *

Не обошлось.

Общее собрание курса прошло быстро. Беликов огласил повестку дня, довёл присутствующим содержание проступка Веселова, предоставил ему слово. Сергей сильно волновался, болела голова, в висках гулко пульсировала кровь, и он даже не помнил, что говорил. Впрочем, его слова, похоже, никого и не интересовали. Как по сценарию, выступили один за другим пять активистов с выступлениями, будто написанными под копирку: «Возмущены... Не имеет оправданий... Недостоин высокого имени комсомольца и звания офицера... Исключить из комсомола и просить руководство академии об отчислении...»

Открытое голосование... Лес рук. Единогласно!

Накануне Балаганский тоже позвонил своему отцу — описал ситуацию и спросил совета — как себя вести.

— Чем подтверждается? — сразу спросил подполковник, отслуживший двадцать два года и знающий армию как свои пять пальцев.

— Они девчонок опросили, с которыми мы Новый год встречали. Как их нашли — ума не приложу!

Балаганский-старший хмыкнул.

— Ты думаешь, это ваш комсомолец свидетельниц устанавливал и объяснения брал? Его руками твой куратор водит...

— Какой куратор? — спросил Георгий, но тут же понял, что отец имеет в виду Ивлева. — Так мне что делать? Мы с Сергеем столько дружили. Я хочу его поддержать...

— Не вздумай! Плетью обуха не перешибешь! Сценарий уже написан и вопрос предрешен! Ты ему ничем не поможешь, только себе навредишь! Голосуй, как все!

Георгий и проголосовал. Опустил голову и поднял руку. Опускал ли голову Дыгай, он не видел. Но, судя по результатам голосования, руку тоже поднял исправно.

Торжественно, словно приговор, Беликов огласил решение: «За поведение, компрометирующее высокое звание комсомольца, исключить курсанта Веселова из рядов ВЛКСМ».

Из актового зала бывшие друзья выходили по отдельности. Вокруг Веселова сразу образовалась пустота отчуждения. Все знали, что судьба его предрешена.

На следующий день Балаганский, улучив удобный момент, проскользнул в кабинет Ивлева.

— А, Георгий! — холодно встретил его особист. — Ты знаешь, я подвожу итоги нашему сотрудничеству и вижу, что ты не оказал мне никакой помощи! Даже про политические анекдоты, которые рассказывали в твоем присутствии, ты не счел необходимым доложить!

— А зачем, если вам всё Дыгай исправно докладывает? — хмуро сказал Балаганский.

Брови капитана удивленно поднялись почти до середины лба.

— Подожди, при чем здесь Дыгай?

— Да при том, что он тоже у вас на связи. Только не брезгует доносить на товарищей.

— Откуда ты это взял? — заинтересовался Ивлев.

Поведение его было совершенно естественным, что Сергея не удивило: такая работа, без артистизма — никуда!

— Я же не полный дурак! Смотрю, вижу, анализирую... Как бы вы без него про девчонок узнали?

Ивлев нахмурился.

— Ты что, мой начальник? Я получил по голове за слабую оперативную осведомленность, а ты еще пришел мне вопросы задавать?! Это я тебя должен спрашивать: почему ты не выполнил свой долг?!

— Дыгай его выполнил за обоих! И Веселова отчислили! Что еще от меня требуется?

— Опять ты про своего Дыгая! Я же сказал: он не имеет никакого отношения к моей работе!

Георгий молчал. Ясно, что особист никогда не расшифрует своего агента.

— Не веришь! — хмыкнул капитан. — Ну, дело твое. С чем пожаловал?

— Да просто было интересно спросить: почему у меня не взяли объяснение? Все-таки лишний свидетель!

— Да потому, что я берегу тебя, как своего человека! — Ивлев встал, обошел стол, зачем-то выглянул в окно, потом подошел к Георгию и похлопал его по плечу.

Тот отстранился. Пожалуй, капитан больше походил на Мюллера. Только не такой грузный.

— Ты знаешь, что Беликов хотел заставить вас с Дыгаем выступить на собрании в роли главных обвинителей? И заставил бы, можешь быть уверен!

— Почему же не заставил?

— Я помешал, вот почему! Сказал, что это примитив — выставлять двух друзей против третьего: осуждать должны широкие курсантские массы! И он со мной согласился!

Ивлев вернулся на свое место, тихо, по инерции, буркнув на ходу:

— Куда бы он делся...

— Так вы сами подтверждаете, что отмазывали и меня и Дыгая! — Георгий думал, что он поймал капитана за язык.

Но тот только покачал головой.

— Если бы я «отмазывал», как ты говоришь, только тебя, то это могло вызвать подозрения, — спокойно пояснил он. — Почему из двух друзей Веселова я хлопочу о Балаганском? И сам знаешь, к какому выводу придут все, кто об этом задумается... Так или нет?

— Так, — глядя в сторону, сказал Балаганский. И без всякого перехода спросил: — Можно чем-нибудь помочь Веселову?

Особист развел руками.

— Если бы он попался в самоволке, или на пьянке, даже на драке... Но, согласись, было бы странно, если бы особый отдел попытался заступиться за антисоветчика! Ты меня понимаешь?

— Я все понимаю, — Балаганский кивнул. — Разрешите идти?

— Иди, — кивнул Ивлев. — Вижу, что я тебя не убедил. Но я сказал всю правду. И ты можешь оценить, что я хорошо к тебе отношусь. Потому что ты хороший парень и мне симпатичен...

«Скорей потому, что мой отец возит главкома», — подумал Георгий. Четко повернувшись, Балаганский вышел из кабинета. Он не поверил ни одному слову капитана Ивлева.

А через несколько дней курсант Веселов был отчислен из академии.

С Дыгаем Георгий не разговаривал. Несколько раз он звонил Инессе, но та бросала трубку. Примета про хорошо встреченный Новый год на этот раз не сбылась.

17 июля 1982 года
Москва

Лейтенантский строй. Кроме как на выпуске, такого не увидишь. От однообразия начинает двоиться в глазах. Одинаковые золотые погоны, одинаковые чёрные галстуки на белых рубашках, белые перчатки, новенькие, необмятые кителя цвета морской волны, желтые пояса с золотыми пряжками... Вчерашние курсанты еще не привыкли к парадной офицерской форме, но чувствовали себя в ней очень комфортно. А родители и родственники выпускников, толпящиеся вдоль плаца, с радостью и умилением рассматривали своих повзрослевших сыновей.

Солнце играет на маленьких звездочках так же, как и на генеральских и полковничьих звездах стоящих на трибуне начальников различных уровней — от полковников начальников факультетов, начальника академии генерал-майора Фёдорова до главкома ракетных войск генерал-полковника Толстунова. Правда, у начальников еще сверкали иконостасы орденов и медалей, а у выпускников только новенькие ромбовидные значки о высшем образовании. Но медали — дело наживное. Зато лейтенанты еще не успели обзавестись полковничьими животами и складками жира на боках. Впрочем, и молодость — преимущество преходящее.

Те, кого самый грозный враг не заставит встать на колени, сейчас, преклонив правое колено на асфальт плаца, склонили непокрытые головы. Фуражки лежат у каждого на левой руке перед грудью. Прощание со знаменем академии — священный ритуал. Чеканя шаг, вдоль присевшего строя знаменосцы проносят боевое знамя...

— Курс, встать! — командует в микрофон генерал-майор Федоров — Равня-яя-яйсь... Смирно!

Прощальное прохождение. Оркестр взрывается «Прощанием славянки». Лейтенант Балаганский благодаря своему росту — в первой шеренге крайним справа. По нему равняется вся «коробка» роты, нужно следить боковым зрением, чтобы не отклониться с линии ни влево, ни вправо. И еще он видит родителей — стоят в первом ряду, отец улыбается, мама вытирает глаза платочком.

— Смирно! Равнение на... право! — командует ротный при приближении к трибуне.

Строевой шаг становится ещё чётче, удары ног сливаются в один, как будто великан в сапогах огромного размера бьет строевой шаг по асфальту. Полковники и генералы застыли на трибуне с поднесёнными к козырькам напряженными ладонями. Звуки «Славянки» вынимают душу. Последнее прохождение по плацу альма-матер...

— Счёт! — командует ротный.

— Иии... — тянут десятки голосов, — раз!

Начищенные до блеска пятаки, зажатые до этого в руках, взлетают вверх, словно салют русскому воинству: «Служим не за деньги!» Золотым дождём монеты со звоном падают на плац, под ноги сзади идущих. Раскатываются по плацу... Так и лейтенанты — разлетятся кто куда: в Оренбург, Омск, Иркутск, а оттуда в такую глушь, в такой затерянный гарнизон, что и на карте не отыщешь среди моря тайги. Потому что стратегические ракеты далеко запрятаны от глаз людских...

Строй расходится. Лейтенанты прощаются с офицерами, обнимаются с родственниками. Малышня — братья, сестры, племянники рыщут по плацу, собирая монеты. Выпускники фотографируются на память — с родителями, невестами, преподавателями... И Георгий включился в этот процесс. Щелк! Щелк! С одной стороны Петр Семенович в парадной форме подполковника авиации, с другой — Мария Ивановна в старомодном черном платье с белым кружевным воротничком.

— Иди к нам, Жорка! — машет рукой Дыгай.

Они с Сизовым, Иващуком и тремя яркими девицами делали снимок за снимком. Но Балаганский идет в другую сторону — туда, где стоит Веселов в гражданском костюме. Это не его праздник. Правда, отец обошел все инстанции и даже написал министру. И дело вроде бы сдвинулось с мертвой точки: обещали восстановить через год. Вроде бы... Сколько было случаев: обещали, обещали, а ничего не делали...

Балаганский подошел к нему, обнял. Ответного порыва не последовало.

— Поздравляю, Георгий! — несколько отчужденно сказал Сергей. — Я подумал и понял, что это не ты на меня стуканул. Ты меня, наоборот, — удерживал, ногой под столом пинал... Это Мишка, сволочь!

— Пойдем с нами на банкет! — искренне предложил Балаганский. — В шесть, кафе «Виктория».

Товарищ покачал головой.

— Нет. Помнишь, как Остап Бендер сказал: «Мы чужие на этом празднике жизни»? Я его сейчас прекрасно понимаю...

Кто-то взял Георгия под руку. Он обернулся — отец.

— Быстро пойдем, Виктор Дмитриевич зовет!

— Зачем? Ты что, говорил с ним обо мне?

— Нет, сам удивляюсь. Подошел офицер, сказал — главком зовет с сыном вместе.

Они пошли к трибуне. Здесь было много офицеров: стояли кучками, оживленно разговаривали, смеялись. Георгий встретился взглядом с обособленно стоящим майором Ивлевым: недавно тот получил повышение и стал начальником особого отдела. Вчера он вызвал свежеиспеченного лейтенанта, поздравил с окончанием учебы, поблагодарил за сотрудничество. Балаганский думал, что это прощание, но неожиданно услышал:

— Твое личное дело по нашей линии я отправил в часть. Как прибудешь, с тобой мой коллега встретится. Может, тебе какая-нибудь помощь понадобится...

Приподнятое настроение моментально улетучилось. На какое-то мгновение Георгия охватил ужас: «Они теперь от меня не отстанут!»

— Так это что, навсегда? — спросил он.

— Ну, что ты помрачнел? — рассмеялся особист. — Вот станешь с нашей помощью генералом, тогда, конечно, с учета снимут. Или когда на пенсию выйдешь.

Сейчас Ивлев безразлично отвернулся, как будто они вообще не были знакомы.

Зато их с отцом беспрепятственно пропустили на трибуну, где генерал Федоров увлеченно рассказывал что-то главнокомандующему и какому-то солидному седовласому мужчине в гражданской одежде.

— А вот мой личный пилот, Петр Семенович, ас из асов! — улыбнувшись, Толстунов шагнул навстречу, пожал руку отцу, потом Сергею. — А про тебя отец много рассказывал. И что характерно: никогда за тебя не просил: ни в Москве оставить, ни теплую должность подобрать!

Генерал-полковник обернулся к начальнику академии.

— А у тебя пятеро незаменимых — в столице без них не обойтись!

Федоров смущенно кашлянул.

— Так просят со всех сторон, Виктор Дмитриевич! Иногда отказать неудобно.

— Неудобно на потолке спать — одеяло падает! — буркнул генерал-полковник.

А гражданский назидательно сказал:

— Вот тут и надо проявлять партийную принципиальность!

Толстунов похлопал Балаганского-младшего по плечу.

— Может, у тебя есть просьбы, пожелания?

Конечно, проще сказать: «Никак нет!» и быть благосклонно отпущенным самым большим начальником в ракетных войсках. Но Георгия будто кипятком обдало.

— Товарищ генерал-полковник, есть просьба!

Федоров даже глаза выпучил: формальный вопрос, неужели непонятно! Куда он лезет, этот юнец?! Какие могут быть просьбы к главкому на трибуне после выпуска? И седовласый удивился. И отец. Даже сам Толстунов не ожидал такого ответа, улыбка исчезла, лицо стало строгим.

— Слушаю, товарищ лейтенант!

— Моего товарища курсанта Веселова отчислили из академии за глупый анекдот. А он отличный парень, учился хорошо и служить хотел. Разберитесь с этим, пожалуйста!

Федоров и штатский переглянулись с таким видом, будто молодой лейтенант громко испортил воздух.

— Не глупый, а антисоветский анекдот! — побагровев, отрезал Федоров.

— Хорошо учиться — мало! Ракетчику партия доверяет ядерный меч, поэтому он должен быть идеологически выдержанным! — сказал штатский, и Георгий понял, что это какой-то партийный начальник.

Главком повернулся к начальнику академии и резко сказал:

— Лейтенант не за себя просит, не теплое местечко в Москве выбивает! О товарище беспокоится! Завтра же доложите мне дело этого Веселова!

— Есть, товарищ главком! — принял строевую стойку Федоров.

— Я разберусь, товарищ лейтенант! — сказал командующий. — Обязательно разбсрусь. Счастливой службы!

— Ну, ты даешь, — сказал отец, когда они спустились с трибуны.

— Осуждаешь?

Вместо ответа Петр Семенович крепко обнял его за плечи.

Дорогу им загородил плотный подполковник — бывший начальник курса Харитонов.

— Балаганский, напоминаю: праздничный банкет состоится в кафе «Виктория», приглашаются родители, родственники, жены и лица к ним приравненные!

— Помню, помню, Иван Петрович! — радостно отозвался Георгий. У него будто гора с плеч свалилась.

ГЛАВА 4

Военная хитрость

19 октября 1982 года
Москва, Кремль

В коридорах Кремля генеральные конструкторы Усов и Головлев чувствовали себя неуютно. Даже Звезды Героев и медали лауреатов Ленинских премий (у Усова таких было две) не помогали сохранить обычную уверенность создателям мощнейшей ракеты в мире и системы, обеспечивающей ответный удар в случае успешной ядерной атаки противника. Конструкторские бюро, чертежи и формулы, научные споры, пыль испытательных полигонов и спёртость бетонных бункеров были для них более привычны. Но министр обороны приказал присутствовать — мало ли какие вопросы могут возникнуть: технические, военные, всякие... И на любой вопрос Хозяин должен был получить исчерпывающий и компетентный ответ.

Технари шли за мощнейшими военно-политическими фигурами — министром обороны маршалом Уваровым и командующим РВСН генерал-полковником Толстуновым. Это были пожилые люди — министру исполнилось семьдесят четыре года, главкому —

шестьдесят восемь. Уварову путь по длинным коридорам давался с трудом, шёл он медленно, с одышкой. Перед глазами Головлева торчала из мундира морщинистая шея маршала, и он отчетливо слышал его тяжелое дыхание. Толстунов был на голову выше каждого из них, держался он вполне бодро, но сдерживал шаг, чтобы не опережать министра, поэтому двигался какими-то скачками. При каждом шаге военачальники издавали звон: на их мундирах было куда больше государственных наград, чем на тщательно отглаженных гражданских пиджаках конструкторов.

«Мы за ними — как пехота за танками», — подумал Головлев. Но это было явным преувеличением. Каждому предстояло отвечать за себя. Дело военных руководителей — принимать решения и отдавать команды, а выполняют их исполнители, с них и спрос за все про все...

Усов уже бывал в Кремле неоднократно, а Головлев только однажды, когда получал награды: без широкой публики, по секретному указу, в другом корпусе, и мало что запомнил. Сейчас, шагая по красным ковровым дорожкам, он незаметно осматривался — любопытство брало верх. Строгие коридоры, мраморные лестницы, красные дорожки, прижатые к ступенькам бронзовыми прутьями, потолки с лепниной, стандартные занавески на окнах — все это напоминало дворцовый стиль. Но не старинного дворца, ставшего музеем, а действующего центра власти.

Головлев не раз видел необузданную мощь взлетающих ракет, представлял скрытую мощь ракетного щита — единой системы из сотен радаров, центров оповещения, разбросанных в безлюдных местностях ракетных дивизий, подземных командных пунктов и пусковых установок. Но все это не шло ни в какое сравнение с той мощью, которая чувствовалась здесь, за высоченной стеной из красного кирпича, в главном корпусе Кремля. Потому что тут концентрировалась абсолютная власть, которая управляет и ядерным щитом, и ядерным мечом. По ее приказу взлетают ракеты и барражируют стратегические бомбардировщики, готовятся к взлету перехватчики, бесшумно крадутся в океанских глубинах стратегические ракетные крейсеры, по ее приказу бьется пульс неуничтожимой «Мертвой руки».

На площадках охрана в отутюженных мундирах — парные посты: офицер внутренних войск МВД в фуражке с красным околышем и офицер КГБ с васильковым. «Чтобы не сговорились», — понимает Головлев.

Визитеры то и дело предъявляют партийные билеты и пропуска с красной полосой. Маршальские и генеральские погоны не производят на капитанов и майоров ни малейшего впечатления, но поскольку их сопровождает личный помощник Генерального, они ограничиваются беглым, но внимательным просмотром документов.

Вот, наконец, высокая и широкая двустворчатая полированная дверь в центр этого острова власти. Помощник Генерального заводит визитеров в просторную приемную, отделанную дубовыми панелями. Посетителей нет: только начальник личной охраны, полковник-адъютант, да референт. Адъютант докладывает по внутренней связи, и они через такие же громоздкие полированные двери, гуськом, по одному, заходят в ярко освещенный холодным февральским солнцем просторный кабинет.

За большим, обтянутым зеленым сукном столом сидит Генеральный секретарь ЦК КПСС, председатель Президиума Верховного Совета СССР Леонид Ильич

Брежнев. Он стар, болен, у него суровое, в морщинах лицо, хотя все говорят, что человек он добрый и незлобивый. Он внимательно рассматривает вошедших из-под густых кустистых бровей, а в руках вертит какой-то металлический предмет. Рядом, тяжело опершись двумя руками на стол, стоит начальник аппарата товарищ Черненко. По какой-то непостижимой закономерности партийной высшей власти он тоже стар и болен и сейчас, наверное, ждет не дождется, когда можно будет сесть в глубокое кожаное кресло и передохнуть. Но он правая рука Генерального секретаря, тот ему полностью доверяет, и без одобрения начальника аппарата ракетчики вряд ли попали бы на сегодняшний прием. Так что надо вначале довести дело до конца, а уже потом отдыхать.

Товарищ Черненко тоже смотрит на визитеров. С ним Уваров уже договорился в принципе, теперь этой договоренности следует придать официальную форму. Точнее, просто получить санкцию Хозяина.

— Здравствуйте, Леонид Ильич! — первым здоровается министр обороны.

— Здравия желаю, товарищ главнокомандующий! — рявкает командующий РВСН, так что звенят его многочисленные медали.

— Ну, ты, потише, — слабым голосом осаживает его хозяин кабинета, пытаясь открыть непонятный предмет. — Там, у себя орать будешь!

Конструкторы здороваются по-граждански, обычными голосами.

— Ну, вот и молодцы, — одобряет Генеральный и раздраженно отбрасывает предмет в сторону.

Это портсигар, только необычный — кустарного вида, тусклый, с синеватым отливом. Похоже, из оружейного металла.

Черненко подсовывает ему блокнот, где, очевидно, расписано — кто к нему пришел и по какому делу, показывает пальцем нужную строчку.

— А, Усов! — оживляется Генсек. — Так я тебя помню!

Владимир Федорович скромно потупился. Он явно польщен, что среди сотен высших партийных и государственных руководителей, военачальников, дипломатов, академиков и членов-корреспондентов, иностранных послов, артистов и писателей Генеральный секретарь выделяет создателя «Сатаны».

— Ты помнишь, Константин? — обратился Генсек к начальнику своего аппарата. Голос у него заметно окреп. — На него как-то жаловаться пришли всякие академики... Усов, говорят, пьет! — Он провел рукой перед посетителями, то ли приглашая их вспомнить происходившее, то ли просто послушать. — Не просто выпивает рюмку-другую, а пьянствует, бутылку коньяка за обедом приканчивает! — Генсек театрально повысил голос.

Маршал Уваров и генерал-полковник Толстунов изобразили живейшее внимание. Усов, который действительно любил выпить, покрылся красными пятнами. Оказывается, его известность на высшем уровне власти обусловлена совсем не конструкторскими способностями...

— И помнишь, Костя, что я им сказал?

Черненко закивал, хотя без особой уверенности.

— А я им сказал: если генеральный конструктор пьет и у него ракеты не летают — нам такой конструктор не нужен! И если не пьет, а ракеты не летают, — такой тоже не нужен! А у товарища Усова все летает, так какая нам разница — пьет он или не пьет? Товарищ Усов нам нужен!

Генсек весело рассмеялся. Черненко с Уваровым тоже засмеялись, хотя и не так искренне. Усов вымученно улыбался. Зато Толстунов захохотал во весь голос, от души. И на этот раз замечания не получил. А Головлев поймал на себе недовольный взгляд Генерального секретаря и понял, что допустил промашку: не оценил его мудрости. Надо было спасать положение. Он тоже хохотнул и сказал:

— Вы, Леонид Ильич, прямо как Соломон!

Смех мгновенно смолк. Лица у всех приняли холодно-отстраненное выражение, а министр и главком даже отступили в сторону, увеличивая дистанцию, будто рядом с ними каким-то чудом оказался грязный, завшивленный бомж, возможно, зараженный СПИДом.

— Какой такой Соломон?! — вскинул брови Генеральный секретарь и, заглянув для верности в блокнот, повернулся к своему начальнику аппарата.

— Константин, что это за Соломон? Израильский посол, что ли?

— Израиль на сегодня не записывался, — нейтрально ответил Черненко и бросил на Головлева недовольный взгляд.

— Это легендарный мудрый царь, Леонид Ильич! — поспешно принялся исправлять ситуацию Головлев. — Когда не могли решить какую-то проблему, шли к нему, а он сразу решал!

— А-а, мудрец, — смягчился Генеральный. — Ну, я этого твоего Соломона за пояс заткну! Потому что я не просто царь — я руководитель партии и государства! Правда, Константин?

— Конечно, Леонид Ильич!

— А вот сейчас испытаем, какой ты мудрец... Открой мне эту штуку! — Генсек толкнул свой необычный портсигар так, что он скользнул через сукно и оказался на противоположном конце стола.

Головлев осторожно взял увесистый прямоугольник, покрутил в руках. Полированный металл отражал солнечные лучи, отбрасывая яркие зайчики по кабинету. Плотно подогнанные половинки не позволяли даже волос воткнуть между ними. И никаких защелок, потайных кнопок — ничего. Он показал странный портсигар своим спутникам, но те, вместо того чтобы помочь делом или советом, спрятали руки за спину и отодвинулись еще дальше. Пожав плечами, Головлев осторожно положил портсигар обратно на стол.

— Не получается, товарищ Генеральный секретарь!

Генеральный недовольно выпятил нижнюю губу.

— Врачи разрешают не чаще одной сигареты в час. Вот он и открывается раз в час. Такие же умники, как ты, придумали! А ты открыть не сумел! Как же ты изобретаешь? Костя, что он изобрел?

Палец Черненко ткнул в блокнот.

—А-а-а, «Периметр»! — кивает Генсек. — Тогда молодец! Здорово мы «Мертвой рукой» американцев за горло прихватили! А то они окружили нас своими «Минитменами» и думали, что самые умные...

Наступила пауза.

— А зачем вы пришли? — спросил Генсек. — Костя, какой у них вопрос?

Очевидно, он уже устал: прием затянулся.

— Да мы же договор подписали, — начал объяснять Черненко. — Ну, этот, ОСВ-2...

— Подписали, — кивнул Леонид Ильич. — Я с Картером и подписал. Он мужик неплохой, понимающий, хотя и капиталист. Зачем нам столько ракет?

— А «Периметр» подпадает под сокращение, — продолжил Черненко. — Вот они и пришли посоветоваться...

— Ну и пусть советуются! Чего они тогда молчат? Говори, Михал Федорович!

Министр обороны переступил с ноги на ногу.

— Очень хорошая система, Леонид Ильич, такой в мире нет! Наши советские конструкторы ее придумали! Жалко ее резать да взрывать! Тем более, недавно развернули, люди уверенность почувствовали...

— Конечно, жалко: такую работу и — псу под хвост! — подхватил Толстунов.

Брежнев недовольно засопел.

— Так что вы предлагаете? Не выполнять договор? Это же не так просто: все под международным контролем...

Маршал откашлялся.

— Мы тут подумали, посоветовались, и предложение есть вот какое: всю систему уничтожить, как положено, а одну ракету тайно оставить на боевом дежурстве... По документам все будет правильно, комар носа не подточит... А одна «Р 36М» будет стоять в запасе — на всякий случай. Вдруг они нас обманут да первыми накроют?! Тут и получат!

— Вот вы что придумали... А что она одна сделает?

— Да разрубит Америку на две части, — вмешался главком РВСН. — Есть у них Панамский канал — он метров восемьдесят шириной. А то будет километровый пролив! Только плавать по нему будет некому!

— Гм... Ну... А конструкторы как считают? Получится такая комбинация под международным контролем?

Усов обычно отвечал первым, как старший и более опытный. Но сейчас он промолчал, явно пропуская младшего коллегу вперед.

— Получится, Леонид Ильич! — сказал Головлев.

И Усов кивнул, вроде поддержал.

— А ты, Константин, что скажешь? — продолжал сомневаться Генеральный секретарь.

— Михаил Федорович со мной советовался. Думаю, он прав. Мало ли что американцы задумают... Пусть у нас эта ракета как засадный полк в этой, как ее, битве.

— Гм... Так что, будем выносить вопрос на Политбюро?

Маршал Уваров едва заметно покачал головой.

Черненко доверительно нагнулся к заросшему волосами уху Генерального.

— Вопрос уж больно деликатный. Никаких официальных решений тут быть не может. Наш разговор в секрете должен остаться...

В кабинете повисла гнетущая тишина, нарушаемая лишь сопением хозяина. Черненко, различающий оттенки этого сопения, мог определить в нем оттенки недовольства. Остальные присутствующие, похоже, перестали дышать вовсе. Чувствовалось, что дело идет к провалу. Все знали, как это бывает — раздраженный взмах руки и окрик: «Куда вы меня втягиваете?! Забудьте всю эту ерунду!»

Но тут проиграла короткая мелодия и портсигар раскрылся. Генсек, потянувшись, схватил его, вынул сигарету, сунул в рот, прикурил от настольной зажигалки, жадно затянулся... Потом расслабленно выпустил дым кольцами и сказал:

— Ладно, работайте! Только чтобы действительно комар носа...

Генсек замолчал — он устал. Черненко сделал нетерпеливый жест рукой — будто крошки со стола смахивал.

— Всё, свободны!

Визитеры облегчённо выдохнули, развернулись и направились к двери.

Обратный путь по длинным коридорам показался Головлеву значительно короче. У здания Сената их ждали машины: министра обороны — «членовоз» «ЗИЛ-114», прозванный так потому, что на нем возили только членов ЦК КПСС, главнокомандующего РВСН — транспорт попроще — «Чайка», а конструкторов — обычная черная «Волга» на двоих, которая казалась совсем невзрачной на фоне автомобилей для высшего руководства.

— Спасибо, товарищи ученые! — маршал Уваров демократично пожал руки Усову и Головлеву, а Толстунова придержал за рукав.

Тот понял и тоже попрощался с конструкторами. Те погрузились в «Волгу», и она, нарушая субординацию, объехала «ЗИЛ-114» и «Чайку», направляясь к Спасским воротам. Военные остались наедине.

— Ну, я свое дело сделал, вопрос решен на высшем политическом уровне, — негромко сказал министр. — Дальше твоя работа. Задача ясна?

Он сунул Толстунову сухую, узловатую, откровенно старческую руку и сел в предупредительно открытую адъютантом дверь своего «ЗИЛа».

— Так точно, товарищ министр! — отрапортовал главком в сухую, согбенную спину.

«Чайка» еще ехала по территории Кремля, когда Толстунов поднял трубку радиотелефона и соединился с дежурным офицером своей приемной.

— Сагаловича завтра с утра ко мне! — не здороваясь, приказал он и тут же отключился.

* * *

Что такое «с утра», подполковник Сагалович не знал: каждый день он прибывал на службу без четверти восемь, и при этом слово «утро» никогда не фигурировало: это считалось вполне естественным. Поэтому сегодня он ехал к семи. Еще толком не рассвело, на улицах царил полумрак, немногочисленные машины шли с включенными фарами. В метро было свободно, он сел и просмотрел свежие «Правду» и «Известия», которые ежедневно покупал в киоске возле дома и изучал от корки до корки.

В глаза бросилось сообщение ТАСС на первой странице: «Советские вооруженные силы приступили к сокращению стратегических вооружений в соответствии с Договором ОСВ-2. В Москву прибыли иностранные наблюдатели для контроля за исполнением положений Договора. Советские военные, в свою очередь, отправились в США...»

Да-а... Все это хорошо и здорово, но сколько частей сократится, сколько офицеров отправятся на пенсию, никто не думает. Руководство обещает смягчить снижение штатной численности, но это все равно что подложить матрац человеку, вынужденному прыгать с четвертого этажа... Правда, его самого сокращения не коснутся, но сколько ребят пострадают, сколько товарищей останутся без работы.

С такими тяжелыми мыслями Сагалович вышел из метро и быстро пошел по улице. Ему было тридцать пять. Высокий, крупного телосложения, с большими ступнями и ладонями, каждый шаг — в метр. И голова у него была, крупной, с жесткими вьющимися волосами, так что форменная фуражка с трудом держалась на своем месте. Он легко прошел четыре квартала и оказался у высокого забора с железными зелеными воротами, на которых краснели звезды.

Предъявив удостоверение и пропуск высшей степени доступа, подполковник Сагалович прошел через КПП на территорию Главного штаба РВСН. По широкой аллее он направился к старинному зданию из красного кирпича, которое давно требовало ремонта. Если когда-нибудь деньги на ремонт найдутся, то старания дореволюционных архитекторов, конечно, не сохранят и фасад утратит свою оригинальность и неповторимость.

Он пришел рано, двор был пуст, только двое солдат-срочников с мётлами в руках, заметив офицера, прервали неторопливую беседу и начали старательно мести аллею, вздымая клубы пыли. Хотя работающие военнослужащие могут не приветствовать старшего по званию, при приближении подполковника они приняли строевую стойку и синхронно отдали честь, держа упертые рукоятками в асфальт метлы левыми руками, как несуразно длинные ружья. Сагалович только рукой махнул — мол, вольно, работайте дальше!

Дежурный по штабу курил на пороге, при виде порученца главкома он приветливо улыбнулся и козырнул.

— Здравия желаю, товарищ подполковник!

Сагалович ответил майору воинским приветствием и протянул руку. Они обменялись рукопожатиями.

— Доброе утро! Виктор Дмитриевич на месте?

— Да, минут сорок, как прибыл. Я ему сводку на стол положил.

— А что в сводке?

— В Афгане, на перевале Саланг, вчера много наших погибло. Засада.

— Ты посмотри! — Сагалович покачал головой. — Видно, там не очень гладко все идет.

— Да уж это точно...

Сагалович вошел в здание, размышляя, как печальные события из сводки могут повлиять на настроение главкома, связан ли ранний вызов с этими событиями и каких вводных задач можно сейчас ждать. Подходя к приёмной главнокомандующего, он решил, что сводка и ранний вызов не связаны. Не потому, что Толстунов только сейчас ознакомился с документом: он вращался в высших сферах и о разгромной засаде мог узнать еще вчера. Но подразделений РВСН в Афгане нет, а следовательно, их это напрямую не касалось, по крайней мере, по служебной линии. Значит, срочный вызов связан с чем-то другим.

Секретаря в приёмной ещё нет, но отсутствие печати на дубовой двери подтверждает слова дежурного, что главком уже в кабинете. Вообще-то порученец пользовался правом входить к начальнику без доклада, но сейчас замешкался: утро, может, шеф переодевается — из «гражданки» в форму или наоборот. С минуту подумав, он подошёл к селектору.

— Подполковник Сагалович! — доложил он, исполнив функцию отсутствующего секретаря. — Разрешите войти?

— Входи!

По голосу шефа порученец безошибочно определил: не в духе или чем-то озабочен. А кому приходится решать заботы шефа? Порученцу... Вздохнув, подполковник переступил порог кабинета.

Виктор Дмитриевич Толстунов в расстегнутом кителе сидел за старинным, обтянутым зеленым сукном столом и что-то писал. Это само по себе было необычно: главком обычно накладывал резолюции, редактировал подготовленные подчиненными бумаги, изредка надиктовывал указания и распоряжения... Чтобы шестидесятивосьмилетний генерал-полковник лично готовил документ — такого Сагалович не припоминал...

— Здравия желаю, товарищ генерал-полковник! — Он обозначил стойку «смирно».

— Садись, бери ручку, подписывай, — не отрываясь от бумаги, главком указал рукой на стул у приставного столика.

Такой встречи порученец тоже не мог припомнить. Стараясь не выказывать удивления, он сел. На столике лежал типографский бланк, в который от руки почерком главкома была вписана его фамилия. Порученец быстро пробежал текст: «Я, подполковник Сагалович Вадим Ильич, обязуюсь не разглашать данные, связанные с проектом «Подснежник», о возможной уголовной ответственности предупрежден...» Он поставил подпись и дату. Удивление усилилось. За свою службу он уже дал все возможные подписки и получил все возможные допуски, а о проекте «Подснежник», входя в число самых осведомленных людей в штабе, он вообще ничего не слышал! Что все это может значить?!

Генерал-полковник закончил писать, тоже расписался, снял очки с толстыми стеклами и внимательно посмотрел на Сагаловича. Несмотря на то что в кабинете уже стало светло, настольная лампа была включена. Она тоже была старинной, из пятидесятых годов — с зеленым стеклянным абажуром. От этого морщинистое лицо и руки Толстунова казались зелеными, как у мертвеца.

— Вопросы есть?

— Так точно! — Сагалович вскочил. — Что за операция «Подснежник»?

— Садись, Вадим Ильич, — благодушно махнул рукой Главком. — Все равно на ногах не удержишься. Вот, ознакомься!

Он протянул порученцу исписанный лист с размашистой подписью внизу, Сагалович, уже готовый ко всему, взял его и принялся читать непривычно большой текст, написанный рукой генерал-полковника.

Совершенно секретно.

Экземпляр единственный.

Приказ б/н

г. Москва. 20 октября 1982 г.

В связи с принятым политическим решением и в целях сохранения боеспособности системы «Периметр» приказываю:

1. Сохранить одну единицу командной стратегической ракеты «Р 36М» в автономном режиме боевого дежурства, имитировав ее уничтожение.

2. Для выполнения п. 1 создать специальную инженерную группу из лучших инженерных специалистов РВСН, проходящих службу в различных частях и, желательно, незнакомых друг с другом.

3. Выполнение настоящего приказа, формирование и руководство специальной инженерной группой возложить на подполковника Сагаловича В.И.

4. Операции по выполнению п. 1 присвоить кодовое наименование «Подснежник». После выполнения операции всех участников откомандировать к новым местам службы с повышением.

5. Подполковнику Сагаловичу В.И. обеспечить в строгой тайне содержание операции «Подснежник» и фамилии участвующих в ней военнослужащих.

Главнокомандующий РВСН

генерал-полковник Толстунов В.Д.

Сагалович прочел приказ несколько раз. Сама должность офицера по особым поручениям главкома подразумевает доступ к информации, которая порой неизвестна командирам полков и дивизий. Но в этот раз речь идет о задании *исключительной* важности. Такого у него еще не было!

Когда он, наконец, оторвался от документа, то встретил внимательный взгляд начальника.

— Что скажешь?

— Приказ понятен, товарищ генерал-полковник! — Порученец вновь вскочил: по многолетней привычке он не мог разговаривать с начальником сидя. — Готов к выполнению!

— Вот и хорошо, Вадим Ильич! Твоя аккуратность и педантичность известны всем. Недаром тебя за глаза зовут Железный Вадик. Слышал небось? Мол, все по инструкции делает, ни шагу — ни вправо, ни влево...

— Это преувеличение, товарищ генерал! — отозвался порученец. Прозвище это он слышал и считал его глупым.

— Да нет, ты действительно такой. Поэтому это дело я могу доверить только тебе. Уж больно оно деликатное...

Хозяин кабинета выключил наконец лампу и превратился в озабоченного пожилого человека, если бы не мундир с тяжелыми генеральскими звездами — обычный пенсионер, озадаченный какой-то житейской проблемой. И смотрел он необычно: не как большой военачальник, взирающий с заоблачных высот на копошащихся внизу подчиненных, а как коллега, с которым они делают одно дело.

— Операцию надо провести на севере, в лесах. Выберешь подходящий полк в сорок первой ракетной армии, — негромко начал инструктаж Толстунов. — Иностранные наблюдатели будут производить выборочный контроль. Отследишь, куда они поехали, и сработаете там, где их нет. Я выделю вам борт нашей авиации, специальный борт с аппаратурой, позволяющей маскировать маршрут, чтобы установить конечный пункт полета было нельзя. Об истинной цели полёта лётчики, разумеется, знать не должны: обычная инспекторская проверка. Объекты жизнеобеспечения ракеты замаскируете под законсервированную радиолокационную станцию. В общем, действуй по обстановке! Командование армии и дивизии, естественно, в известность не ставить...

— С этим могут возникнуть трудности, — покачал головой Сагалович.

— Не возникнут. Вот предписание с чрезвычайными полномочиями за моей подписью! — Главком протянул еще один лист бумаги. — Никто нос в это дело совать не захочет!

— Ну, если так...

— Не «если так», а только так! — Глаза Толстунова блеснули.

Перед Сагаловичем вновь сидел не усталый пенсионер, не коллега, а могущественный главком, держащий в руках нити карьер, а может быть, и жизней десятков тысяч подчиненных. Человек, который в случае необходимости отдаст приказ на ракетно-ядерный удар по противнику.

— Виноват, товарищ генерал-полковник!

— Получишь спецчемодан для документации, из рук его не выпускай. Заведи дело документирования операции. Первый лист — этот приказ, последний — твой рапорт о выполнении задания. Все документы исполнять от руки, в единственном экземпляре.

Вернешься, вручишь мне лично. Хотя сразу по исполнении операции доложишь по закрытой связи. Вопросы?

— Никак нет, товарищ генерал-полковник!

— Свободен!

В тот же день на оружейном складе Сагалович получил спецчемодан из титана с шифрованными замками. К ручке был прикреплен паспорт с указанием шифров и инструкцией пользования. Сагалович уже хотел спросить, почему чемодан хранится вместе с оружием, но белобрысый прапорщик-кладовщик опередил его.

— Осторожно с этой штукой, товарищ подполковник, — предупредил он. — Там внутри семьдесят пять граммов тротила, как в «Ф-1». Реагирует на взлом и три ошибки в наборе шифра. А так абсолютно безопасен...

— Ну, и за это спасибо! — поблагодарил порученец.

Вернувшись к себе в кабинет, он взял папку, написал на обложке гриф секретности и название операции: «Подснежник», потом подшил в нее рукописный приказ Главкома и опечатал единственный лист начатого «дела».

Теперь предстояло его закончить.

25 октября 1982 года
Отдаленные гарнизоны РВСН

Очередная серия цикла «Следствие ведут ЗнаТоКи» закончилась, и Сергей выключил телевизор. Из комнаты соседей, через тонкую стену офицерского общежития доносилась знакомая музыка: начиналась программа «Время».

— Девять часов, — резюмировал Сергей. — Давай спать ложиться... Завтра рано вставать и лететь через всю страну.

— Странно все это... — Жена доглаживала на раскладной доске очередную форменную рубашку. — Нежданно, негаданно и вдруг — бац! С чего такая срочность?

— Служба, — пожал плечами супруг. — Обычная командировка!

— Ага... — Настя аккуратно сложила рубашку и уложила в пластмассовый чемоданчик к остальным вещам. — А то ты каждый месяц по командировкам раскатываешь!

Действительно, за два года службы майор Фроликов ни разу не покидал гарнизона, даже в отпуск выбраться не получилось.

— Служба, — повторил майор уже менее уверенным тоном.

Командировка действительно была странной. Короткая шифротелеграмма за подписью главкома: «Майору Фроликову прибыть в Главный штаб РВСН, форма одежды — зимняя полевая». И всё. Зачем, почему, на сколько? Да и кому он понадобился в Главном штабе?

— Может, на парад?

— Нет. Если бы на парад — за месяц бы вызвали тренироваться.

— Хоть Москву посмотришь. Люди, машины, дома, мороженое... Можно в кафе сходить, в кино или театр. А тут кроме леса ничего нет... Я скоро совсем озверею!

— Настя, ну перестань... Кино каждую неделю крутят, артистов вон обещали привезти... — Он подошел к жене, взял за руки, прижал к себе.

Настя отстранилась.

— Может, насчёт квартиры? Ты же говорил, что тебе обещали, как лучшему специалисту полка.

— Извини, подруга, дивизии! — поправил Сергей. — Лучшему эксплуатационнику дивизии!

— Тем более!

Сергей вздохнул.

— Вряд ли! Представь, если каждого в Главный штаб будут вызывать, чтобы ордер на жильё вручить?!

— Или перевести хотят, — продолжала гадать жена. — Как лучшего специалиста в Главный штаб! В Москве я согласна и в общежитии пожить... Тем более штабным, небось, быстро квартиры дают.

— Ну, что тебе далась эта квартира! — Сергей досадливо поморщился.

— Да потому что квартира была бы сейчас нам как раз кстати.

— Квартира всегда кстати...

— А сейчас особенно!

— Почему?

— Да потому, что я беременна! — Настя засмеялась. — Ну, что челюсть отвесил? Такое бывает!

— Это точно?!

— Во всяком случае, задержка уже две недели.

— Здорово! Значит, лечение принесло плоды!

Сергей набросился на жену с поцелуями. Она ответила.

— Тогда надо закрепить результат!

Они оказались в постели, и Настя кричала так, что наверняка слышали соседи. Сергей старался: наконец-то, после пяти лет неудачных попыток, он станет отцом! Жена не оставалась в долгу: она так впилась губами в его шею, что оставила красный засос размером с рублевую монету.

— Настён, ну зачем?! — спросил Сергей, рассматривая себя в зеркало. — Что мне теперь, в шарфе по Главному штабу ходить?

— Будешь у меня меченым! — засмеялась Настя. — Чтоб не потерялся в Москве. Да к девушкам там не подкатывал. Знаю я, как офицеры в командировках развлекаются!

— У тебя одно на уме! — только и ответил майор Фроликов.

* * *

Все типовые жилые городки ракетных гарнизонов похожи, как братья-близнецы. Да и их обитатели тоже — в одинаковой форме, с погонами, живущие по воинским уставам... За сотни километров от семьи Фроликовых, в однокомнатной квартире ДОСа[1], в это же время другой офицер — тоже майор, тоже собирался в командировку. Он тоже являлся высококлассным специалистом, только по системам управления ракет, и фамилия у него, естественно, была другая — Мощенко. К тому же жена его бросила, и потому, разложив на столе одеяло, он сам гладил и собирал вещи, которые складывал в точно такой же пластмассовый чемоданчик, как у майора Фроликова. Он так же размышлял о причинах неожиданной командировки, да еще смотрел на экран телевизора, на котором распутывали очередное дело следователь Знаменский, оперативник Томин и эксперт Кибрит — знаменитые ЗнаТоКи...

Делать три дела сразу трудно, тут возможны неприятные издержки.

— Чёрт!

---

[1] ДОС — дом офицерского состава.

Майор отдёрнул руку от горячего утюга. На месте ожога быстро вздулся большой пузырь. Матерясь вслух, Мощенко выключил утюг и побежал в ванную — сунуть руку под холодную воду.

Но этой благостной картине предшествовали напряженные события.

Чем хороши дежурства у боевого пульта стратегической ракеты? На первый взгляд — ничем! Сидишь глубоко под поверхностью, в тесноте, под грузом не только земной толщи, но и колоссальной ответственности за безопасность страны. И не просто сидишь, а постоянно решаешь вводные, если буквально толковать которые, то на земле идет ядерная война и ты принимаешь в ней участие: нажимаешь кнопки, отдаешь команды, докладываешь руководству... Это тренинг, чтобы офицеры боевого расчета пуска (БРП) не расслаблялись и, одновременно, совершенствовали профессиональное мастерство. Но это и постоянное нервное напряжение, которое выдерживают далеко не все: пишут рапорта о переводе на другие участки службы или даже вообще увольняются... Хотя, благодаря строгому медицинскому и психологическому отбору ракетчиков, такое случается редко. Обычно они привыкают — и к тесноте, и к нервному напряжению, с которым постепенно свыкаешься, и к тому, что по-настоящему производить боевой пуск никогда не приходится: во всяком случае, за всю историю ракетных войск такого не бывало. Дай бог, и дальше не будет. Поэтому, когда операторы «стреляющей смены» спускаются в шахту, они уверены в том, что «стрелять» им не придется. Этим и хороши подземные дежурства.

Старший оператор БРП майор Попов и оператор капитан Ефремов уже считали минуты до сдачи дежурства, когда вдруг зловеще загорелось красное табло «Готовность номер один»! Операторы остолбенели, но промедлили ровно три секунды, после чего майор Попов железным пальцем вдавил кнопку «Тревога». Наверху, на поверхности взревел ревун, а операторы схватились за телефоны прямой связи.

— Сработал транспарант «Готовность номер один»! — возбужденно сообщил Ефремов дежурному по штабу полка.

— Подтвердите сигнал «Готовность номер один»! — запросил Попов дежурного по Центральному командному пункту в Москве.

— Сбор личного состава по тревоге! — объявил по громкой связи дежурный и доложил о происходящем командиру полка.

— Действуйте по тревожному расписанию! — приказал полковник Рябов. — Сейчас прибуду!

— Сигнал «Готовность номер один» не подтверждаю! — ответил дежурный по ЦКП. — Проверьте АСБУ[1]!

Попов повторил его ответ вслух для напарника, и оба синхронно выругались, представляя, что сейчас творится наверху. На часах 22.15, личный состав «отбился» и нырнул в койки, а сейчас все лихорадочно одеваются и бегут к местам по боевому расписанию!

— ЦКП сигнал не подтвердил, — втянув голову в плечи, произнес Ефремов в трубку прямой связи. — Предположительно — сбой АСБУ!

— Молодцы! — дежурный бормотнул что-то сквозь зубы. — Всех на ноги подняли зазря... Полковнику Рябову объясните!

Майор Мощенко уже лег в кровать, но заснуть не мог. В четырёх стенах комнатушки, опустевшей по-

---

[1] АСБУ — автоматизированная система боевого управления.

сле отъезда жены, он чувствовал себя как одинокий путешественник на шлюпке среди бескрайнего океана. Друзей у него не было, а теперь и дома пусто. Две солдатские кровати, сдвинутые вместе, занимали чуть ли не половину комнаты, но убирать лишнюю он не спешил: вдруг Валентина вернется... Натянув одеяло до ушей, он вертелся с боку на бок, нарушая давящую тишину холодного жилища скрипом продавленной сетки. За окном завывал ветер и раскачивал дежурный фонарь, отчего на потолке шевелились причудливые тени. И вдруг взревела сирена. Тревога!

— Сбор личного состава по тревоге! — железным голосом объявил динамик с высокого столба.

Вот еще чего не хватало! Но с тревожным сбором не шутят, он вскочил, зажег свет и стал быстро одеваться. А может, это только ему казалось, что быстро: он все делал медленно, поэтому за глаза сослуживцы звали его «черепахой»... Впрочем, его это не трогало. У него была толстая шкура, как у отца, а тот всегда говорил: «Мне дальше рубашки ничего не идет!»

А вот с женой все не так. Точнее, вначале и с ней было так, а когда она уехала — все изменилось, прошло сквозь шкуру: что-то ноет внутри, ворочается... Он набросил шинель, надел шапку, взял тревожный чемоданчик, окинул комнату взглядом, будто прощаясь. Вдруг это действительно ядерная война?! Тогда все быстро кончится: если тревога боевая, значит, через пару минут раздастся гул выходящей из шахты ракеты, а еще через несколько минут прилетят и ракеты супостатов... А если учебная — то... достало это всё уже! Из-за такой жизни и Валентина к маме своей, в Саратов, уехала. Психанула: лес вокруг, медведи, никаких тебе театров... «А я и в театре-то один раз был всего, — поймал себя на мысли Мощенко. — В школе всем классом водили. Только и в Саратове театров негусто, да и Валентина не такая уж заядлая театралка. Тут в другом дело: перспектив никаких! Про перспективы она часто говорила...»

Взгляд зацепился за распечатанное письмо на прикроватной тумбочке. Он много раз перечитывал его и знал наизусть: «Надеюсь, ты не заставишь меня возвращаться в эту глухомань из-за такого пустяка и пришлёшь согласие на развод по почте?»

«Пустяк! Для неё это пустяк!»

Он уже открывал дверь, когда сирена смолкла. Мощенко так и замер с открытой дверью и одной ногой за порогом, а второй в комнате. Что это значит?!

— Отбой! Сбор личного состава отменяется! — объявил динамик.

Ну, отменяется — и хорошо. Мощенко снял шапку, шинель, поставил в шифоньер тревожный чемоданчик. Дальше раздеваться почему-то не стал: присел к столу и принялся в очередной раз читать письмо, шевеля губами, а иногда вслух возражая Валентине:

— Ну, почему никаких перспектив? Показатели у меня хорошие, может, зачислят в резерв на выдвижение...

Заочная дискуссия продолжалась недолго: вдруг раздался стук в дверь.

Спрашивать: «Кто?» не имело смысла. На закрытой территории воинской части злоумышленников быть не могло, так же, как и участкового, проверяющего прописку. Гости к нему не ходили, шансы, что среди ночи он понадобился кому-то как мужчина, равнялись нулю, а вот то, что потребовался специалист — оператор автоматизированных систем управления ракетной техникой, приближались к ста процентам.

Он открыл дверь — и точно, на пороге стоял солдат-посыльный с выпученными от старательности глазами.

— Вас в штаб вызывают, товарищ майор! — выпалил он. — Срочно, сам командир полка приказал!

Чтение письма разбередило душу, и по пути к штабу Мощенко вспоминал, как он впервые увидел на вечере в пединституте стройную студентку с карими глазами и сразу влюбился. Преодолев врожденную нелюдимость, он подошел, пригласил на танец, познакомился. Как во сне он плыл в медленном танго, прижимал к себе хрупкую фигурку и был уверен — это судьба, она родит ему двоих детей — мальчика и девочку, и жить они будут вместе, долго и счастливо... Оказалось, чтобы Валентина согласилась родить, ей была нужна уверенность, что дети будут учиться не в начальной школе за десяток километров от места жительства, а в специальной, «языковой», да и место жительства «войсковая часть в лесу» её совершенно не устраивало. Вот и получилось то, что получилось...

У входа в штаб его встретил офицер штаба капитан Ожерельев, нетерпеливо постукивающий пальцами по двери «уазика».

— Товарищ майор, поедем со мной на КП полка! Приказ командира.

Не задавая вопросов, Мощенко кивнул, и они сели в машину.

— На КП транспарант «Готовность номер 1» сработал! — сообщил Ожерельев. — Объявили тревогу, но ЦКП первую готовность не подтвердил. Ложная тревога, сбой в системе...

— Табло продолжает светиться? — своим обычным нудным голосом спросил Мощенко.

— Да.

— Это плохо. Перешли на дублирующие средства приёма сигнала?

— Конечно! Не будешь же каждую минуту на ЦКП уточнять: это еще табло глючит или пришёл настоящий сигнал?

— Это считается неполной боеготовностью, — монотонно сказал Мощенко. — Неисправность должна быть устранена в течение двадцати минут.

— Да знаем мы все! Потому тебя срочно и вызвали! — не сдержавшись, рявкнул Ожерельев, не обращая внимания, что повышает голос на старшего по званию.

— Я знаю, что вы знаете, — невозмутимо продолжал майор. — Просто я доложил обстановку.

Капитан ничего не ответил.

Приехав к КП и преодолев ряд преград и препятствий, они добрались до лифта, который с гулом пошел вниз. Мощенко вышел на четвёртом уровне, где располагалась система автоматического управления и контроля, а Ожерельев опустился на одиннадцатый — к боевому пульту.

«Я напишу ей», — думал Мощенко, тестером проверяя аппаратуру. Он отлично знал, где и что располагается, и предвидел, что неисправность может быть в триста втором блоке. — Напишу, что меня скоро переведут в Москву, дадут квартиру... Мы начнём новую жизнь. И родить ей ещё не поздно, самое время. А вот здесь и замкнуло, как я и думал, в триста втором...»

Он уверенно отсоединил и вынул из аппаратной стойки слегка нагревшийся блок, затем отстегнул тяжелую трубку внутреннего телефона, зажатую в специальных зажимах, набрал номер 11.

— Ожерельев! — нетерпеливо отозвалась трубка.

— Погас транспарант?

— Да, погас! — Голос капитана повеселел, ибо найти неисправность — это полдела, даже больше...

— Хорошо, отключаюсь.

«Поверит ли она мне? — думал Мощенко, рассматривая стойку с запасными блоками. — А если сейчас и поверит, надолго ли? На перевод нет и намёков, и не то чтобы в Москву, а хотя бы куда-нибудь... Опять начнутся скандалы, и будет еще хуже...»

Найдя дублера триста второго, он поставил его на место неисправного, подсоединил, закрепил защелками. Потом снова связался с Ожерельевым.

— Не горит?

— Никак нет!

— Переходите на основную систему.

— Есть.

— Не горит?

— Нет, всё в норме! — бодро ответил капитан. — Я уже доложил полковнику. Поднимаемся, он нас ждет! Судя по голосу — доволен.

У штабных офицеров особый нюх. Ожерельев не ошибся — полковник Рябов был доволен. Его обычно жесткое лицо приняло умиротворенное выражение, что было равноценно широкой улыбке.

— Объявляю вам благодарность, товарищи офицеры! — сказал комполка и пожал им руки. — Я уже доложил в Москву, к нам претензий нет.

— Завтра я передам замкнувший блок на отправку в Москву, товарищ полковник, — сказал Мощенко.

Но Рябов покачал головой.

— Ожерельев отправит. Два часа назад пришла шифротелеграмма: майора Мощенко вызывают в Главный штаб!

«Вот уж не знаешь — где найдёшь, где потеряешь! — подумал Мощенко. — Может, и вправду всё наладится?!»

И вот теперь он собирался в командировку в Главный штаб, перед ним, наконец, забрезжили какие-то перспективы, и такая мелочь, как обожженная рука, конечно, не могла испортить ему настроения.

* * *

Грунтовая дорога от батальона до старого стрельбища была разбита всегда, в любое время года: весной и осенью — грязь, летом — глубокая колея в засохшей глине, зимой — наледь. Подминая колёсами не успевшую замёрзнуть бурую жижу, два тентованных «ЗИЛа-131» с разгона выскочили из колеи, съехали с дороги и остановились бок о бок. Забрызганные грязью пологи тентов откинулись в стороны почти одновременно, и из кузовов стали выпрыгивать солдаты, строясь в одну шеренгу. По тому, как они спешивались и строились, можно было определить, кто призван недавно, а кто уже считает дни до дембеля. Вот рядовой Курочкин, коснувшись земли, побежал в строй по кратчайшему пути, не обращая внимания на лужи и заправляясь на ходу. Сразу видно — молодой, зеленый, «дух» по армейской классификации. А вот рядовой Силонов неторопливо выбирает места посуше, заботясь больше о чистоте сапог, чем о том, чтобы успеть в строй. Это старослужащий, «дедушка», потому и шинель у него более потертая, и шапка видавшая виды...

Последние два солдата выгрузили из кузова зелёный пятидесятикилограммовый ящик с ребристыми чугунными цилиндрами зеленого цвета. Это корпуса противопехотных мин ПОМЗ-2М. Со второй машины сгрузили ящик поменьше — с семидесятипятиграммовыми тротиловыми шашками, картонную коробку со взрывателями и всякую непонятную постороннему взгляду всячину: деревянные колышки, отрезки проволоки и другую непонятную мелочь.

Командир инженерно-сапёрной роты капитан Филинов спрыгнул с подножки «ЗИЛа» и направился к подчиненным. Он был молод, худощав, шел быстро, пружинистой походкой и, хотя не смотрел под ноги, в лужи не наступал.

— Ста-аа-ановись! — громко подал команду сержант Канютин. — Равняйсь, смирно!

— Вольно! — приказал капитан.

Ротный прошёлся вдоль замершего строя, внимательно осматривая каждого солдата.

— Теоретические занятия по переводу охранно-оборонной системы «Кактус» в высшие степени боевой готовности мы провели, — негромко сказал он, но все его хорошо слышали. Может быть, потому, что хотели услышать.

Солдаты, в том числе и старослужащие, волновались: сейчас им предстояло играть со смертью.

— Сегодня мы на практике будем отрабатывать то, что изучили в классе. Саперы в ракетных войсках — это не «полусапёры»! Вы должны не только обслуживать управляемые проводные мины! Вы должны уметь ставить минные поля, разминировать их, производить подрывы различных объектов! — капитан повысил голос. — Сегодня работаем с минами ПОМЗ-2М. Каждый устанавливает мину, а потом разминирует ее лично, методом подрыва с помощью сапёрной кошки. Ещё раз повторяю порядок установки и особо обращаю внимание: при установке вынимается только предохранительная чека! Боевая остается на месте — к ней прищелкивается карабин растяжки, и когда кто-то заденет проволоку, произойдет взрыв! Это ясно?

Строй молчал.

— Что неясного?

— Да, вроде ясно, товарищ капитан, — нехотя сказал Силонов.

— Тогда приступаем к практическим занятиям! Каждый получает минно-подрывное имущество, разбиваетесь на четверки и работаете! И не забывайте инструкцию: забывчивых приходится собирать по частям!

Через несколько минут первая четвёрка солдат вышла в поле. Расстояния позволяли безопасно отрабатывать одновременно минирование и большим количеством, но Филинов решил, что уследить за действиями сразу пяти бойцов будет хлопотно. Да и бежать далеко, чтобы помочь в случае чего непредвиденного.

Курочкин работал вторым справа — молодых капитан расставлял так, чтобы они были поближе. Солдат забил в землю колышек, закрепил на нём конец проволоки... Филинов поочерёдно проконтролировал взглядом остальных. «Молодцы, — отметил он про себя. — Спокойно работают, без суеты».

Забили по второму колышку — для мин. Вложили в рифленые чугунные стаканы тротиловые шашки... Ввинчивают взрыватели... Время, казалось, застыло. Теперь любая ошибка может обернуться разлетающимися клочьями человеческих тел. За год на полигонах страны случаются десятки таких случаев...

Филинову много раз доводилось руководить практическими занятиями по минно-взрывному делу, но каждый раз он переживал за подчинённых, как будто сам рисковал жизнью. Может быть, поэтому у него в роте не было ни одного ЧП.

«Убедившись, что боевая чека надежно удерживается во взрывателе, вытащить предохранительную чеку...» — машинально повторял он цитату из Наставления.

Трое из четверых обучаемых подняли правую руку, что означало: «Готов». Второй справа продолжал, сгорбившись, колдовать над миной. Филинов быстрым шагом направился к нему.

— Получается? — спокойным тоном спросил он, подойдя к солдату.

— Угу, — промычал Курочкин, поочерёдно глядя то на кольцо с предохранительной чекой в правой руке, то на... Р-образную боевую чеку в левой.

— Товарищ капитан, я боевую чеку вытащил, сейчас взорвется! — не своим голосом заорал солдат и, обхватив голову руками, упал на землю.

— Щас рванет! — раздался истошный крик.

Трое других обучаемых, хотя и находились на достаточном расстоянии, тоже попадали ничком в холодную грязь. Паника передалась и дальше: солдаты на исходном рубеже бросились врассыпную: кто-то падал в грязь, кто-то старался спрятаться за грузовики.

Но Филинов не обращал внимания на происходящее вокруг. Он присел и принялся выкручивать взрыватель. Пальцы скользили, время, вместо того чтобы остановиться, как в книжках, наоборот — мчалось вперед, к смертельному взрыву... Наконец тонкая трубочка оказалась у него в руках. Не замахиваясь, чтобы не тратить секунды, капитан швырнул ее прочь прямо от груди. Над полем стояла такая тишина, что негромкий хлопок был слышен даже на исходном рубеже.

— Курочкин, в строй! — скомандовал Филинов. — Остальные трое доводят работу до конца!

Только когда прозвучали три взрыва, капитан провел «разбор полетов».

— Какой радиус поражения у ПОМЗ-2М? — спросил он у перепачканных грязью бойцов.

Все молчали.

— Четыре метра! — наконец ответил Силонов.

— А чего же вы все носами в грязь уткнулись? Между четырьмя работающими — по пятнадцать метров, до исходного рубежа — пятьдесят! Зачем в грязи валяться?

— Вс-с-ё р-рав-в-н-но с-с-т-т-рашно... То ж сплошного поражения четыре метра... Вдруг какой осколок на излёте и достанет?! — заикаясь, сказал Курочкин и вытянул руки.

Они дрожали крупной дрожью.

— Если страшно — отшвырни мину подальше и падай! А ты рядом лег! Думаешь, мне страшно не было? А вот, смотрите!

Он тоже вытянул руки, расставил пальцы. Никакой дрожи заметить в них было нельзя. Потому что ее не было.

— Наставление знать надо, разгильдяи! — повысил голос капитан. — Сколько времени проходит после извлечения предохранительной чеки до постановки взрывателя на боевой взвод?

Лица солдат просветлели.

— В зависимости от температуры воздуха...

— Минимум три минуты! За это время можно было спокойно отнести мину вон в ту яму!

— Да, точно! — воскликнул Силонов. — Только это все из головы вылетело!

— То, что влетело, то уже не вылетит! — с напором сказал Филинов. — Отработавшие отдыхают. Остальные продолжают занятия.

— А я? — спросил Курочкин.

— Ты тоже сегодня отработал. Не совсем удачно, но такое бывает. Особенно в первый раз. Главное, что все целы. В следующий раз и у тебя получится...

В это время со стороны дороги показался дежурный «уазик».

— Вот те раз! — искренне удивился капитан. — Откуда они узнали?

Машина подъехала вплотную, из нее легко выпорхнул командир первого взвода — лейтенант Сустин.

— Товарищ капитан! — Сустин отдал честь. — Вас срочно в часть вызывают. Пришла телеграмма командировать вас в Москву, в Главный штаб.

— А занятия? Я закончу...

— Никак нет! — Лейтенант даже головой замотал. — Очень срочно! Занятия поручено провести мне. — Он осмотрел испачканных солдат и тревожно спросил: — А что тут случилось?

— Да ничего, — улыбнулся Филинов и подмигнул. — Отрабатывали передвижение ползком! Ну, удачи, орлы!

Он вскочил в «УАЗ» и сильно хлопнул дверцей. Машина привычно запрыгала по колее в грязи.

ГЛАВА 5

Операция «Подснежник»

Москва

От КПП до здания Главного штаба РВСН капитана Филинова провёл дневальный — рядовой, явно первого года службы.

— Вам на второй этаж, к подполковнику Сагаловичу, — сообщил он и удалился.

Филинов двинулся по длинном коридору, мимо дверей с табличками и без. Нужный кабинет оказался приблизительно посередине, сразу за приемной главкома, напротив небольшого холла с двумя мягкими креслами и каким-то цветком в кадке, похожим на пальму, между ними. Оба кресла были заняты: в них сидели два майора в такой же, как Филинов, полевой форме с окрашенными зелёной краской эмблемами в петлицах. Рядом с каждым стоял пластмассовый чемоданчик, точно такой же, какой держал в руках Филинов. «Такие же, как я, — командированные, — догадался он. — И не разговаривают потому, что незнакомы».

Заметив у одного из майоров засос на шее и такого же цвета ожог на руке другого, Филинов невольно улыбнулся и хотел пошутить по своему обыкновению, но сейчас это было неуместным.

— Здравия желаю, товарищи офицеры! Кто крайний на приём к подполковнику Сагаловичу?

Майоры переглянулись.

— Его пока нет, — ответил тот, что с ожогом. — Ждём вот...

— Понятно, — кивнул капитан и отошёл к окну.

Присесть было некуда, стоять молча рядом с незнакомыми старшими по званию офицерами Филинов счёл неудобным, навязываться на знакомство — тоже.

Ждать пришлось недолго. Хозяин кабинета с табличкой «Подполковник Сагалович» оказался жгучим брюнетом, крупного телосложения, с круглым лицом. Он вышел из приемной главкома, оглядел ждущих его офицеров и слегка улыбнулся.

— Вижу, что вы ко мне, — сказал он, отпирая дверь. — Заходите все сразу, рассаживайтесь!

Не успели командированные усесться вокруг приставного столика, как подполковник положил перед каждым бланк подписки о неразглашении, похожий на тот, что сам недавно подписывал в кабинете главкома.

— Прошу всех внимательно прочесть и поставить свои подписи!

Несколько удивленные, офицеры расписались. Заполненные подписки подполковник вложил в папку, причем сделал это так, чтобы приезжие не увидели обложку с грифом «Сов. секретно» и надписью «Подснежник».

— Вы включены в группу, которой поручено выполнение особо секретного задания высшего командования, — сообщил он после того, как спрятал папку в сейф. — Я назначен старшим группы. Вы познакомились?

— Никак нет! — ответил «зацелованный», как про себя окрестил Филинов майора с засосом.

— Очень хорошо! Во время совместной работы обращаться друг к другу будете по позывным. Ты — Шеин... — Подполковник указал пальцем на Фроликова. — Иванов, — палец ткнул в Филинова. — Руков, — последний позывной достался Мощенко.

— Это не позывные, а клички какие-то! — не сдержался Фроликов. — Почему «Шеин»?

— Неважно. Главное, легко запомнить и сохраняется анонимность! Общаясь между собой, избегайте нарушать это правило. Настоящие имена и места службы упоминать запрещено!

— А если... Ну, вдруг... Короче, если кто проболтается? — поинтересовался Фроликов.

Сагалович замешкался.

— По выполнении задания вам придётся пройти проверку на полиграфе. И ваша болтливость выплывет наружу, — на ходу придумал Сагалович. Полиграф он видел только в шпионских фильмах. — Слышали про такое?

Мощенко отрицательно мотнул головой, Филинов пожал плечами.

— Детектор лжи, — блеснул эрудицией Фроликов.

— Правильно, — кивнул подполковник. — Поэтому соблюдайте все требования. Если замечаний по вашей работе не будет, после выполнения этого задания все вы получите повышение. Возможны и награды.

— А что делать-то надо? — нудно прогундел Мощенко.

— Работа для вас привычная. Перевести «Р 36М» из режима ручного контроля в полностью автономный режим...

— Обычное дело, — сказал Мощенко, и Фроликов согласно кивнул.

— Тут какая-то ошибка! Это не по моей части. Я ведь сапер! — Филинов насторожился: возможное повышение и награды стали рассеиваться, как мираж.

— Еще надо будет уничтожить взрывами две ракеты, провести одну имитацию такого взрыва и поработать на минном поле, — закончил Сагалович. — Это по твоей части?

— Это да! — вновь оживился капитан.

— Составьте список оборудования и инструментов, которые вам могут понадобиться...

— А сколько нужно брать взрывчатки? — поинтересовался Филинов.

— Взрывчатка на месте имеется, напишите заявку на десяток противопехотных мин, — сказал Сагалович. — Еще вопросы?

Негромкий голос подполковника словно загипнотизировал специалистов. Они слушали настолько внимательно, что было слышно, как включился холодильник за стеной, в комнате отдыха главкома.

— Когда и где выполнять задание? — спросил Филинов.

— Где — пока секрет, а когда... Пока готовьтесь. День вылета я сообщу дополнительно. Еще вопросы?

Вопросов больше не было.

— За пределы территории не выходить, на территории тоже особенно не светиться. Вышли в столовую и обратно. По телефону не звонить.

— А что ж нам делать целыми днями? — спросил Филинов. — Так совсем озвереть можно!

Сагалович пропустил его реплику мимо ушей.

— Пойдёмте, отведу вас в комнату для командированных — до вылета поживёте там, — сказал он и направился к двери. Потом, что-то вспомнив, полез в шкаф и достал плоскую квадратную коробку с нарисованной круглой мишенью. — Вот вам, чтобы не озверели, товарищ Иванов, — он протянул коробку Филинову. — Это дартс — игра такая. Англичане у нас были с визитом и подарили, только у меня руки так и не дошли...

28 октября 1982 года
Ближний космос

Разведывательный спутник «Лакросс», принадлежащий военной разведке США — огромный конус размером с хорошо известный российским пассажирам автобус «Икарус», — распластав длинные крылья солнечных батарей, натужно парил на высоте двухсот километров, совершая очередной виток вокруг земного шара. В ледяном пространстве ближнего космоса много технического мусора и отработавших свой срок космических аппаратов, но «Лакросс» не просто накручивал витки вокруг земного шара: он исправно и бдительно нёс службу. Его электронно-оптические датчики, компьютеры, электрические цепи и передающие антенны были нацелены на выполнение различных задач. Иногда спутник-шпион принимал и ретранслировал в Центр чрезвычайные радиосообщения разбросанных по всем континентам агентов глубокого внедрения, иногда фотографировал новые — масштабные, могущие иметь стратегическое значение стройки, иногда отслеживал в мировом океане бурунные следы атомных субмарин или фиксировал заранее заявленные учебные пуски межконтинентальных баллистических ракет и попадание (или, что было реже, непопадание) головной части в мишень на удаленном полигоне... Теперь он фиксировал еще и процесс разоружения, а точнее — контролировал уничтожение Советами стратегических ракет, попадающих под действие Договора ОСВ-2.

Виток за витком, тысяча километров за тысячей...

Он летал, безразлично рассматривая сквозь мощную оптику то, что открывалось далеко внизу. В сетке координат плыла бескрайняя сибирская тайга, где находилось большинство шахтных пусковых установок. Подчиняясь специальной программе, «Лакросс» фотографировал те из них, где одетые в военную форму или специальные защитные комбинезоны человеческие фигурки равнодушно разделывали на куски громадные ракеты. Это чем-то напоминало жестокую резню рыб на картине Дали «Ловля тунца», происходящее имело и философский смысл, потому что здесь насилие и уничтожение применялось к тому, что само было создано для уничтожения и убийства.

Но аппаратура не вдавалась в такие нюансы, бортовой компьютер не был настроен на решение философских задач жизни и смерти, он просто выполнял свои программы. Поэтому «Лакросс» без каких-либо эмоций сквозь сто девяносто километров безвоздушного пространства и десятикилометровый слой мутноватой атмосферы разглядывал синими глазами объективов происходящее уничтожение и передавал информацию в аналитический центр.

Это хорошо бы смотрелось в фантастическом фильме: зависшее над планетой технологическое чудовище, внимательные, отблескивающие иридиевым покрытием кварцевые линзы; наплыв, трансфокация, стремительное падение из ледяной космической бездны — сквозь космическую пустоту, магнитные пояса, ноосферу, ионосферу, сквозь озоновый слой в атмосферу, сквозь все более сгущающийся и теплеющий воздух, сквозь белые, как вата, облака... И вот уже происходящее видно как на ладони: с высоты птичьего полета хорошо различаются лица и даже звездочки на погонах профессионально безразличных «рыбаков»... И лицо недавнего выпускника Академии РВСН Балаганского могли бы рассмотреть специалисты аналитического центра, если бы на нем в этот момент не было противогаза. Но ничего, это не последняя уничтожаемая ракета и не последний виток спутника-шпиона, так что лицо молодого лейтенанта еще попадет на снимок. Хотя, по большому счету, сейчас оно никого не интересовало.

28 октября 1982 года
Алтайский край, Н-ская ракетная дивизия,
первый полк

Лейтенант Балаганский прибыл к месту службы в конце августа и еще успел подежурить в шахте, ощутив на своих плечах всю тяжесть мира. Но могучие плечи выдерживали, устойчивая психика нормально переносила подземную тесноту и отрезанность от основного мира. В принципе, ему все нравилось: и ответственность, и важность выполняемой работы. Плохо только то, что возвращаться приходилось в пустую и холодную комнату офицерского общежития, а вокруг, на тысячи верст, не было ни одной родной души. Если бы его ждала Инесса, забравшись на диван с голыми ногами, как он когда-то мечтал...

После того Нового года, точнее, после истории с Веселовым, девчонки пропали: не брали трубки или бросали, когда слышали, кто звонит. Но он несколько раз дежурил у института и перехватил Инессу на выходе. Она вначале испугалась, но он ее успокоил и даже сумел затащить в небольшое кафе поблизости. Взяли по антрекоту и бутылку сухого вина, выпив, девушка немного расслабилась.

— А что ты удивляешься? Если бы к вам пришли люди из органов, пригрозили, что выгонят из академии, и стали расспрашивать про нас? Да еще объяснения отобрали и посоветовали держаться от нас подальше? — ковыряя остывающее мясо, говорила она. — Вы бы стали с нами встречаться? Небось, обегали бы за два километра, как сифилитичек...

— Кого?! — изумился Георгий. — Почему сифилитичек? При чем здесь это?

— Ну, зачумленных, — немного смутилась Инесса. — Короче, мы испугались...

— А из каких органов? — спросил Балаганский.

— Откуда я знаю! — досадливо отмахнулась Инесса. — Меня вызвали в комитет комсомола, там какой-то мужчина показал красную книжечку...

— Ладно, давай забудем про все это! — Георгий ласково погладил ее по руке.

Кожа была гладкой и прохладной.

— Ты помнишь мое предложение?

— Какое? — Она вскинула тонкие, явно выщипанные брови.

— Выходи за меня замуж!

Инесса взглянула внимательно и слегка улыбнулась.

— Я думала, это ты по пьянке...

— Да я и пьяным не был! Я действительно хочу на тебе жениться! Серьезно!

— Ну, раз серьезно, то надо это серьезно обдумать. И надеюсь, после сегодняшней встречи ко мне не придут люди с удостоверениями...

— Не придут! — с жаром заверил Георгий. — Ни после этой, ни после всех последующих!

— А ты собираешься со мной постоянно встречаться? — с какой-то странной интонацией спросила девушка.

Балаганский кивнул.

— Да, а потом жениться!

Инесса долго смотрела на него и, наконец, рассмеялась.

— Ну что ж, давай попробуем.

Они стали встречаться. При каждом удобном случае, когда родителей не было дома, Георгий затаскивал ее в постель. Впрочем, Инесса не возражала и демонстрировала такое мастерство, что Балаганский не мог от нее оторваться. На выпускной вечер в качестве официальной невесты она не пошла, но согласилась провести с ним отпуск. Поехали в Лазаревскую и чудесно отдохнули две недели. Но выходить замуж и ехать с ним к месту службы девушка вновь не согласилась, мол, мне надо институт заканчивать, и вообще, ты вначале осмотрись, обустройся, а там видно будет, а пока будем писать друг другу...

Они переписывались, хотя письма не могут заменить любимую женщину. Балаганский видел Инессу во сне и думал о ней каждую свободную минуту.

Тем временем в полку началось сокращение ядерных носителей, а теперь оно шло полным ходом. Эта фраза в миротворческих документах звучит бодро и оптимистично, а на деле процесс сокращения выглядит уныло и печально. Грозные стратегические ракеты, которые называют «убийцами городов» и «разрушителями континентов», сами превращаются в объекты разрушения. Мощные краны вытаскивают их из глубоких бетонных нор, как огромных, но почему-то беспомощных зверей, грузовик с радиационной защитой увозит боеголовку, специальный заправщик сливает в свои баки топливо, а огромное стальное тело режут на куски огненными струями автогена. Потом подгоняют бетономешалку и на треть заливают бетоном то, что еще недавно было шахтной пусковой установкой. И все! Была стартовая позиция, был меч, направленный в подбрюшье потенциального противника, а что осталось? Разбросанные куски порезанного металла, мотки проводов и кабелей, пятна застывшего бетона — будто брошенная стройка...

Основную работу выполняла специальная инженерная бригада, но местные солдатики были на подхвате, и им тоже работы хватало. Балаганский, облаченный в задубевшую на морозном ветру химзащиту и противогаз, руководил рядовыми Геращенко и Мальковым, которые в таком же облачении разделывали топливные баки очередной ракеты. Зима уже вступала в свои права — было холодно, шел пушистый снежок, приходилось то и дело протирать очки и проявлять осторожность: в баках могли оказаться остатки горючего, а с гептилом, как известно, шутки плохи, даже в малых дозах...

Начальник штаба дивизии полковник Зуев лично контролировал процесс на площадке вторые сутки и порядком охрип от руководящих криков, которые рвались из самого сердца, а может, от нервов, натянутых и напряженных, как колючая проволока вокруг позиции.

— Вы бы пошли, погрелись, отдохнули, товарищ полковник, — предлагал командир полка полковник Петренко, который, собственно, и отвечал за уничтожение ракет.

— Сделаем дело, тогда и отдыхать будем! — отмахивался Зуев.

— Черное дело делаем, — со вздохом сказал комполка. — Я, конечно, все понимаю... Ликвидация, реформирование, сокращение, уменьшение совместной угрозы... Но жалко, аж все в душе переворачивается! Я же помню, как мы оборудовали боевую позицию, как ставили её на боевое дежурство. Офицеры сутками торчали в шахте, не думали о премиальных, о повышении... Только о том, как выполнить приказ в срок!

— Ну, что делать, — сказал Зуев, и лицо его окаменело. — Сейчас приказ другой. А приказы, как мы знаем, не обсуждаются.

Начштаба помолчал.

— Что ракета... И людей так же списывают... Вот и я свое отслужил...

Петренко скорбно кивнул.

— Да и я тоже...

Разговор смолк.

— А в третьем полку тротилом подрывают позиции, — вздохнул Петренко, чтобы сменить тему. — Так быстрее дело идет...

— Все ждали, куда иностранная комиссия поедет, — пояснил Зуев. — Они твой полк выбрали. А разборка, вроде, экологичней... Ну, пусть посмотрят на разборку... А надо будет ускорить — и здесь рванем...

— Ты, кстати, подготовился к приему иностранцев? — внезапно спросил начальник штаба. — Всё должно блестеть как у кота... в общем, я об этом даже напоминать не хочу. Их самолично комдив привезёт.

— Да, конечно, все сделали, как положено! — кивнул Петренко.

* * *

Гости прибыли на следующий день к обеду. Уже ударил ранний мороз, все вокруг засыпано снегом. Ми-4 отдельной вертолётной эскадрильи дивизии приземлился на расчищенную от свежего снега площадку, когда кран доставал из шахты очередную ракету. Первым с трапа спрыгнул бортинженер, за ним спустился командир дивизии Васильцов, за ним в проёме люка показался представитель Пентагона.

Стоящий в отдалении Балаганский с интересом рассматривал потенциального противника. Человек как человек: две руки, две ноги, голова, тёплый бушлат с шевроном департамента армии США на рукаве, а на погонах лычки, как у младшего сержанта советской армии. Но Георгий знал, что в армии США это соответствовало званию капитана. За ним вышли ещё двое в гражданской одежде, кто из них кто, Георгий определить затруднился.

Зуев шагнул навстречу комдиву и вскинул руку к шапке:

— Товарищ генерал-майор, личный состав производит демонтаж пусковой установки в соответствии...

— Вольно! — козырнул в ответном приветствии комдив. — Знакомься, Николай Александрович, — капитан Мэтью Кларк.

Капитан отдал воинское приветствие, чем создал положительное впечатление у Зуева. А вот двое гражданских ему как-то сразу не понравились. Они буркнули свои имена, которые начальник штаба даже не пытался запомнить, и протянули руки... Пришлось пожать их мягкие влажные ладошки, превозмогая неприятные эмоции. Один из них оказался тоже американцем, представителем Госдепартамента США. Другой — наблюдателем от ООН, то ли немцем, то ли австрийцем.

Поначалу прибывшие с высокомерным видом обошли разоренную стартовую площадку, фотографируя останки некогда грозных ракет, потом принялись наблюдать за «сокращением» последней ракеты. Все шло по регламенту. «Сатану» обезглавили, боеголовку погрузили на специальный транспорт и увезли. Геращенко и Мальков, похожие в защитных комбинезонах и противогазах на каких-то зловещих инопланетян, слили горючее в заправщик, при этом наблюдателей отвели в сторону, так, чтобы легкий ветерок не принес к ним ядовитые испарения.

Инспектора фиксировали каждую стадию работы, делали пометки в блокнотах и щелкали фотоаппаратами. Но чем дольше они находились на морозе, тем менее важными становились. А тут еще ветер усилился, продувая легкие пальто... После часа пребывания на площадке на наблюдателей жалко было смотреть. Впрочем, капитан держался молодцом. Гражданские же переминались с ноги на ногу и заметно дрожали.

— Идите в машину, погрейтесь! — предложил генерал.

— Спасибо, я не замёрз, — на довольно сносном русском ответил капитан.

Его спутники тоже покачали головами. Васильцов и Зуев переглянулись: «Форс держат!»

— Мы производим разборку для сохранения экологии, — начал объяснять комдив.

Кларк понимающе кивал.

— Но с учетом погодных условий, для ускорения процесса, мы можем произвести подрыв ракеты прямо в шахте...

— Такой способ тоже предусмотрен протоколом, — кивнул Кларк, сохраняя безразличное выражение лица. — По усмотрению уничтожающей стороны.

Васильцов повернулся к командиру полка.

— Раз международная инспекция не возражает, взрываем! — скомандовал генерал.

— Есть использовать взрыв! — немедленно среагировал Петренко.

Гражданские наблюдатели, не выдержав, все-таки забрались в «уазик» и грелись там, полностью доверив контрольные функции коллеге. Капитан Кларк пронаблюдал, как разоруженную ракету опустили обратно в шахту, как саперы осторожно сгрузили туда же несколько мешков тротила. Балаганский с подчиненными солдатами стоял неподалеку, все трое довольно улыбались.

Наконец, саперы закончили свою работу. Все расселись по машинам и отъехали на безопасное расстояние. Зуев отдал команду.

Грянул взрыв, и земля слегка дрогнула. Многотонная крышка шахты отлетела в сторону, словно офицерская фуражка под порывом ураганного ветра, а огромная верхушка шахтного цилиндра вылетела из-под земли, как шарик из игрушечного пистолета, разлетевшись при этом на два фрагмента. Как раз проходивший над стартовой площадкой «Лакросс» зафиксировал эту картину и исправно передал на Землю.

— Ну, вот и всё! — подвёл итог генерал. — Подпишем протокол, и прошу на обед!

* * *

— За мир и дружбу! — огласил первый тост комдив.
Все выпили. За столом, накрытым в офицерском
зале столовой, народу было немного: иностранные наблюдатели, комдив Васильцов, начальник штаба Зуев,
комполка Петренко, замполит Селезнев и зеленый
лейтенант Балаганский, ко всеобщему удивлению при-
глашенный особистом Кривцовым, который тоже здесь
присутствовал под видом командира взвода охраны.

Стол ломился от еды: оленина, зайчатина, огромный глухарь, украшенный перьями, жареная картошка, соленья, настоянный на клюкве спирт, настоящая
водка и даже бутылка коньяка. Усталые и замерзшие
гости налегали на еду, местные ориентировались на
старших, а поскольку генерал Васильцов не проявлял
аппетита, то и остальные вяло ковырялись в тарелках.
Только не искушенный в иерархической дипломатии
Балаганский ел так, что за ушами трещало.

— Сегодня мы сделали еще один шаг навстречу
друг другу, — поднялся с рюмкой наперевес полковник Зуев. — Разоружение будет способствовать взаим-
ному доверию наших народов. И мы, военные, будем
больше доверять друг другу!

— Так есть! — улыбаясь, сказал Мэтью Кларк и
встал.

Его сопровождающие кивнули и тоже встали.
Представителя Госдепартамента звали Джоном, на-
блюдателя от ООН, австрийца, — Куртом. Они тоже
широко улыбались, демонстрируя ровные белые зубы.
«Искусственные, что ли? — подумал Георгий. — Как у
артистов...»

Все стоя чокнулись и выпили. У гостей явно было
хорошее настроение, а генерал и три полковника вы-

глядели довольно кисло, но старые опытные служаки виду не показывали: говорили хорошие тосты, исправно выпивали, а когда спиртное сделало свое дело, то отдали должное и закуске.

Но вот генерал взглянул на часы и встал, держа рюмку в руке, на уровне пояса.

— Дела вынуждают меня возвращаться в дивизию, — с расстановкой произнес он, обращаясь, в основном, к Кларку и его спутникам. — Если вы хотите проконтролировать уничтожение ракет в третьем полку, я могу взять вас с собой...

Кларк покачал головой.

— Спасибо, мы удовлетворены тем, что видели, и возвращаемся в Москву. Наше задание выполнено. Возможно, поступит новое...

Васильцов кивнул и поднял рюмку повыше.

— По русскому обычаю я предлагаю выпить «на легкую ногу за короткую дорогу» для наших гостей! Наша совместная работа и общее застолье укрепят дружбу между нашими народами!

Выпив, он пожал гостям руки и направился к выходу. Зуев последовал за ним, а Петренко отправился проводить начальство.

— Селезнев ведет стол, — привычно скомандовал комполка. — Заботится о гостях и о порядке.

— Есть, товарищ полковник, — бодро ответил замполит. Ему сокращение не грозило, напротив, впереди светило назначение в Москву. — Ну-ка, лейтенант, наливай, ты самый молодой!

Генерал и полковники оделись, вышли на морозец и пошли к стоящему в отдалении вертолету. Яркий свет желтой луны освещал в голубой ночи темные фигуры. Снег хрустел под сапогами. Пахло тротиловой гарью и разорением. Чувствовалось, что часть доживает свои последние дни. И идущие к вертолетной площадке ощущали это особенно сильно.

— Вот мы с этими, американцами, водку пьем, политесы разводим, улыбаемся, — сказал Петренко. — А чему веселиться? Тому, что из-за этого разоружения раньше времени на пенсию отправимся? Что ракеты боевые своими руками порезали да взорвали?

— Это политика, дипломатия, — вздохнул Зуев. — А мы люди военные, к этому не привыкшие... Нам привычней бить врага, а не чокаться с ним...

— Может, переночуете у нас, товарищ комдив? — выполняя долг хозяина, предложил Петренко. — Сами своей компанией догуляем, а завтра уже вернетесь к себе.

— Ты особо не расслабляйся, сейчас не время для гулек, — отрезал Васильцов. — К тому же мне надо сообщить в Москву, что они возвращаются. А завтра я пришлю вертушку, отправь их на аэродром, лично посади в самолет и доложи мне!

— Есть, товарищ генерал! — вытянулся Петренко.

Через несколько минут вертолет взлетел. Командир полка долго стоял и смотрел вслед движущимся между звезд сигнальным огням, пока гул двигателя не растворился в темном небе. Потом направился было к освещенным окнам столовой, но передумал и пошел к себе на квартиру.

— Действительно, не время гулять, — пробурчал он. — Везет Скидану — работает себе неспешно, без нервотрепки... А тут и встречаешь, и провожаешь, и все под запись и фотографии! Хотя... — Комполка махнул рукой. — На пенсию и со строгим выговором примут. Но все равно, пусть без меня гуляют...

Он бросил взгляд на освещенные окна столовой и двинулся к дому. А за освещенными окнами продолжалось застолье.

— Я хочу спросить этот молодой офицер, — обратился Мэтью Кларк к Балаганскому. — Почему вы с солдатами улыбались, когда взрывали ракету?

И гости, и хозяева согрелись, выпили, закусили и находились в благодушном настроении. Но бдительные советские военные помнили, что они сидят за столом с потенциальным противником, и не расслаблялись.

— Да, чего ты лыбился?! Чему радовался?! — рявкнул на лейтенанта замполит, но наткнулся на холодный взгляд особиста и осекся.

— Да потому, что саперы быстро сработали — и всё! — честно объяснил Георгий. — А если бы решили резать, то это пришлось бы мне с солдатами делать. И до позднего вечера на морозе возиться...

Замполит индифферентно ел глухаря, как будто совершенно не интересовался разговором молодого летехи с посланцем вражеской страны. А ведь это было совершенно против правил! Сопливого мальчишку в такой круг вообще допускать нельзя! Тем более без инструктажа... Вон какую херню плетет: радовался потому, что работы выпало меньше! Разве должен советский офицер работы бояться? Но раз его Кривцов позвал, то это неспроста... Тут лучше в сторонке держаться... А то вместо теплого места в Политуправлении РВСН можно получить предписание на увольнение, как остальные командиры.

— Вас как зовут, молодой человек? — Мэтью Кларк поднял рюмку.

— Георгием.

— Можно я буду называть вас Джорджем?

— Конечно, товарищ капитан, — машинально произнес Балаганский и тут же поправился: — Конечно, капитан!

— Давайте выпьем за нашего молодого друга! — предложил американец. — Это ему сидеть за оперативным пультом ближайшие десять лет! Потом, в штабах, ему вырабатывать военную стратегию еще лет пятнадцать. Будущее мира — в его руках!

Иностранцы с готовностью встали, Селезнев замешкался было, но, увидев, что Кривцов поднимается с дружелюбной улыбкой, последовал его примеру. Балаганский покраснел, вскочил и встал по стойке «смирно». Первый раз за него пили старшие офицеры и иностранцы.

— Только хочу сказать тебе, Джордж, — начал Мэтью, когда все выпили, сели и закусили. — Для экологии полезней разрезать ракету на части, вывезти на завод и переплавить. Чтобы природа была чистой. Этот лес, эта земля... Взрыв грязный, он запачкал все вокруг, разбросал капли топлива...

— Что вы, коллега! — активно вступил в разговор замполит, почувствовав, что наступило его время. — Здесь будут проведены масштабные экологические работы! Мы соберем каждый осколок металла, каждый кусок бетона, проведем дегазацию окрестностей и рекультивацию земли! Вывезем все лишнее, завезем чернозем! Через три, нет, два года здесь будет совхоз, выпускающий самые чистые продукты! Приезжайте, я угощу вас парным молоком и свежим хлебом из пшеницы лучших сортов!

— За ваши успехи! — улыбнулся американец. — Мы не можем за два года превратить стартовую площадку в экологически чистое поле!

Они выпили в очередной раз. Иностранцы заметно опьянели.

— Мне говориль, — с сильным акцентом заговорил Курт, — что, когда мы приехать в Советы, с нами всегда есть KGB-men. Всегда! Здесь он есть? Кто он?

Лицо у Селезнева вытянулось, он машинально бросил взгляд на Кривцова, но тот с веселой улыбкой продолжал подкладывать еду в тарелки гостей. Курт с пьяной улыбкой рассматривал хозяев, американцы сделали вид, что поглощены закуской, хотя Джон не попадал вилкой в тарелку. Наступила томительная пауза.

— Это я! — вдруг сказал Балаганский. — Разве сразу не видно?

Все рассмеялись, напряжение рассеялось.

— Вот и скажите мне, я никак не пойму: зачем вы вообще сюда приехали? — спросил Георгий. — У вас что, все спутники сломались? Вы же из космоса и так всё видите...

Мэтью Кларк улыбнулся.

— Добрая воля, мир, дружба... Москва сама нас пригласила. А ваши к нам поехали. И от ООН наблюдатели, чтобы все было честно... Только Курт немного взял лишнего... Да и Джон...

— Ну, и пусть идут дрыхнут, — махнул рукой Балаганский.

— Что есть дрыкнут? — удивился Кларк.

— Дрыхнуть. Спать, значит.

— Ты это, лейтенант, чего раскомандовался? — возмутился замполит. — Тут два майора есть!

— Нет, Джордж прав! — сказал капитан. — Пора делать отдых!

Иностранцев проводили в общежитие.

— Интересный у вас знак, — сказал Георгий, пытаясь в свете луны рассмотреть нашивку на рукаве Мэтта.

— Возьми на память! — сказал капитан и отодрал крепящийся «липучкой» шеврон.

— Ну, тогда обменяемся! — Балаганский снял офицерский ремень и протянул американцу. — На дружбу!

— Дружба! — в порыве чувств Кларк обнял лейтенанта. — Спа-си-бо, Джордж! Завтра еще увидимся!

Но когда иностранных наблюдателей провожали к вертолету, лейтенант Балаганский занимался своими делами по штатному расписанию и на процедуру прощания его, естественно, никто не пригласил.

Только вечером Кривцов, выбрав момент, похлопал молодого человека по плечу:

— Отчет нормальный! И вообще хорошо справился, молодец! Вон, Селезнев от зависти аж зубами скрипит! Слушай, может, ты по нашей линии пойдешь?

— Это как? — не понял Георгий.

— Очень просто! Пройдешь переподготовку и будешь продолжать службу в военной контрразведке.

Лейтенант растерялся.

— Да я как-то об этом не думал... Я же на ракетчика учился.

— Ну и что? Образование поможет службе в ракетных частях. Мало кто с самого начала в нашу епархию готовится. Многие с другими специальностями приходят. И танкисты, и летчики, и моряки...

— Это как-то неожиданно... Но я подумаю!

* * *

Мишень повесили на дверь, а бросали метров с четырех, от окна.

— Бац! — дротик воткнулся в десятку.

— Бац! — девятка.

— Бац! — еще одна девятка.

— Давай, Руков, твоя очередь, — довольно улыбаясь, предложил Филинов.

— Не хочу, мне уже это осточертело, — меланхолично отозвался Мощенко. Он валялся на кровати и в сотый раз листал старые журналы.

— Шеин, ну, давай ты!

Но тот играл сам с собой в шахматы и тоже отказался.

— Давай, Иванов, сам тренируйся. Чтобы мог врагу прямо в глаз попасть...

— А почему нам оружия не выдали? — спросил «Иванов». — Раз такое важное задание?

— Нам же не перестреливаться. Головой надо работать...

— Головой так головой — Филинов метнул очередной дротик и чуть не угодил в лицо открывшему дверь вестовому, тот еле успел уклониться.

— Приказ готовиться к вылету! — ошарашенно сказал солдат. — Завтра в семь утра придет машина!

— Ну, наконец-то! — обрадовался Филинов. — Хуже нет ждать и догонять...

— Это точно, — поддержал его Фроликов, сметая с доски фигуры.

И только Мощенко продолжал меланхолично листать журналы. Он и был меланхоликом.

* * *

Офицер по особым поручениям при главкоме РВСН подполковник Сагалович действительно был очень пунктуальным и скрупулезным, иначе он не удержался бы на этой должности, да и даже не попал бы на нее. Но «железность» его была преувеличена — как и любой человек, он имел слабости. И в ответственную командировку подполковник собирался со сложным чувством, точнее, с целым клубком тесно переплетающихся мыслей и ощущений. Наиболее точно, одним словом его ощущение можно было охарактеризовать, как приятное опустошение.

Так было всегда, когда он, соврав жене, «уезжал в командировку» на день раньше, чтобы этот день и ночь провести с Юлькой в ее уютной малогабаритке. В данный момент он не ощущал ничего — ни угрызений совести, ни опасений, что обман раскроется, даже боязни потерять должность из-за аморального поведения, порочащего высокое звание офицера. Всё это будет: и моральные муки, и страх перед всевидящим оком особого отдела, но позже — спустя сутки или двое. А пока ему просто было хорошо и ничего не хотелось. Будто Юлька, как вампир, высосала из него все силы и чувства, причем не только в переносном, но и в прямом смысле слова.

Она на десять лет младше Сагаловича. Каждый раз он решает больше не встречаться с этой стройной черноглазой вампиршей, но скоро забывает о своем решении, и всё повторяется снова.

«Нет, эта встреча точно была последней!» — подумал он, когда служебная «Волга», как и было условлено, подъехала за ним к остановке в двух кварталах от Юлькиной квартиры. Это он придумал для конспирации, хотя сам понимал, что это секрет Полишинеля: водитель знает, где живет подполковник, и догадывается, что он делает рано утром вдали от своего дома.

«Волга» заехала в Главный штаб, специалисты загрузили багаж и сели на заднее сиденье. Сагалович зашел к себе в кабинет, переложил папку операции «Подснежник» из сейфа в титановый кейс, пристегнул к руке, получил пистолет, без которого носить документы особой важности запрещалось, и сел рядом с водителем. Машина рванулась вперед.

Через полтора часа они выехали прямо на летное поле военного аэродрома и подъехали к Ан-24, который не имел маскировочной окраски и эмблем ВВС, а потому выглядел как обычный гражданский самолет. Правда, внутри он был переоборудован: в передней части находился комфортабельный, облицованный деревом салон главкома, за ним, в хвосте, стояли обычные кресла. К тому же имелся дополнительный бак для горючего и нестандартное радиооборудование.

Сагалович часто летал с командующим и хорошо знал экипаж. Он тепло поздоровался с командиром, подполковником Балаганским.

— Летим в хозяйство Васильцова, Петр! — сказал порученец. — Там ждешь нас, и вместе возвращаемся обратно.

Командир посмотрел на трех специалистов, которые, подняв воротники шинелей, повернулись спинами к пронизывающему ветру.

— Ты с целой бригадой... Сколько ждать-то?

— Два, три дня. Не знаю. Как управимся. Ну, и маршрут запутай, как всегда.

— Ясное дело! Давай, поднимай их на борт, зачем мерзнуть зря... Только предупреди, что последний отрезок пойдем на бреющем, чтобы не испугались.

— А как объяснить?

— Да так и скажи: из конспирации, чтобы от радаров уйти.

Сагалович подумал.

— Не будем раскрывать твои методы раньше времени. Когда испугаются, тогда успокою. А может, и не придется.

— Ну, ладно, поехали!

Перегрузив багаж, специальная инженерная группа стала грузиться в самолет. Люк располагался сзади, но через открытую дверь был виден комфортабельный салон главкома.

— А может, туда сядем? — Филинов без особой надежды кивнул вперед.

— Нет, капитан, здесь располагайся! — добродушно улыбнулся Балаганский. — Когда генеральские звезды получишь, тогда будешь в салонах летать...

— Ну и ладно, — без обиды отозвался Филинов. — Может, и раньше получится!

Двигатели ревели так, что разговаривать было нельзя. Зато спать — можно. Все четверо проспали почти четыре часа и проснулись, когда самолет уже коснулся бетонной полосы полевого аэродрома. Щурясь, они спустились по трапу.

Густой лес с обеих сторон подступал к длинной бетонной ВПП[1], обнесенной колючей проволокой. В начале ее стояли большой ангар и двухэтажное кирпичное здание администрации, третьим этажом возвышалась вышка командно-диспетчерского пункта с огромными окнами, обеспечивающими максимальный обзор руководителю полётов. На ней торчали антенны радиосвязи и развевался по ветру флаг Военно-воздушных сил СССР. Перед зданием, на прямоугольной асфальтированной площадке стояли бульдозер и поливомоечная КПМ-130 с плугом-отвалом для снега. А в начерченном белой краской круге ждал вертолет, чтобы доставить прибывших в третий полк.

— Ну, что, друзья, приступаем к работе! — сказал Сагалович. Теперь это снова был Железный Вадик.

---

[1] ВПП — взлетно-посадочная полоса.

31 октября 1982 года
Н-ская ракетная дивизия, третий полк

С тех пор как полковник Скиданов стал командиром части, на одиннадцатом уровне УКП[1] он бывал редко.

— Я своё отсидел! — любил говорить он молодым коллегам.

Действительно, двенадцать лет, проведённых за пультом оператора под землёй, — достаточный срок для того, чтобы досконально изучить комплекс и получить стойкое отвращение к тесноте стальной капсулы трехметрового диаметра, подвешенной в шахте на рычагах амортизации, в которой сутками дежурили два оператора «стреляющей смены».

Но сейчас особые обстоятельства: закрутилась такая карусель... Еще месяц назад ничто не предвещало столь резких изменений. Офицеры заступали на боевое дежурство, сменялись, снова заступали, технари в плановом порядке тестировали ракеты, солдаты несли караульную службу, тыловики обеспечивали полк продовольствием, столовая готовила пищу...

Размеренную жизнь на островке цивилизации среди бескрайней тайги оборвал приказ: полк подпадает под Договор ОСВ-2, приготовиться к демонтажу и уничтожению трех шахтных пусковых установок. Начался вывод офицерских семей: жены, дети, узлы, чемоданы, стиральные машины, телевизоры... Шум, гам, недовольство — сумасшедший дом.

Еще через неделю пришла совсекретная шифротелеграмма: две ракеты выключены из плана стратегической боеготовности, в связи с чем из трёх шахт

---

[1] УКП — унифицированный командный пункт.

группового старта демонтировать шахты № 1 и № 2, быть готовыми принять иностранных наблюдателей...

К счастью, иностранцы приехали не к ним, а в первый полк. А ему пришла следующая ШТ: в позиционном районе вместо ШПУ развернуть радиолокационную станцию управления и слежения, шахту № 3 передать старшему группы офицеров главного штаба подполковнику Сагаловичу, который наделен особыми полномочиями командования.

И вот еще одно указание: встретить москвичей, подписать необходимые документы, после чего вместе с оставшимся подчинённым личным составом прибыть в штаб армии для распределения по новым местам службы!

«Распределение, — горько думал Скиданов. — Обещают, обещают, а могут и на пенсию распределить!»

Но делать нечего. Отдав необходимые распоряжения по подготовке к убытию, Скиданов выдвинулся на «уазике» к вертолётной площадке и стал ждать. «Хорошо ещё, что не приказали их в Омске встречать», — размышлял он, ища хоть какие-нибудь положительные стороны в происходящих событиях.

Москвичи прибыли своим самолетом на полевой аэродром сорок первой армии, комдив послал за ними вертолет. И вот трудяга Ми-8, вздымая винтами облака снежной пыли, приземлился на посадочную площадку третьего полка и Скиданов, наконец, увидел москвичей. Их было четверо: подполковник, два майора и капитан. Отглаженные шинели, новенькие сапоги. Подполковник с пистолетом на правом боку, в левой руке металлический чемоданчик, пристёгнутый к запястью. «Коды для снятия с дежурства!» — догадался Скиданов.

— Подполковник Сагалович! — представился старший, предъявив удостоверение личности офицера и предписание главкома.

— Полковник Скиданов. Все приказания выполнены, топливо с единиц один и два и обе головные части вывезены, взрывчатка заложена! Единица номер три стоит на боевом дежурстве согласно указанию Главного штаба! РЛС смонтирована, специалисты убыли к месту службы!

— Предлагаю пройтись пешком! — сказал Скиданов. — Стартовая позиция здесь рядом, а в машину мы все не поместимся.

— Там, в вертолёте, наш багаж, — сказал Сагалович. — Пусть водитель с нашим офицером его отвезут.

— Конечно!

Скиданов махнул рукой водителю — подъезжай!

— Товарищ Иванов! — обратился Сагалович к своему капитану. — Займитесь багажом!

Они шли молча. Командир полка рядом с Сагаловичем, майоры держались на некотором отдалении. Старший московской группы молчал, а Скиданов не знал о чем говорить. Снег хрустел под подошвами новеньких сапог. «Паркетные офицеры, штабные», — подумал Скиданов и указал на новую антенну.

— Вот РЛС...

Старший группы никак не отреагировал.

Больше комполка не пытался завязать разговор. Так, в молчании, они вышли к входу в командный пункт группового старта — неказистому домику за рядами колючей проволоки.

— Вон те, дальние ШПУ подготовлены к подрыву, — махнул куда-то рукой Скиданов. — А в этой ракета стоит на боевом дежурстве.

— Да, мы сами ее уничтожим, — кивнул Сагалович.

«Как же вы «сами» будете головную часть демонтировать и топливо сливать?» — хотел спросить Скиданов, но взглянул на Сагаловича и передумал. За такие вопросы можно запросто сменить офицерскую шинель на робу заключенного. Нет, лучше уж служить в тайге, чем её валить...

На стартовом комплексе было тихо и безлюдно, хотя всего в двух километрах на территории жилого городка царила сумятица: немногие оставшиеся солдаты грузили в гусеничный вездеход автоматы, папки с документами и какую-то аппаратуру. И, конечно, именно там должен находиться командир полка!

Скиданов тяжело вздохнул, Сагалович недоуменно покосился.

— Сегодня весь оставшийся здесь подчинённый личный состав я должен доставить в штаб армии, — пояснил Скиданов. — Нужно сменить дежурную смену...

— Сменим, Валерий Михайлович.

«Имя-отчество мое знает! — удивился Скиданов. — Что-то здесь нечисто — уж слишком подготовлен этот подполковник». Но он тут же отогнал вредные мысли.

— Автоматизированная система охраны типовая? — спросил Сагалович.

— Да, всё как обычно: чувствительные подземные сейсмодатчики, система радиолучевого выявления, система электризующей изгороди до трех тысяч вольт... Управление — из караульного помещения и с пульта дежурной смены УКП. Да сюда пока что, кроме медведей да лосей, никто и не наведывался. Людей в округе нет...

— Как осуществляется электропитание?

— Подземный кабель от высоковольтной ЛЭП, трансформаторная станция. Есть резервный дизель —

генератор на солярке, включается автоматически, при перебоях на основной линии.

— Срок автономной работы?

— До сорока пяти суток. Но на моей памяти ни разу таких перебоев не было.

Командирский «уазик» с багажом прибывших догнал группу и притормозил.

— К караулке! — приказал полковник водителю, и «УАЗ» двинулся дальше, к приземистому кирпичному бараку, до которого было около пятисот метров.

Здесь разгрузились: перенесли в помещение несколько коробок с армейским сухим пайком, несколько тяжелых ящиков, какие-то пакеты и одинаковые пластиковые чемоданы с личными вещами. «Зачем им столько сухпая? — подумал Скиданов. — Значит, они на несколько дней задержатся?»

Но вслух ничего не сказал.

— Майоры Руков и Шеин идут с нами менять дежурную смену! — распорядился Сагалович. — Товарищ полковник, дайте команду ознакомить капитана Иванова со схемой подрыва шахт один и два!

— Сейчас вызову нашего сапера. — Комполка по портативной рации дал распоряжение дежурному, и они отправились к командному пункту. На этот раз к стартовой позиции подъехали на «УАЗе» — Скиданов сел рядом с водителем, Сагалович с «Шеиным» и «Руковым» устроились сзади.

Через несколько минут они выгрузились метрах в тридцати от небольшого кирпичного домика, каких много в небогатой российской глубинке. Это и был вход в УКП. Несмотря на унылый обветшалый вид, этот домик — хорошо укрепленная крепость, за рядами колючей проволоки, сеткой под высоким напряжением и минным полем, которое в обычное время состоит из сигнальных мин, а в особых условиях дополняется и боевыми. На крыше круглая стальная башенка с прожектором и пулеметом, работающим при необходимости в автоматическом режиме. Вдобавок ко всему домик не имел двери. Войти в него можно было только через подземный ход, дверь в который находилась в двадцати метрах от проволочного заграждения, в искусственном, заросшем травой холме. Подходы к нему хорошо просматривались из поста охраны и находились в секторе обстрела крупнокалиберного пулемета. С одной стороны часть холма была срезана и залита бетоном, в который заподлицо вделана выкрашенная в зеленый цвет и наполовину заглубленная дверь.

Полковник Скиданов набрал код, мигнула зеленая лампочка, и толстая дверь отворилась. Скиданов первым вошел в спецсооружение, за ним последовали москвичи. Спустившись по бетонной лестнице на несколько метров, по обложенному кирпичом коридору с тусклыми лампочками под полукруглым сводом они прошли под рядами заграждений и минным полем и, поднявшись по лестнице, оказались внутри невзрачного домика. За пультом контроля сидел рядовой из взвода охраны, прибывших встретил сержант, четко доложивший:

— Товарищ полковник, за время дежурства происшествий не произошло! Докладывает сержант Крапива!

— Вольно! — махнул рукой полковник. — Собирайтесь, будем сниматься...

Они спустились по бетонной лестнице с начавшими выкрашиваться ступенями. Скиданов набрал код у тяжелой стальной двери, сигнальные лампочки перемигнулись и загорелись зеленым светом. Дверь медленно, со скрипом, отворилась. За ней оказался длинный коридор с такой же цепочкой тусклых лампочек под низким потолком. Идти пришлось метров сто. Коридор уперся в стальную дверь. Снова полковник ввел код, дверь открылась. Она оказалась еще толще предыдущей, а через несколько метров имелась еще одна такая же дверь. Первая дверь закрылась за их спинами, а полковник стал нажимать кнопки на очередном пульте. Сагалович испытал неприятное ощущение: он знал, что при ошибочном вводе можно оказаться заблокированным в этом тамбуре. Но Скиданов не ошибся, и дверь послушно открылась.

Прямо перед ними оказалась дверца лифта. С трудом втиснувшись в тесную кабину, они провалились вниз.

Унифицированный командный пункт представляет из себя двенадцатиуровневый контейнер высотой 33 метра и диаметром 3,3 метра, подвешенный с помощью системы амортизации в стандартной ракетной шахте. Лифт шел снаружи этого контейнера и остановился на десятом уровне.

— Все, дальше пешком, — сказал полковник, и они перешли в округлую комнату, забитую аппаратурой и оборудованием.

В полу имелся люк, через него по вертикальному трапу спустились на одиннадцатый уровень — собственно командный пункт с боевыми постами. Сагалович отстегнул свой чемоданчик: из-за тесноты его иногда приходилось поднимать над головой и перехватывать в другую руку.

В креслах за пультом боевого управления сидели майор и старший лейтенант. Рядом с майором стоит телефонный аппарат с гербом СССР вместо номеронабирателя — это прямая связь с центральным командным пунктом.

— Здравия желаю, товарищ полковник, у нас все штатно, — доложил майор, не делая попытки встать — из-за тесноты это было невозможно, хотя спустились только Скиданов с Сагаловичем, а сапоги Фроликова так и торчали на трапе над их головами.

— Надо как-то рассредоточиться, — сказал Сагалович, осматриваясь.

— Можно на двенадцатый уровень спуститься, — подсказал Скиданов. — Там комната отдыха.

— Пойдемте, — кивнул Сагалович. — Подпишем необходимые документы, и вы свободны.

Скиданов и Сагалович спустились на двенадцатый уровень, за ними последовали майор со старшим лейтенантом, а Фроликов и Мощенко, наконец, смогли спуститься и занять их места за пультом.

В комнате отдыха, на крохотном столике для приема пищи Сагалович дал подписать местным офицерам подписки о неразглашении и акты приема-передачи «Сатаны».

— Вы свободны, товарищи офицеры! — Сагалович пожал майору и старлею руки, и они стали подниматься по трапам наверх.

Через несколько минут загудел лифт.

— А вы, товарищ полковник, свяжитесь с ЦКП[1] и доложите, что ШПУ номер три передана группе подполковника Сагаловича для уничтожения, в связи с чем «Р 36М» подлежит изъятию из реестра ракет, стоящих на боевом дежурстве! И передайте таблицу кодов доступа моим офицерам.

Комполка поднял трубку прямого телефона и в точности выполнил указание особоуполномоченного главного штаба, потом снял со стены рядом с пультом

---

[1] ЦКП — центральный командный пункт.

листок в деревянной рамке под стеклом. Там были коды входных дверей — на каждое число месяца разные.

— Спасибо, товарищ полковник! — сухо поблагодарил Сагалович и, загораживая спиной свой чемоданчик, открыл его и спрятал внутрь подписки и акт приема-передачи.

Замки снова защелкнулись.

— Шеин, Руков, ваша задача переключить управление «карандашом» с АСУ[1] на САУ[2]. Приступайте! — приказал он и вместе со Скидановым отправился к лифту.

Наверху Скиданов снял с поста сержанта Крапиву с рядовым, подвез москвича к караульному помещению и поехал в жилой городок. Он успел отправить груженый вездеход и вызвал вертолет, который приземлился прямо на плацу, между зданием штаба и памятником Ленину. Комполка погрузил на борт оставшихся шестерых офицеров и десяток солдат, в последний раз окинул взглядом позиционный район, которому отдал немало лет жизни, и четко приложил ладонь к шапке в воинском приветствии. Дверь за ним закрылась, вертолет взлетел и набрал высоту, ложась на нужный курс.

Через час командир расформированного полка зашел в кабинет командира дивизии, доложил обстановку: личный состав и имущество вывезены, все ШТ из Центра выполнены, групповой старт передан московской группе.

---

[1] АСУ — автоматизированная система управления с участием человека в контуре управления.

[2] САУ — система автоматического управления без участия человека в контуре управления.

В кабинете находился и начальник штаба дивизии полковник Зуев. Он задумчиво почесал в затылке и не удержался от вопроса:

— А какая у них задача-то?

— Виноват, товарищ полковник, мы дали подписку о неразглашении... И я, и все, кто с ними вступал в контакт.

Генерал Васильцов неодобрительно взглянул на Зуева.

— Ты куда лезешь?! Тебе что, часто ШТ из Главного штаба шли одна за другой? Или особоуполномоченный с предписанием командарма часто приезжал? Это дело государственной важности, я ничего о нем знать не хочу! А ты, если хочешь, то готовься особистам объяснить свое любопытство! Да трибуналу! Кстати, это и тебя касается, Скиданов! Вообще про все забудьте! И подчиненным, которые с ними общались, строго-настрого прикажите все забыть! Никто никаких москвичей не видел, никто никому ничего не передавал! Ясно?!

— Так точно! — синхронно кивнули Зуев и Скиданов.

* * *

Караульное помещение было аскетичным, как и все помещения такого рода: справа от входного тамбура, по коридору, комната отдыха с шестью топчанами, перед ней комната бодрствующей смены: стол со старыми журналами «Огонек» и подшивкой газеты «Правда», шесть стульев вокруг; оружейка с отполированной за долгие годы «пирамидой», оцинкованным столом для заряжания-разряжания оружия и пулеулавливателем на случай нечаянного выстрела...

Слева — комната для приема пищи с электрическим чайником, кабинет начальника караула, комната для просушки одежды и обуви караульных и котельная, в которой уже хозяйничал Филинов. Он вышел на звук закрывшейся двери довольный и веселый.

— Они котел выключили, Вадим Ильич! — улыбаясь, сообщил он. — Мы бы замерзли на фиг! Ну, я все наладил, сейчас тепло будет, как в Африке! Можно пригласить официанток или телефонисток...

— Смирно! — рявкнул Сагалович. — Капитан Иванов, доложите обстановку!

— Всё отлично! Шахты заминированы по всем правилам, способ подрыва — проводной, провода выведены в наземный наблюдательный пункт, подрывная машинка у меня! По команде произведу подрыв в любой момент!

Сагалович кивнул.

— Хорошо. У меня есть таблица пролетов американских спутников-шпионов. Рванем, когда будем в зоне видимости! Только тебе надо будет одновременно имитировать подрыв ШПУ номер три. Убедительно имитировать! Чтобы американцы ничего не заподозрили...

— Есть, Вадим Ильич! Никто ничего не заподозрит! Сейсмическая волна пойдет, а от двух взрывов или от трех — хрен кто разберет!

Увидев, что подполковник нахмурил брови, капитан исправился.

— В смысле, определить по сейсмической волне количество взрывов практически невозможно! А по внешнему виду я такой камуфляж наведу, американцы будут довольны!

— И еще надо будет усилить «Кактус» боевыми минами!

— Сделаю! — кивнул капитан. — Как раз перед выездом мы практические отрабатывали. Там такая штука получилась...

— Про «штуки» потом расскажешь, — остановил его подполковник. — Слышишь, наши пришли...

Действительно, в караулку вошли «Руков» и «Шеин».

— Ну, что? — спросил Сагалович.

— Всё прошло штатно, — ответил «Руков». — Автономный режим у них был включен параллельно с ручным контролем. Мы перевели на режим длительной автономной работы без вмешательства оператора. Завтра проверим функционирование всех систем, и пусть стоит...

— Каждый пишет отчет о проделанной работе и сдает мне! — распорядился командир группы. — В одном экземпляре, с грифом «Сов. секретно».

Через полчаса он спрятал полученные документы в чемоданчик, причем оперировал с замком так, чтобы спутники не видели.

— Серьезная штука, прямо как сейф! — отметил «Шеин». — Сразу видно: его так просто не откроешь!

— Да, уж лучше не пытаться! — усмехнулся Сагалович. — Иначе можно взлететь на воздух! Ладно, на сегодня работа закончилась.

— Ну что, теперь можно и поужинать?! — предложил капитан.

— Даже нужно! — согласился подполковник. — И сразу спать. Надо выспаться — завтра и послезавтра у нас будут напряженные дни.

Вскрыли сухие пайки, говяжью тушёнку, гречневую и рисовую кашу с мясом разогрели на электроплите, вместо хлеба достали хрустящие хлебцы длительного хранения.

— Сейчас чайник расшкварю, — вызвался «Иванов». — Горяченького хорошо с мороза.

— С разрешения командира, — майор «Руков» взглянул на Сагаловича. — Могу предложить холодного спирта.

— Без фанатизма можно, — не стал возражать подполковник.

На столе появилась помятая, исцарапанная фляжка, спирт разлили по алюминиевым кружкам, разбавили водой.

— За успешное выполнение задания! — произнес Сагалович.

Кружки глухо стукнулись. Реакция с водой нагрела спирт, а пить теплый, да еще из алюминиевой посуды — дело на любителя, но сейчас на такие мелочи не обращали внимания. Выпили и, чувствуя, как теплая волна пошла по телу, принялись за еду.

После обеда, который сегодня был одновременно и ужином, всех потянуло ко сну: сказывался перелет и нервное напряжение последних часов.

— Делитесь, кто в какое время дежурить будет! — сказал Сагалович.

— А зачем? — спросил капитан. — Тут же никого нет!

— Вот именно! Кроме стратегической ракеты и специальной группы, выполняющей правительственное задание! А если нагрянут диверсанты противника?

— Тогда плохо, — поежился «Руков». — У нас даже автоматов нет!

— И пулеметов, — совершенно серьезно поддержал его «Иванов». — И орудий. А я даже гранатомета не захватил.

— Вот ты и дежурь первым, шутник! — приказал Сагалович.

Капитан пошел укреплять дверь, майоры повалились спать на топчаны в комнате отдыха, а Сагалович ушел в кабинет начальника караульной смены и еще час работал с бумагами из своего чемоданчика.

1 ноября 1982 года

Кожаные куртки, брошенные в угол,
Тряпкой занавешенное низкое окно.
Бродит за ангарами северная вьюга,
В маленькой гостинице пусто и темно...

Отчасти это было действительно так: гостиница полевого аэродрома состояла из трех небольших комнат, две из которых стояли пустыми и темными, коридор тоже был темным. Хотя летные куртки не валялись на полу, а висели на гвоздях, вбитых в дверь над табличкой с описанием казенного имущества: «Кровати — 4, стол малогабаритный — 1, стульев — 2, табуретов — 2». Окно было не низким, а самым обычным и ничем не занавешено, вьюги тоже не наблюдалось, только временами срывался легкий пушистый снежок.

Командир со штурманом мотив припомнят старый,
Голову рукою подопрет второй пилот,
Подтянувши струны старенькой гитары,
Следом бортмеханник им тихо подпоет...[1]

И это было почти правдой: старенькая гитара нашлась в комнате, под столом, но струны подтягивал не бортмеханик, а штурман, и пел он же. Бортмеханик Мишка Сохов последний день находился в отпуске,

---

[1] Из песни А.М. Городницкого.

и замену ему на спецрейс брать не стали. К тому же певец из него был никудышний. Строгий командир пением никогда не увлекался и сейчас, сидя на табуретке, молча смотрел в окно на свой самолет, на незнакомого капитана, производящего развод караула, на низкое серое небо и падающие снежинки. Второй пилот не подпирал голову руками, а по пояс голый сидел в позе лотоса на застеленной солдатским одеялом кровати и медитировал: капитан Дерябко выписывал журнал «Здоровье», каждое утро пробегал три километра и в любую погоду обливался холодной водой. Несколько лет назад, просмотрев документальный фильм об индийских йогах, он увлекся этим делом, и хотя такие идеологически чуждые увлечения в Советской армии не приветствовались, научился неестественно выкручивать конечности и часами пребывал в отстраненной сосредоточенности, чтобы овладеть искусством перелетать бестелесной субстанцией куда угодно. Сослуживцы подшучивали, что он хочет, находясь в командировках, контролировать оставшуюся в Москве жену.

Выйдя из транса, он сделал несколько дыхательных упражнений и озабоченно спросил:

— Командир, а кедровых орешков тут раздобыть можно? Или кедровое масло?

Балаганский пожал плечами.

— Не знаю. Летом тут этих орешков — хоть завались. А сейчас вроде не сезон. Надо у Глазкова спросить. А зачем они тебе?

— Полезные. Жизнь продлевают...

— А-а-а, хочешь жить вечно?

— Вечно не вечно, но желательно подольше. Интересно, сколько мы еще здесь проторчим?

— Кто знает, Андрей, — философски ответил Балаганский. — У нас приказ ждать группу. Будем ждать.

Штурман перестал петь и отложил гитару.

— Ну, к празднику хоть вернемся?

Старлей Никитин был самым молодым и нетерпеливым. К тому же его ждала невеста. Правда, невеста ждала его в каждом городе.

— Кто знает, — повторил Балаганский. — А что ты такой невеселый, Витя? И песню грустную поёшь...

— А чему радоваться, командир? Приземлились бы в Омске...

Штурман осёкся.

— Там хоть достопримечательности посмотреть можно. А тут чем заниматься?

— Знаем мы твои «достопримечательности»! Ты и ночуешь у нее, и приходишь сытый, довольный, — усмехнулся Дерябко.

— А тебе завидно? Ленка вкусно готовит. И сиськи у нее — во!

Виктор отставил полусогнутые, с растопыренными пальцами ладони сантиметров на двадцать от груди, потом подумал и вдвое сократил расстояние. Выглядело все равно солидно. Но на второго пилота особого впечатления не произвело.

— Ничего, один раз обойдешься без бабы и домашней кухни! Вот мне эта командировка совсем некстати: подержанные «Жигули» нашёл, в отличном состоянии и недорого, — боюсь, уйдут, пока вернёмся.

— Дело не в бабе и не в еде, — возразил штурман. — У меня там должок образовался...

— Что за должок?

— Да у Ленки в коммуналке новый сосед объявился — наглый жирный боров, самодовольный — как же, новенькую «шестерку» купил... Ночью стал ломиться к ней в комнату, ну я, естественно, вышел, сцепились, скандал, крики, соседи милицию вызвали... Так что пришлось уносить ноги, все настроение испорчено. Надо с ним закончить разговор...

— Ты это брось! — одернул его Балаганский. — Еще ЧП по личному составу мне не хватало!

— Да все нормально будет, командир!

— Нормально и будет, — кивнул Балаганский. — Потому что больше в Омске ты в город не выйдешь. Будешь, как и положено, ночевать в общаге и есть в столовой!

— Ну вот, доболтался! — с досадой махнул рукой Виктор и повалился на скрипучую кровать. Его клонило в сон, и через несколько минут в комнате раздался негромкий храп.

Развод закончился, солдаты разошлись по постам. Плоскости Ан-24 покрылись снегом.

«Маша тоже права, — размышлял Балаганский. — Служу, служу, а за душой ничего нет. Квартиру надо в ордерскую переделывать, хотя тыловики руками разводят: мол, нет возможностей... И Кауров тоже ни бе, ни ме, хотя он, как непосредственный начальник, должен за подчиненных горой стоять... Правда, устные разговоры к делу не пришьешь, вернусь — напишу рапорт на генерала Соболева. А откажут — официально запишусь на прием к Виктору Дмитриевичу...»

Штурману приснилась голая Ленка. Она шла к нему, призывно покачивая бедрами, и обещающе улыбалась. Виктор хотел спросить: почему жирный боров ломился к ней ночью? Значит, раньше пускала? Но роскошная Ленкина грудь надвигалась на его лицо, и все вопросы вылетели из головы, он уже нацелился поцеловать розовые соски, но вдруг оказалось, что перед ним живот соседа-борова и он сейчас поцелует его в пупок. Старлей дернулся и с криком проснулся, встретив удивленные взгляды сослуживцев.

— Ты что орешь! — спросил Виктор.

— Что, что... Сон дурацкий приснился, — не вдаваясь в подробности, буркнул он. — На ужин идти еще не пора?

Ужинали они в небольшой комнате с тремя столами — для немногочисленных офицеров хватало. Слегка подгоревшая перловая каша, кусочки вареного хека были явно из меню рядового состава, а масло, сыр и колбаса столь же явно являлись офицерской добавкой. Экипаж уже перешел к чаю, когда пришли местные: лейтенант, два старлея и капитан в сопровождении начальника аэродрома майора Глазкова.

— Все нормально? — спросил майор, здороваясь и подсаживаясь к столу гостей.

— Ничего, — за всех ответил Дерябко. — Только странно как-то: в тайге столько мяса, а едим привозную мороженую рыбу...

— Недавно закончилось мясцо, надо нового добыть, — буднично кивнул Глазков. — Ребята уже нашли подходящего лося... — И, обращаясь к Балаганскому, спросил: — Как жизнь, Семеныч? Как дома дела?

— Да нормально всё, Иван. Сын нашу академию окончил, теперь здесь, в первом полку служит.

— Да ты что?! — удивился Глазков. — А твоя бригада в третий полетела! Чего же ты к ним не присоседился? Попросил бы Васильцова или Зуева, кинули бы тебя до первого, там всего километров сорок...

— Не в километрах дело! То, что мы здесь, — государственная тайна.

— А, да, — посерьёзнел Глазков. — Недаром этот подполковник с меня взял расписку о неразглашении. Слушай, а давай я вам охоту организую! Хотел ближе к празднику за мясом идти, ну да раз такое дело... Любишь охоту, Семёныч?

— Да я никогда и не пробовал, — пожал плечами Балаганский. — И зверей мне жалко.

— Ну, это вы зря, командир! — оживился Виктор. — Это же такой азарт с адреналином! Жалко, Мишки Сохова нет — он заядлый охотник.

— Мне и без этого адреналина хватает!

— Всё равно без дела здесь сидеть, — не отступал штурман. — Скукотища же. А пить вы запретили...

— Да я не против. Охоту имею в виду, не выпивку, — уточнил Балаганский.

— Тогда завтра утром и пойдем! — сказал Глазков. — Отдыхайте пока.

— Товарищ майор, а кедровые орешки у вас есть? — спросил Андрей.

— Вместо мяса, что ли? — вставая, рассмеялся начальник аэродрома. — Ладно, и орешки найдем!

Рано утром в их комнату постучали.

— Ну что, летчики-пилоты, еще дрыхнете? — раздался бодрый голос Глазкова.

— Тебя ждем, заходи! — громко сказал Балаганский.

Глазков пришёл не один. С ним был молодой худощавый капитан, ростом выше среднего. На плечах у него висели три видавших виды автомата АКМ с деревянными прикладами и подсумок с тремя магазинами на поясе.

— Знакомьтесь! — сказал начальник аэродрома. — Командир роты охраны. Его солдаты нам лося загонять будут.

— Лейтенант Афанасьев Николай! — представился ротный. И добавил: — В магазинах по четыре патрона, стреляем одиночными. Бить лучше в переднюю лопатку.

«На Жорку похож!» — подумал Балаганский.

На улице стоял командирский «уазик» без водителя. Глазков сам сел за руль.

— Не знаю, кто у них в машине, но водитель — целый майор! — процитировал Балаганский фразу из анекдота, усаживаясь в переднее пассажирское кресло и зажимая автомат между коленями.

— Нельзя покидать свой номер до сигнала, нельзя стрелять зверя, идущего на соседний номер, нельзя стрелять вправо или влево: лучше упустить лося, чем попасть в человека, — привычно проинструктировал гостей Глазков и тронул «уазик» с места.

Они ехали минут сорок, наконец, машина остановилась на заснеженной полянке со свежими следами сапог.

— Загонщики, — пояснил Глазков. — Они уже на исходной...

— У вас тут всё уже отработано, похоже? — заметил Виктор с заднего сиденья.

— А то! — довольно ответил майор. — Сейчас мы с Николаем разведем вас по номерам... Идем, Петр Семеныч! И ты, который орешки любит! А третьего Николай отведет.

Втроем они прошли по лесу метров триста. На земле снега было мало: очевидно, большая часть оседала на деревьях, хотя кое-где попадались сугробы, в которых ноги проваливались до колена.

— Становись здесь, Петя! — наконец сказал Глазков. — Вот твой сектор ведения огня — отсюда и досюда... — Он обозначил границы сектора вытянутой рукой. — На тебя первого лось выйдет. И место здесь хорошее — просека. На следующем номере я буду. Пойдем, теперь покажу твое место, — сказал майор второму пилоту, и они пошли дальше.

Балаганский пристегнул магазин, дослал патрон в патронник, включил предохранитель и прислонился к шершавому холодному стволу вековой ели. Воздух был чистый и морозный, стояла непривычная тишина, и на миг ему захотелось пожить несколько дней в заброшенной таежной избушке... Через некоторое время справа послышался хлопок, и между вершинами деревьев он увидел, как в низкое серое небо взлетела зеленая ракета. Охота началась. Теперь оставалось только ждать. Но Балаганский не испытывал нетерпения и охотничьего азарта.

«А лось-то тут при чем? — думал он. — Если бы не мы, пожил бы еще несколько дней. А может, за это время ушел бы подальше и уцелел...»

Ждать пришлось долго. Как показалось Петру Семеновичу — очень долго. В одиночестве его снова стали одолевать мысли о домашних проблемах. «Она думает, мне вот так запросто подойти к главкому с просьбой, — в который раз размышлял Балаганский. — Нет, лучше официально, рапортом, или на прием записаться в общем порядке. Так приличней...»

Наконец вдали слева послышались крики загонщиков, они приближались. Балаганский выключил предохранитель и принялся напряженно всматриваться вперед. Когда раздался хруст веток, он вскинул автомат, изготовившись к стрельбе. Вопреки ожиданиям, загнанный лось не выскочил из-за деревьев, как испуганный заяц, а спокойно и величаво выплыл на просеку метрах в пятидесяти и остановился, подняв голову и нюхая воздух. Промахнуться с такого расстояния было невозможно, но Балаганский не стал целиться в переднюю лопатку, а просто выстрелил в землю перед благородным животным.

«Ба-бах!» — гулко раскатилось эхо, и пуля выбила из-под неглубокого снега фонтанчик чёрной земли метрах в пяти от копыт лося. Тот шарахнулся в сторону, рванул вперед и скрылся за деревьями.

«Вот и хорошо! — подумал Балаганский. — Может, и уйдет...»

«Ба-бах!» — донеслось справа.

«Глазков! — понял Пётр Семёнович. — Может, не попал?»

Но в небо взлетела красная ракета: охота окончена. И раз с других номеров не стреляли, значит...

Спустя несколько минут подбежал разгорячённый Глазков.

— Что, Семёныч, мазанул? — возбужденно спросил он. — Не расстраивайся! Я с первого выстрела! Идем, посмотришь, какой красавец!

— Да нет, что-то я устал, — сказал Петр Семенович и, закинув автомат за спину, пошел назад, к машине. Смотреть на убитого красавца ему совсем не хотелось.

* * *

Американский спутник КН-11 из серии «Замочная скважина» пролетал над стартовой позицией третьего полка ровно в 14 часов 48 минут. К этому времени Сагалович и Филинов уже сидели в наземном бункере, который, несмотря на название, был на три четверти заглублен в грунт — из него обычно важные гости наблюдают за учебно-боевыми пусками. Сейчас их было только двое: майоры работали в командном пункте.

Чем ближе минутная стрелка приближалась к нужной цифре, тем сильней Филинов сжимал ручку подрывной машинки.

— Не волнуйся, — сказал Сагалович, не сводя глаз с наручного хронометра. — Мы будем в зоне видимости порядка пяти минут. Успеешь!

— Я не волнуюсь, — соврал капитан. Попробуй не волноваться, когда на карте стоит твоя дальнейшая карьера!

Минуты текли медленно. Остается пять, четыре, три, две, одна...

— Взрывай! — громче, чем надо, сказал Сагалович, и сапер всем телом навалился на ручку.

Раздался грохот, бетонный пол под ногами содрогнулся. Стодвадцатитонные крышки первой и второй ШПУ взлетели в воздух, вслед за ними из темных жерл полетели осколки и повалил густой черный дым, такой же дым повалил из приоткрытой крышки третьей ШПУ. Стартовую позицию заволокло так, что рассмотреть что-либо было практически невозможно.

— По-моему, отлично! — Сагалович потер ладони.

— Главное, чтобы американцы поверили! — озабоченно сказал Филинов.

2 ноября 1982 года
США, штат Вирджиния, Шантилли

У высоких должностей есть не только плюсы, но и минусы. Сибаритом шеф Национального управления военно-космической разведки США Кейт Харрис себя не считал и трудностей не боялся. Он довольно легко отказался от привычки играть в гольф по выходным — теперь в выходные зачастую приходилось работать. Больше всего он переживал за семью — не отразится ли переезд из Нью-Йорка на успеваемости Майкла, понравится ли новое место жительства Анджеле... Опасения оказались напрасными. Дом в нескольких километрах от вашингтонского международного аэропорта имени Джона Кеннеди жене и сыну понравился сразу. Майкл быстро адаптировался в новой школе и нашёл себе новых друзей. Сам Кейт Харрис неслужебные контакты свёл к минимуму — это отвечало и его характеру, и секретности работы, которой он всегда занимался. Ни рыбалки, ни гольфа, ни барбекю с соседями...

Но одно удовольствие он себе всё же оставил — просматривать по утрам свежую, пахнущую типографской краской прессу. И хотя о многих событиях в силу своей служебной осведомлённости Харрис узнавал заранее, а некоторые и происходили не без его участия, каждое утро помощник клал ему на стол стопку из десятка газет, от популярнейшей «The New York Times» до менее популярной «The Times Of Earth».

Вот и сегодня, зайдя к себе в кабинет, он сел в кресло, закинул ногу на ногу и развернул газету... «Великобритания ввела экономические санкции против СССР в ответ на введение военного положения в Польше. Европейское экономическое сообщество и США заявляют о прекращении переговоров Запад-Восток в Мадриде до тех пор, пока в Польше не будет отменено военное положение. США вводят эмбарго на импорт ливийской нефти и на поставки в Ливию высокотехногичного оборудования, обвиняя последнюю в поддержке терроризма»... Ничего неожиданного для себя в газетах Харрис не обнаружил, и это его порадовало — значит, на руководящей работе способность к аналитическому мышлению не утрачена.

Зазвонил телефон внутренней связи. «Уильям пунктуален», — отметил Кейт, бросив взгляд на часы.

— Сводная информация за истекшие сутки готова, сэр! — прозвучал в трубке голос помощника.

— Входите, Уильям!

Кейт Харрис прекрасно осознавал, *сколько* людей трудилось для того, чтобы сейчас ему на стол легла принесённая помощником папка. Сначала ЦРУ, Агентство национальной безопасности (АНБ), разведывательное управление Министерства обороны (РУМО), Госдепартамент и командования отдельных родов войск подают заявки на разведывательные операции и их объекты. Заявки поступают к Кейту Харрису — в Национальное управление военно-космической разведки. Здесь его специалисты рассчитывают параметры орбиты, определяющие, когда и где включить мощные фотокамеры на спутниках, на каких высотах проводить разведоперацию с тем, чтобы точно выйти на интересующий заявителя объект. Все эти данные передаются на станцию управления полетами спутников в городе Саннивейл (Калифорния), расположенную в огромном, кубической формы доме, известном среди сотрудников разведки как «Голубой куб». Отсюда руководят флотилией спутников, бороздящих космос на разных высотах и по самым различным орбитам. Собранная спутниками информация поступает в информационный отдел подчинённого Кейту Харрису управления. Снимки просматривают на огромных экранах специалисты, выискивающие на них интересующие объекты. Работа в управлении кипит всегда, и ночью — как днём, чтобы утром руководству можно было предоставить разведданные в наглядном виде.

Уильям положил на стол шефа объёмную картонную папку с грифом особой важности и удалился. Харрис раскрыл папку, стал просматривать результаты работы своего управления. Вот отчет по заявке Госдепартамента о положении на границе Северной и Южной Кореи... На снимках отчетливо видно, что тут все спокойно: информация о концентрации военных формирований Севера в приграничном районе не подтверждается. «Передать инициатору», — наложил резолюцию Харрис и расписался.

Вот задание РУМО по выполнению Советами Договора ОСВ-2. Фотографии сделаны спутником серии КН под номером OPS-3984. Пояснения аналитиков: «01 ноября 1982 года, в 14 часов 48 минут по местному времени зафиксировано уничтожение трёх шахтных пусковых установок межконтинентальных баллистических ракет «SS-18 Сатана», состоявших на вооружении 41-й ракетной армии СССР...»

На серии снимков хорошо просматривались три взрыва: сорванные крышки шахт, выплески огня, летящие осколки, клубы черного дыма, которые на последующих фотографиях начисто скрывают картину происходящего... Но аналитики этим не удовольствовались и заставили ребят из «Голубого куба» повторить съемку во время следующего витка, когда черная завеса рассеялась. Что ж, картина такая, как и должна быть: дымящиеся шахты, разбросанные вокруг фрагменты корпусов ракет...

Но чем-то эта картина привлекла внимание начальника управления военно-космической разведки. Харрис ещё раз внимательно всмотрелся в изображение. Какие-то постройки, большая антенна... Он снял трубку внутренней связи.

— Уильям, подберите мне обзорные снимки квадрата «16 С» за месяц до вчерашних взрывов. Мне кажется, что-то там изменилось...

— Есть, сэр!

Через несколько минут помощник принес фотографии, которые разведывательные спутники периодически делают в стратегически важных районах инициативно, без всяких заявок. Их положили рядом с последними снимками стартовой позиции третьего ракетного полка, и оба сразу увидели разницу.

— Вы были правы, сэр, — радостно сказал Уильям и указал пальцем. — Они поставили новую радиолокационную станцию, сэр! Раньше ее тут не было. Ну и память у вас, сэр!

— Да, точно, — удовлетворенно кивнул Харрис.

— Всё-таки эти русские неприлично расточительны, — сказал Уильям. — Они закрывают стартовую позицию, но ставят на ней РЛС...

— Просто они живут по пятилетним планам, — пояснил подкованный Харрис. — Пять лет назад включили эту станцию в план, заложили бюджетные ассигнования, срок подошел — выделили деньги и ее построили. А что она уже не нужна, будет учтено в следующем пятилетнем плане: возможно, ее решат как-то использовать, а возможно, демонтируют...

— Или просто взорвут, — сказал Уильям. — Они ведь взрывают ракеты и бросают в тайге тонны металла отменного качества, вместо того чтобы переплавить во что-то полезное.

— Русские не такие простые ребята, как тебе кажется, — уточнил Харрис. — Если посчитать затраты на транспортировку, то неизвестно, что выгодней. А эта антенна, возможно, для наведения самолетов: у них полевой аэродром неподалеку.

— Вполне возможно, сэр! — кивнул помощник.

— Ладно, это не наше дело. А мы свое дело сделали неплохо, — сказал Харрис и наложил очередную резолюцию: «Передать в РУМО».

Довольный своим аналитическим мышлением, он перелистнул страницы и приступил к изучению следующего документа, касающегося атомного проекта Китая.

ГЛАВА 6
Смерть на бреющем

3 ноября 1982 года
Н-ская ракетная дивизия, третий полк

—**В**зрыв был сильным, но амортизаторы работают хорошо, — сказал «Руков», не отрываясь от пульта. — Только мне кажется, если шарахнет ядерным зарядом прямым попаданием, то от УКП ничего не останется...

— Для того и ставим автономный режим.

Сагаловичу дышалось тяжело — не хватало воздуха. Хотя, возможно, это было проявление клаустрофобии — он как-то сразу пошел по линии штабной работы и сейчас, на глубине двадцати шести метров, за толстыми герметическими дверями, в тесноте УКП, чувствовал себя неуютно. Хотя привыкшие к подземным дежурствам «Руков» и «Шеин» на недостаток кислорода не жаловались. Да и непрерывный тихий гул свидетельствовал, что вентиляционная система функционирует исправно. Сагалович понимал это и, хотя ему нестерпимо хотелось наверх, на открытое пространство и свежий воздух, он подавлял это желание и терпеливо ждал, пока «спецы» закончат работу.

— Всё! — наконец сказал «Руков». — Программа работает без сбоев, опция самопроверки исправна...

— Всё! — подтвердил «Шеин». — Контроль функционирования без сбоев, аккумуляторы заряжены полностью, система автоподзарядки действует в штатном режиме. Но надо будет проводить текущий контроль.

— Это мы сделаем! — с облегчением кивнул подполковник. От одной мысли, что сейчас он поднимется на поверхность, дышать стало легче. — Составим специальный график.

Перегнувшись через плечо «Шеина», он снял трубку прямой связи с центральным командным пунктом.

— Дежурный капитан Максимов! — немедленно ответила далекая Москва молодым, но решительным баритоном.

— Подполковник Сагалович. Соедините меня с главкомом.

— Есть, Вадим Ильич! — отозвался баритон: порученца главкома знали все в аппарате штаба.

И почти сразу донесся глуховатый голос генерала Толстунова:

— Ну, что у тебя? — нетерпеливо спросил он.

— Задание выполнено, товарищ генерал! — отрапортовал Сагалович. — Скоро придет вертолет, и полетим обратно!

Голос главкома повеселел.

— Молодец, Вадим! Министр каждый день интересуется! Заканчивай и возвращайся, тебя уже ждут полковничьи погоны... И твоим ребятам будут присвоены внеочередные звания! Проекты приказов уже готовы, сейчас подпишем! А лететь можете в моем салоне, и баром можете пользоваться!

— Спасибо, Виктор Дмитриевич! — по неуставному ответил Сагалович, но главком уже отключился.

— Поехали, товарищи подполковники! — скомандовал он.

«Шеин» и «Руков» с радостными улыбками переглянулись: они поняли, в чем дело, но, как и подобает опытным служакам, лишних вопросов задавать не стали.

Медленный лифт со скрипом поднял трех офицеров на нулевой уровень. Намертво захлопнулись полуметровые стальные двери. В помещении охраны их уже ожидал капитан и без пяти минут майор «Иванов».

— Поставил десять ПОМЗов! — доложил он. — Теперь на «Кактус» лучше не заходить!

— Мы и не будем, — улыбнулся Сагалович. У него было хорошее настроение.

— Уходим, всё запираем и отправляемся обратно. Через два часа придет вертолет, надо собраться. Благодарю за службу, товарищи! Всем нам будут присвоены внеочередные звания!

Когда специальная инженерная группа ждала вертолет на посадочной площадке, Филинов неожиданно спросил:

— Товарищ подполковник, а мы все в одном самолете полетим?

— Ну, а как же? — удивился Сагалович. — Как прилетели, так и улетим! А что?

— Надо бы самолет хорошо проверить на предмет минирования, — совершенно серьезно сказал сапер. Да и лицо у него было хмурым.

— С чего это вдруг?

Филинов вздохнул и осмотрел своих коллег, которые явно заинтересовались разговором.

— Да с того... Такая секретность, подписки, чемодан, к руке прикованный... И мы все, выходит, — свидетели. А лучший способ сохранить секрет — ликвидировать свидетелей.

Сагалович усмехнулся.

— И откуда ты это взял?

— Детективы читаю. И фильм был: «Принцип домино». Там всех свидетелей одного за другим убивали...

— Ну, Советская армия не по детективам живет и не по фильмам дурацким, а по приказам и инструкциям! — уже совершенно серьезно сказал Сагалович. — А в приказах такие глупости не предусмотрены!

— Действительно, Иванов, ты чего-то загнул, — сказал «Руков».

— Я вам больше того скажу: главком разрешил лететь с комфортом в его салоне, — продолжил Сагалович. — И пользоваться его баром! А в баре том чего только нет...

— Это другое дело! — улыбнулся «Иванов».

Его коллеги тоже оживились.

— Вон и наш борт идет! — показал в небо «Шеин». Действительно, в сером мареве показалась черная точка, которая увеличивалась, и неотчетливый гул, усиливаясь, превращался в рев вертолетного двигателя.

* * *

Заправленный и как всегда тщательно подготовленный к полету, самолет главнокомандующего РВСН уже ждал их на взлетной полосе. Вертолет приземлился совсем рядом, со стороны открытого люка, чтобы москвичам было недалеко нести багаж. Да, собственно, после использования расходных материалов и минно-взрывного снаряжения багажа у них почти не осталось: только одинаковые чемоданчики с личными вещами в руках. Причем «Иванов» нес и дорожную сумку Сагаловича, у которого в левой руке был пристегнутый к запястью титановый кейс с документами. Дул легкий ветерок, снежная поземка змеилась по бетонным плитам. Настроение у членов специальной инженерной группы было отличным: они выполнили задание, теперь их ждут новые звания, продвижение по службе, почет и уважение. И начнется вознаграждение за труды уже сейчас, в салоне главкома...

Командир корабля, в летной кожаной куртке и расстегнутом шлемофоне, ждал их у трапа. Он крепко пожал руку Сагаловичу.

— Все нормально? — только и спросил Балаганский, зная, что в подробности лучше не вдаваться.

— Настолько, что командующий разрешил нам лететь в его салоне и пить из его бара! — засмеялся Сагалович. На «Железного Вадика» это не было похоже.

Балаганский удивленно покачал головой.

— Такого на моей памяти еще не было, — сказал он. — Прошу на борт!

Салон командующего был отделан деревом и напоминал кабинет: четыре самолетных кресла, по два друг против друга, между ними откидной стол, небольшой диванчик, полированный шкаф...

Филинов сразу стал открывать дверцы и быстро нашел то, что искал: зажатые в пружинистые зажимы бутылки, бокалы, рюмки и стаканы.

— Армянский коньяк, марочный! — в восторге воскликнул он. — Я такого никогда даже не видел!

У входа в салон Балаганский придержал Сагаловича за рукав.

— Пусть твои парни потерпят немного, — негромко сказал он. — Сейчас пойдем на бреющем, до следующей зоны наземного контроля. А там вынырнем неизвестно откуда и наберем рабочую высоту. Вот тогда начинайте гулять...

— А это долго? — спросил подполковник. — Ребята хорошо поработали, и им не терпится отдохнуть и расслабиться.

— Минут пятнадцать—двадцать. Так что все успеете. Займите места и пристегнитесь!

Через несколько минут Ан-24 начал разбег и вскоре оторвался от бетонки полевого аэродрома.

3 ноября 1982 года
Западная Сибирь, охотничья зимовка

Василий вынес из охотничьей избушки последнюю связку высушенных соболиных шкур и стал укладывать их на грузовую площадку сзади, поглядывая, как отец утепляет жилище. Дормидонт нагрёб снег вокруг сруба до третьего венца брёвен и теперь утрамбовывал его, идя вдоль стены и прихлопывая лопатой. Это был крепкий пятидесятилетний мужик с резкими морщинами на обветренном, задубелом лице.

— Денёк какой пригожий! — сказал он, остановившись и опершись на лопату. — Морозец градусов десять, не больше, солнышко... Сегодня нужно ещё постель вынести — проветрить, раз уж на промысел не пошёл.

— Бать, может, всё-таки вернёшься в Листвянку? Как ты тут один зимовать будешь?

Дормидонт снял рукавицу, заткнул одну ноздрю и смачно высморкался. На руке у него синела выцветшая татуировка: восходящее солнце с длинными и короткими — вперемешку — лучами. Чуть ниже надпись: «Колыма 1952 — 1960»

— Да чё же ездить туда-сюда?! Первый раз, что ли? Набью побольше, высушу пушнину, а ты потом приедешь, заберёшь. Да и не один я, с Верным, — пожилой охотник кивнул на греющуюся на солнце западносибирскую лайку. Рыжий пес, щуря на солнце карие глаза, словно понял, что говорят о нём, и повернул морду в сторону хозяина.

— Да еще двустволка и карабин, — криво улыбнулся Дормидонт.

— А если завьюжит и я не смогу добраться? — попытался в очередной раз убедить отца Василий. И сдвинул на затылок самодельную беличью шапку.

Длинная куртка была тоже подбита некондиционными беличьими шкурками — их все равно не продашь, а греют отлично. Хотя отец такого «фасона» не одобрял.

— Значит, приедешь, когда сможешь! Не сидеть же на печи всю зиму! Это вам, молодым, абы за девками таскаться.

— Ну, началось...

— А как ты думал? Тебе уже двадцать стукнуло, через годик-другой жениться надумаешь. Значит, запас денежек надо иметь! А чужой дядя семью твою обеспечивать не будет...

— Да знаю, бать! Я же за тебя переживаю.

— А нечего переживать! — смягчил тон Дормидонт. — Люди здесь не ходят, а зверь мне не страшен. Да со зверями мне спокойней, чем с людьми.

Василий закончил укладывать шкуры и стянул их завязкой.

— Ладно, поехал я тогда, что ли?!

— Давай! От промоин на Чёрном урочище подальше держись — там лёд тонкий ещё, с болота тепло идёт. Шкуры выдубишь, но без меня перекупщикам не сдавай!

Отец и сын пожали друг другу руки. Подошёл Верный, повилял хвостом и сел рядом с хозяином. Василий закинул ружьё за спину, уселся на снегоход и запустил двигатель. Плавно тронувшись, снегоход легко двигался по неглубокому снегу, оставляя позади одинокую избушку с человеком и верным псом среди бескрайней тайги.

Движок тарахтел, распугивая лесных жителей. Вот метнулась в сторону лиса, вот рванули, повыше по стволу ели, две белки... Дорога была хорошо знакомой, Василий ловко маневрировал, выбирая короткий путь, «Буран» шел уверенно и хорошо слушался руля. Но все равно, петляя между деревьями, особо не разгонишься. Главное — выбраться на зимник, а там до Листвянки рукой подать... Точнее, не до самого поселка, а до развилки, но там уже, считай, совсем рядом... И насчет девок отец угодил в самую точку: в тайге какие девки? А он тут почти два месяц прожил, истосковался. Если муж Валентины Рожковой из тюрьмы не вернулся, можно к ней завернуть... Или к вдовой Галке. Или... А больше и не к кому: это поселок, все на виду. Видать, и взаправду жениться надо...

На снегу несколько раз встретились крупные волчьи следы. Откуда? Всех серых разбойников в округе они с отцом давно истребили. Видно, пришли новые, наверняка скоро хищники выйдут к избушке — они всегда идут на запах жилья. Надо бы отца предупредить, да как? Рацию бы купить... Ну, да с волками Дормидонт и сам разберется. Небось, в следующий раз среди шкур лис, белок да песцов будет еще и парочка волчьих...

За наблюдениями и размышлениями время шло незаметно. Вот и Чёрное урочище. Когда-то здесь полыхал пожар, но до сих пор тайга не залечила раны: черные искореженные деревья, черные, торчащие из-под белого снега коряги, неистребимый противный запах гари... И сотни ворон, по неизвестным причинам облюбовавших это место. Может, им хотелось быть незаметными — черные на черном, может, когда нет снега, на выжженной земле легче охотиться на мышей и прочую мелкую живность, может, привлекает возможность не прилагая труда расклевывать тушки пойманных в их силки белок... И портить шкурки, делая их непригодными для продажи. Сволочи!

Шум двигателя не очень встревожил пернатых, только несколько ворон, клевавших что-то на снегу, взлетели, уступая дорогу и, лениво махая крыльями, поднялись на деревья. Василий сбавил скорость — здесь было много пней, стволов деревьев, коряг...

Надо было следить за дорогой, но он невольно поднял голову, рассматривая обитателей Черного урочища. При приближении снегохода некоторые взлетали и, с противным карканьем, начинали кружить над головой, другие — как ни в чём не бывало оставались сидеть на ветках, только внимательно смотрели, и даже поворачивали головы вслед. Одна особо любопытная птица стала преследовать «Буран», перелетая с дерева на дерево, причем садилась на нижние ветки и откровенно разглядывала Василия глазами-бусинками, которые он мог хорошо рассмотреть.

«Вот наглая тварь, совсем близко держится, — подумал Василий. — А ведь видит ружье за плечами! А стоит взять ружье в руки — сразу улетают! Хитрые, недаром триста лет живут...»

«Хррр...» — раздался звук от передней лыжи, и снегоход остановился как вкопанный, мотор заглох. По инерции Василий перелетел через руль и сильно ударился плечом о землю.

— Чёрт! — громко выругался он. — Неужели лыжа сломалась?

Василий с трудом поднялся, потер болевшее плечо.

— Кар-кар! — подала голос та самая хитрая ворона, из-за которой всё и произошло.

— Скотина, это ты нарочно!

В ярости Василий сорвал из-за спины ружьё и выстрелил дуплетом. Крупная дробь хлестнула по деревьям, две черные тушки кувыркнулись вниз.

— Я вас всех сейчас, всех! — кричал Василий, лихорадочно пытаясь перезарядить двустволку.

Но его голос заглушили громкое галденье и хлопанье крыльев: огромная туча птиц, казалось, со всего Черного урочища, в панике взвилась вверх, закрыв бесформенной черной массой всё серое небо.

— Я вас, вредителей! — орал он. — Привыкли силки разорять и шкурки портить! Сейчас, сейчас... Я вам покажу!

Но патроны под руку не попадались, и показать хитрым черным тварям он ничего не мог. И даже не понял, что произошло в следующую минуту. Появившийся в отдалении гул вдруг надвинулся, перекрывая карканье сотен ворон, и что-то огромное врезалось в самую гущу стаи. Самолет! Разве они летают так низко?! Задрав голову, Василий видел, как тряслось от ударов покрытое заклепками серебристое брюхо, как, надрываясь, вязли в черной массе винты, разбрасывая в стороны черные перья и красные брызги, как будто огромная серебристая рыба попалась в злую черную сеть.. Однако сеть оказалась слишком слабой: «рыба» рыскнула по курсу, клюнула носом, но прорвалась и скрылась за деревьями, заметно теряя высоту и оставляя за собой дымный шлейф.

Ошеломленный Василий не мог ничего понять. Замерев в оцепенении, он смотрел вверх и тёр глаза. Может, ему всё привиделось? Но на это надежды не было: с неба сыпались десятки растерзанных черных тушек да кружились черные перья, словно траурный снег... Вдобавок ко всему вдали раздался треск ломающихся деревьев и сильный удар, от которого у парня качнулась земля под ногами.

«Самолёт упал!» — пронзила сознание ужасная мысль.

* * *

Салон главкома имел хорошую шумоизоляцию, здесь было значительно тише и можно было вести беседу. Тем более что и расположение кресел этому способствовало: офицеры сидели напротив друг друга. Пристегнутый к запястью спецчемоданчик сковывал движения и создавал неудобства в сидячем положении, но Железный Вадик его не отстегивал.

— Вадим Ильич, а насчет новых должностей генерал ничего не сказал? — спросил Филинов.

Подполковник снисходительно улыбнулся.

— Сказал, что тебя поставит своим заместителем.

— Шутите... Я просто так спросил. Ясно, что об этом по спецсвязи не говорят...

— А насчет квартир как будет? — не удержался Фроликов. — Должность — это хорошо, но в общагу или малосемейку бы не хотелось...

— А я в малосемейке живу — и всё хорошо, — буркнул Мощенко.

«Кроме того, что жена ушла, — подумал Сагалович. — Хотя, может, не из-за квартиры, а из-за твоего характера...»

Действительно, «Руков» вечно был чем-то недоволен, и хотя, может, на самом деле это было не так, но лицо у него всегда оставалось хмурым.

— А сколько вас? — быстро спросил Фроликов. — Ну, семья сколько человек?

— Сколько, сколько... Один я!

— Ну, вот! А я с женой, и ждем ребенка! — В тоне майора прозвучали торжественные нотки.

Этого даже Сагалович не знал. «Надо будет дополнить досье», — подумал он.

— Как доберусь до телефона, сразу позвоню ей!

— Я, может, тоже собираюсь... — проворчал Мощенко.

Что собирается сделать «Руков»: заново жениться и родить ребенка или позвонить прежней жене, — осталось неизвестным.

— У нас какие-то проблемы! — вдруг нервно воскликнул глядящий в окно Филинов. — Самолет не поднимается! У меня от этих ёлок уже голова кружится!

— Да нет, все в порядке, так надо, — успокоил его, а заодно и остальных Сагалович. — Через полчаса наберем шесть тысяч метров, откроем коньяк и начнем отмечать выполнение особо важного задания!

— И новые звания! — выпалил Фроликов.

— Рано! — осек Сагалович. — Нужно, чтобы объявили приказ, вручили новые погоны, нужно бросить звездочку в стакан... Ты что, порядка не знаешь?

А сам подумал: «Может «задержаться в командировке» и заехать к Юльке? Соскучился по чертовке...» Твердое решение про «последний раз» начисто выветрилось из головы. Как выветривалось и все предыдущие разы.

Филинов закрыл глаза и откинулся на подголовник — видно, его нервировал вид проносящихся так близко деревьев.

«Под крылом самолета о чем-то поет зеленое море тайги...» — вспомнил Сагалович. На самом деле тайга не пела — она свистела под самым брюхом. Да и на море она не была похожа. Отдельные деревья на скорости сливались в сплошную ровную массу, которая скорей напоминала ровно подстриженный газон. «Ну, молодец Балаганский, идет как по линейке, — подумал Сагалович. — Только как он удерживает машину? Чуть сдвинул штурвал — и каюк, никакие дополнительные приборы не помогут... Да еще воздушные ямы, всякие завихрения...»

Додумать он не успел. Ан-24 влетел в странное черное облако, раздались удары по фюзеляжу, крыльям, самолет затрясся, как машина на кочках, от прозрачного диска пропеллера полетели черные клочки, и вдруг диск превратился в слабо вращающиеся лопасти, причем погнутые... Облако исчезло так же внезапно, как и появилось, но из двигателя повалил дым...

Сагалович прижал к груди чемоданчик.

— Ничего, ребята, Балаганский сядет! — попытался он успокоить оцепеневших спутников.

«Только бы связь сохранилась, сами мы отсюда не выберемся», — подумал Сагалович и надел шлемофон, чтобы слышать переговоры экипажа. Но то, что он услышал, не успокаивало. В кабине царила нервная атмосфера.

— Твою мать! — выругался Балаганский, безуспешно пытаясь вытянуть штурвал на себя и глядя на треснутое переднее стекло. — Птицы! Откуда столько?!

Завыла аварийная сирена, загорелась красная лампа: «Пожар мотогонд. прав. дв.». Командир машинально, как на учениях, отключил силовую установку и включил систему пожаротушения первой очереди. «На одном сядем!» — подумал он. Но левый двигатель тоже не тянул, только взбивал воздух согнутыми лопастями. Оставляя за собой шлейф дыма, Ан-24 неотвратимо терял высоту.

Сирена смолкла, сигнализируя, что пожар потушен. Но радоваться было нечему: скорость приближалась к критической, вот-вот самолет клюнет носом и войдет в смертельное пике...

— Вытягивайте, ребята, вытягивайте! — отчаянно крикнул Виктор.

Этот крик услышал Сагалович и понял, что дело совсем плохо. Так оно и было.

— Садимся прямо здесь, где получится! — процедил сквозь стиснутые зубы Петр Семенович.

— Как получится, так и садимся! — подтвердил команду Андрей.

Но как может получиться посадка в непроходимой тайге, которая словно огромными пиками целилась в беспомощный самолёт верхушками елей? Да никак!

На скорости двести пятьдесят километров в час Ан-24 врезался в «зеленое море тайги». С треском ломались толстенные деревья, отвалилось крыло, другое, отлетали и глубоко зарывались в заснеженную землю тяжеленные двигатели... Наконец, потерявший оперение фюзеляж пробился сквозь стволы, ветки и сучья и врезался в землю. Единственное, что успел сделать пилот высшей квалификации Балаганский, — выключить зажигание и работающий двигатель. Это предотвратило взрыв топлива и последующий пожар, но ни экипаж, ни пассажиров не спасло.

* * *

Передняя лыжа оказалась целой, просто она влетела под лежащее поперек дороги обугленное дерево, диаметром сантиметров десять. Если бы он не отвлекся на ворону, то успел бы остановиться... С трудом оттащив преграду, Василий вытолкал снегоход на ровное место и осмотрел его. Металлическая лыжа удар выдержала и даже не погнулась, так же, как и рама, немного помялся капот внизу, да, похоже, шкворень рулевого управления слегка погнулся: руль поворачивался без прежней легкости... Но ехать можно!

Он развернул вездеход и поехал обратно, не обращая внимания на продолжающих падать раненых ворон и усеивающие белый снег черные перья.

«Что теперь будет? Что будет?! — билась в сознании одна и та же мысль. — За самолет тюрьмой не отделаешься, это не браконьерские шкурки... За самолет расстреляют! Понаедут следователи, эксперты, они все раскрутят, найдут — и расстреляют!»

Он оцепенело жал на газ, на этот раз не глядя по сторонам. Он уже давно считал себя взрослым, но сейчас, как набедокуривший мальчишка, спешил к отцу, чтобы рассказать обо всем и получить спасительный совет.

Обратная дорога показалась совсем короткой. Казалось, он только уехал, а вот уже, поднимая за собой столб снежной пыли, на скорости подлетел к зимовью. На перекладине между деревьями висели два матраца, две подушки и две условно чистые простыни, на которых обычно спали, не раздеваясь. Дормидонт в шапке, стеганке, ватных штанах и обрезанных валенках стоял возле избушки, зажав под мышкой приклад карабина, так что ствол смотрел вниз, никому не угрожая, но в случае необходимости можно мгновенно вскинуть его и выстрелить — отец мастер на такие штучки.

Увидев его, Дормидонт привычно закинул карабин за спину.

— Что случилось? Забыл что-то?

— Я самолёт сбил, батя! — закричал Василий. Глаза у него были выпучены, лицо перекошено. — Так вышло, случайно... Что теперь будет?!

Дормидонт как-то подозрительно посмотрел на сына: не спьяну ли порет такую чушь? Но не похож он на пьяного, да и пить ему было нечего...

— Какой самолет? Как можно его сбить? Из чего? У тебя что, зенитка в тайге спрятана?

— Да нет! Я в ворон выстрелил, они взлетели, а тут самолет... Он низко летел! Очень низко! И прямо в стаю врезался... Там до сих пор всё перьями засыпано...

— А самолет где?!

— Упал!

— Сам видел?

Василий покачал головой.

— Из него дым пошел, а потом вдалеке удар — аж земля затряслась...

— Откуда он летел?

— Вот так, оттуда — туда, — сын рукой показал направление полета.

— Там воинские части, ракетчики... Военный самолет... Хуже некуда!

Тяжело вздохнув, Дормидонт закурил самокрутку, поставил рядом карабин и присел на корточки на крыльце, положив руки на колени и невидящим взглядом уставясь перед собой. В поселке было много бывших зэков, и все они по старой привычке так отдыхали, как когда-то при недолгой остановке этапа. В такие минуты Василий никогда не затрагивал отца.

Докурив, Дормидонт хотел отбросить окурок, но передумал и аккуратно положил рядом с собой на крыльцо.

— Так что теперь будет, батя? — не успокаивался Василий. Он завидовал железным нервам отца.

— Ясно, что... Понаедут, прочешут всю округу, найдут избушку, начнут узнавать — чья... Отпечатки пальцев поснимают, следы всякие... Только я, Вася, второй раз на зону не пойду. Лучше ствол в рот и ногой на курок...

— Да ты-то при чем?

— Я и тогда ни при чем был! На атасе постоял, пока ребята магазин чистили... И восьмерик получил, а они по два червонца! За грабеж! А тут диверсия!

— Я же не специально!

— Прокурору это расскажешь! Неси в дом постели...

— Мы что, ночевать останемся?!

— Да, оперов ждать будем! Там в сенях бензин — дозаправь «Бурана». Пусть полный бак будет! И собери все, что нам пригодится...

Пока Василий выполнял распоряжения, Дормидонт закурил вторую самокрутку и, выпуская клубы ядовитого синего дыма, гладил Верного, который, чувствуя неладное, прижимался к хозяину.

Из дома Василий вынес вторую двустволку, несколько пачек патронов и алюминиевую посуду.

— Чашки-ложки оставь! — скривился отец. — Садись за руль!

Взял канистру, взболтал — на донышке оставалось несколько литров. Василий и рыжий пес наблюдали за его действиями.

— Верный, и ты садись! — дал команду Дормидонт, и пёс мигом её исполнил, запрыгнув на тюк шкур.

— Значит так, Вася, мы здесь никогда не бывали! — сурово сказал он. — Ходили, охотились у Кривой балки, ночевали у костерка, а ни сюда, ни к Черному урочищу и близко не подходили. И ни по каким воронам ты не стрелял, и никакого самолета не видел. Ты меня понял?

— Понял, батя... — не очень уверенно ответил Василий.

— В камеру бросят, бить будут, все равно держись своего! Только в этом наше спасение! Ты хорошо понял?

— Да, батя! — уже более уверенно сказал Василий.

Дормидонт зашёл в избушку, разбрызгал бензин по стенам и полу, зажёг спичку... Снегоход снова помчался прочь, на этот раз навсегда. Когда он скрылся за деревьями, пламя вырвалось наружу и охватило избушку целиком. Но ни Дормидонт, ни Василий, ни Верный этого уже не видели. Да и не могли видеть, потому что никогда не были в этом районе. Они поклялись стоять на этом до конца жизни.

6-11 ноября 1982 года
Москва

Страна готовилась к празднику. А многие уже и начали его отмечать: в учреждениях и на предприятиях накрывались импровизированные столы, сотрудники поднимали стаканы за Октябрьскую революцию, за коллектив, за руководство... Начальство не препятствовало застолью в рабочее время, а наоборот — принимало в нем участие: слишком важный и значимый повод день 7 ноября!

В Главном штабе РВСН, конечно, столов не накрывали — все-таки здесь должны показывать пример строжайшей дисциплины и боеготовности. Запрутся в кабинете несколько офицеров, опрокинут рюмку-другую и — по домам! И в подразделениях ГШ были такие же порядки. Но полковник авиационного отдела Кауров руководил поисками пропавшего Ан-24 и потому не мог позволить себе даже невинной рюмашки. Дважды в день он докладывал о результатах начальнику отдела генерал-майору авиации Соболеву. И сейчас, зажав под мышкой папку с телефонограммами, телеграммами, радиограммами, объяснениями и рапортами, шел на вечерний доклад, а потому был озабочен и абсолютно трезв.

В приёмной Кауров чуть не столкнулся с выходящим из кабинета генеральским водителем. В руках сержант держал объёмистый сверток от которого аппетитно пахло копчёной колбасой: перед праздниками сотрудникам выдавали продуктовые пайки, дефицитность которых была прямо пропорциональна занимаемой должности. Водитель почтительно посторонился, и Кауров вошел в кабинет.

— Ну, что? — холодно встретил его генерал. — Докладывай результаты!

— Вот, целая папка, товарищ генерал! — Кауров развязал тесемки и принялся перебирать бумаги, чтобы доклад выглядел не простым набором слов, а результатом большой и кропотливой работы.

— Значит так: маршрутный лист был выписан в Омск, полетное задание не указано, написано «секретно»...

— Кто написал? — резко перебил его Соболев тоном, не сулящим ничего хорошего.

— Главком Толстунов, товарищ генерал!

— Ах, да, — начальник авиационного отдела сбавил тон. — Да, Виктор Дмитриевич сообщил, что группа офицеров летела в Омск, чтобы провести предварительный поиск подходящих мест для новых стартовых площадок... Это, кстати, следует держать в строжайшей тайне, как и все, связанное с этим рейсом!

— Так точно, товарищ генерал!

— Ну, ладно! Что еще?

— Опрос летно-инженерного состава аэродрома вылета результатов не дал: никто об этом рейсе не осведомлен... В Омск самолет не прибыл, диспетчерами управления воздушным движением по предполагаемому маршруту следования борт не зарегистрирован... Вы же знаете, товарищ генерал, что на этом борту два транспондера...

— Да это я знаю! Я не знаю, где борт! Ты это выяснил?

Кауров развел руками.

— Все проверяли! На радарах воинских частей появлялись безымянные цели: то ли стаи птиц, то ли помехи, то ли...

— Где самолет? — снова перебил генерал, и теперь его тон не сулил ничего хорошего лично Каурову.

— Это не установлено, товарищ генерал-майор...

— Значит, результатов нет! О чем ты тогда докладываешь? Самолёт не найден — с этого и нужно было начинать доклад! А вы мне здесь про диспетчеров, радары, опросы... Каковы результаты поисков?

— Пока не установлен район исчезновения, проводить визуальный поиск невозможно... Там тысячи километров тайги!

— Невозможно! Все возможно, когда офицер хочет получить результат! — повысил голос генерал и стукнул кулаком по столу. — Я дважды в день докладываю об этом самолете главкому! Что я ему доложу сегодня?! Что вы гоняетесь за птичьими стаями и какими-то помехами?! И опрашиваете тех, кто заведомо не может знать ничего о маршруте спецрейса?!

— Мы работаем, товарищ генерал... — упавшим голосом сказал Кауров.

— Вижу, как вы работаете! Космическую съёмку тех районов заказывали?

— Так точно! Но результатов пока нет. Теперь ведь ГУКОС нам не подчиняется...[1] То облачность им мешает, то спутник не по той орбите летит... Говорят, надо ждать...

— Хватит ждать у моря погоды! Никто не принесет тебе результаты на блюдечке! Отправьте самолеты-разведчики, пусть проведут аэрофотосъемку заявленного маршрута! Направьте вертолеты, пусть прочешут хоть всю тайгу! А ГУКОС дергайте за яйца: если что, мы прямо в Генштаб докладную отправим! Короче, завтра для вас никакого праздника — работайте и докладывайте мне результаты!

— Есть, товарищ генерал-майор!

Когда Кауров вышел, Соболев по прямой линии соединился с главкомом. Разговор, который произошел между ними, почти полностью повторял предыдущий. Только в роли Каурова теперь выступал начальник авиационного отдела. И закончился он так же:

— Завтра для вас никакого праздника — работайте и докладывайте мне результаты! — только теперь эти слова адресовались генерал-майору Соболеву. И тот смиренно ответил:

— Есть, товарищ генерал-полковник!

Все в мире относительно...

* * *

Для генерал-полковника Толстунова праздники тоже были не в радость. Мало того, что пропал его личный самолет, да еще с офицером по особым по-

---

[1] ГУКОС — Главное управление космических средств. В 1981 году было выведено из состава РВСН и подчинено напрямую Генеральному штабу.

ручениям и специальной инженерной группой. Эта
беда еще не беда: авиационные происшествия случаются и в гражданской авиации, и в военной. Беда в
том, что пропавшая группа выполняла совершенно
секретное государственное задание чрезвычайной
важности! И где она теперь? Может, в полном составе
за кордоном — сливает особо важные секреты враже-
ским разведкам? Бред, конечно! Из Сибири даже на
хитроумно оборудованном Ан-24 ни до одной вражеской границы не долетишь! Но если особисты про-
знают, то это у них будет первая версия! Правда, что
они могут прознать? Пропал самолет — и все! А про
задание знают два человека — он сам и министр обороны... Ну, еще товарищ Брежнев и товарищ Черненко, если не забыли... Хотя их никто спрашивать не
будет!

Главком плохо спал, осунулся и потерял аппетит.
Ежедневные доклады руководителя поиска не радовали. С начала ноября в Сибири начались снегопады,
тайга засыпана снегом, космическая и аэровоздуш-
ная фотосъемки не дали никаких результатов. Вертолеты тоже не обнаружили следов катастрофы. Хотя в
том, что произошла катастрофа и все погибли, генерал-полковник не сомневался: и командир экипажа
Балаганский, и начальник специальной группы Сагалович — опытные и исключительно добросовестные
офицеры. Если бы они остались в живых, то нашли бы
способ связаться с командованием или привлечь внимание поисковых групп...

«Что же делать?! — Эта мысль не давала Толстунову покоя. — Пойти к министру посоветоваться? Но
начальство любит выслушивать рапорты об успехах и
победах, а не жалобы на проблемы. Тем более что маршал знал о пропаже борта и о безуспешных поисках,

но делал вид, что понятия не имеет о тайной миссии экипажа. Значит, все решения предстоит принимать самому! И необходимо срочно найти самолет: во-первых, там документы государственной важности, а во-вторых, факт гибели военнослужащих должен получить официальное подтверждение. Если в документах появится запись «пропали без вести», то ни пенсий, ни каких-либо льгот члены семей пропавших офицеров не получат...»

В задумчивости главком раздернул шторки секретной карты и приложив линейку к точке, в которой находился полевой аэродром сорок первой армии, соединил ее с Москвой. Он-то знал, откуда следовала группа, и предполагал, что катастрофа произошла на начальном этапе полета, который Балаганский всегда проходил на бреющем. Но обнародовать это свое знание не торопился: если особисты понаедут на аэродром и начнут копать, то могут раскопать и то, что составляет главную государственную тайну РВСН! Поэтому он ограничился тем, что зафиксировал координаты линии полета и сообщил их Соболеву:

— Пусть вертолеты тщательно прочешут эти места, — приказал он. — Особо тщательно! И самолеты-разведчики пусть полетают и пофотографируют!

— Есть, товарищ генерал-полковник, — не задавая лишних вопросов ответил начальник авиационного отдела.

Но и поиски по линии вероятной пропажи борта результатов не дали. Прошла уже неделя, а все усилия оказывались напрасными. И Толстунов решил идти к министру и просить у него санкции на раскрытие места командировки специальной группы для достаточно широкого круга лиц.

Но десятого ноября, когда многие руководители готовились посетить концерт, посвященный Дню советской милиции, на который собиралась вся московская элита, Уваров сам вызвал главкома. Причем позвонил лично и назначил встречу не в кабинете, а в «четверке». Так называлась секретная резиденция Министерства обороны, известная осведомленным людям как «объект А-4» и располагавшаяся в ближнем Подмосковье. Это было достаточно необычно, и Толстунов удивился. Но когда он уже садился в машину, к нему подбежал взволнованный дежурный по штабу:

— Товарищ генерал-полковник, только что пришла ШТ: умер товарищ Брежнев! Приказано объявить повышенную готовность в войсках!

Отдав необходимые распоряжения, главком приехал на «А-4». Он уже понимал, что вызов связан с кончиной руководителя государства — в таких случаях все силовые структуры переходят на усиленный вариант несения службы: мало ли что... Но по лицу маршала генерал-полковник понял, что речь пойдет не об обычных мерах предосторожности. Во всяком случае, не только о них.

— Пойдем на территорию, поговорим! — хмуро буркнул Уваров. И когда они пошли по узкой асфальтированной дорожке между пожухших газонов, министр, понизив голос, заговорил: — Ну, втравил ты меня в историю! Что теперь делать думаешь?!

— В какую историю? — растерялся главком. — Что я должен делать?

— Ты что, не понимаешь?! Леонида Ильича больше нет. На его место, скорее всего, придет Юрий Владимирович! Он человек жесткий, к тому же много лет возглавлял КГБ СССР! И что он сделает, когда узнает про твою комбинацию?!

— Какую комбинацию?! — упавшим голосом спросил Толстунов. Он уже понял, что дело плохо: словом «твою» маршал от него отмежевался. Но понял он еще не все и не до конца.

— Такую! Исправная стратегическая ракета с ядерным зарядом выведена из реестра действующих! Знаешь, что это? Умышленное ослабление ядерного щита. Измена Родине! Разжалование, трибунал и...

Маршал остановился и приблизил свое морщинистое лицо к лицу Толстунова, впившись в него взглядом выцветших, но горящих неподдельным гневом глаз.

— Вплоть до расстрела!

Генерал-полковник помертвел, как солдат-первогодок, которому за обычную самоволку пригрозили не гауптвахтой, а трибуналом.

— Да как же... Как... Мы же получили санкцию...

— Мы?! — Министр задохнулся от негодования и обернулся — не слышит ли охрана.

Но два плечистых молодца в штатском держались на достаточном расстоянии, чтобы разговор высокопоставленных руководителей не достигал их ушей.

— Меня в компанию не бери! — ужасным шепотом прокричал маршал.— Ты придумал эту авантюру, ты и отвечай!

— Но... Я же не сам, вы дали согласие...

— Замолчи! — прервал его министр. — Есть только один выход!

«Предложит застрелиться!» — с ужасом подумал Толстунов.

— Предать забвению эту историю! — неожиданно закончил Уваров, и главком мгновенно ожил.

Действительно, если выбирать между тюрьмой, расстрелом или самоубийством, то это лучший вариант.

— Ты уверен, что все погибли? — деловито спросил маршал.

— Да.

— Сколько продолжаются поиски?

— Неделю...

— Обычно, если результата нет, то поиски через неделю прекращаются...

— Так точно.

— Вот и прекращай. Знаем обо всем только я и ты. Немедленно забудь про эту историю!

— Уже забыл, товарищ маршал!

В голосе Толстунова появилась обычная твердость. Он вновь вернулся к жизни. И ни про какую операцию «Подснежник» совершенно искренне не помнил: генерал-полковник был старым служакой и точно выполнял приказы начальства. Без этого качества до таких должностей и званий не дослуживаются.

* * *

— Первое: оформить ордер на квартиру вдове подполковника Балаганского! — диктовал Толстунов, и полноватый полковник Григорьев, кивнув седой головой, записал указание в свою записную книжку.

— А то эти козлы, мать их, хотели выселять семью пропавшего без вести офицера! — выругался генерал-полковник. — Совсем совести нет!

Полковник Григорьев изобразил скорбную и осуждающую мину, хотя про себя отметил, что тыловики действовали по букве закона.

— Второе: откомандировать лейтенанта Балаганского из реформируемого первого полка Н-ской дивизии в распоряжение Главного штаба РВСН...

Начальник управления кадров вновь кивнул и сделал еще одну запись.

— Третье: провести с лейтенантом Балаганским переподготовку для назначения его на должность офицера по особым поручениям Главкома РВСН...

Если это распоряжение и удивило кадровика, то виду он не подал — так же прилежно кивнул и сделал очередную запись.

— И что-то еще я хотел, что-то еще... — Главком побарабанил пальцами по столу. — Да, что там с этим курсантом, которого отчислили из академии за анекдоты?

Григорьев быстро пролистал назад записную книжку и в очередной раз кивнул.

— Генерал Федоров доложил, что курсант Веселов рассказывал не просто незрелые анекдоты, а анекдоты про Леонида Ильича Брежнева. Поэтому он дал отрицательное заключение по возможности его восстановления в числе курсантов...

Толстунов начал пристукивать ладонью по полированной поверхности стола — верный знак того, что он недоволен.

— Но обстановка изменилась! Про Юрия Владимировича Андропова этот курсант рассказывал анекдоты?

— Никак нет, — несколько растерянно ответил кадровик.

— Вот то-то! Передайте Федорову мой приказ: восстановить этого... Веселова! — Ладонь ударила по столу сильнее, словно подводя итог истории с отчислением.

— Есть! — кивнул Григорьев.

Очевидно, главком все же уловил в его голосе удивление, потому что счел нужным пояснить:

— Мы должны очень внимательно и заботливо относиться к молодым людям. Особенно если это дети геройски погибших офицеров или случайно, по глупости, сделавшие жизненную ошибку!

— Конечно, Виктор Дмитриевич! Полностью с вами согласен!

— Ну, и хорошо, — уже более мягким тоном сказал главком.

Когда дверь за кадровиком закрылась, он встал, подошел к окну и остановившимся взглядом уставился на внутренний двор, в котором несколько солдатиков мели пожухлую листву.

Внутри что-то беспокойно шевелилось. Это не сердце давало экстрасистолы, не спазмы сжимали желудок — со здоровьем у генерал-полковника было все в порядке. Это тревожила его совесть, подбрасывая всякие ненужные мыслишки: а вдруг они живы, но ранены и беспомощны? Может, продолжение поисковой операции могло их спасти? Глупость, конечно! В тайге минусовая температура, раненые не продержатся неделю. К тому же он загладил свою вину — сделал всё что мог, даже больше... И всё же, и всё же!

Главком РВСН не отличался мнительностью или сентиментальностью, иначе не занимал бы должность, с которой, возможно, придется отдавать приказ о ядерном ударе. К тому же в огромном механизме подчиненного ему рода войск ежедневно случались какие-то сбои: аварии, пожары, несчастные случаи, в которых гибли рядовые, сержанты и офицеры. И всегда это воспринималось отстраненно — просто как печальная статистика. Но сейчас все было по-другому. Возможно, потому, что и Балаганский и Сагалович — люди из ближнего круга, а может, потому, что он обрадовался возможности прекратить поиски и забыть о происшедшем, а не признающая компромиссов совесть воспринимала это как предательство...

Виктор Дмитриевич со вздохом оторвался от окна, подошел к шкафу, достал бутылку «Ахтамара» и налил не в хрустальную рюмку, как всегда, а в маленький граненый стаканчик. Но только после третьего стаканчика коньяк подействовал: тепло разлилось по всему телу, внутри все расслабилось, и надоедливая совесть перестала шевелиться. Но для закрепления результата он допил бутылку.

Когда Толстунов приехал домой, Нина Викентьевна, принимая шинель, безошибочно определила, что супруг изрядно выпивши.

— Это вы поминали? — простодушно спросила она.

— Да, — кивнул Виктор Дмитриевич.

Но говорили они о разных вещах.

13 августа 1983 года
Москва

Денег на громкую свадьбу не было, но генерал Толстунов дал команду, и хозяйственная служба по каким-то своим каналам сняла небольшое кафе-стекляшку «Огонёк», затерявшуюся между новыми высотками недалеко от метро «Юго-Западная». За аренду платить было не надо, к тому же разрешили принести свое спиртное, и свадебное торжество стало реальным, тем более что отмечать решили узким кругом: родственники и самые близкие друзья. Впрочем, самых близких друзей набралось раз, два — и обчелся: свидетелями пригласили Аллу Лисину и Серегу Веселова, на этом круг близких друзей оказался исчерпанным. Георгий позвал трех сослуживцев по Главному штабу, Инесса — бывшую однокурсницу Веру и какую-то Валю, которая оказалась дочерью хозяйки, у которой снимала квартиру.

— Это, конечно, не подруги, но надо же, чтобы с моей стороны был кто-то, кроме родителей, — объяснила она. — А мне и приглашать особенно некого...

Накануне бракосочетания они сидели на кухне в новой, еще не обставленной квартире, полученной молодым инспектором Главного штаба по личному указанию главкома. Георгий шариковой ручкой черкал в тонкой ученической тетрадке схему рассадки гостей, Инесса, в лёгком домашнем халате выше колен, мыла посуду после завтрака.

— Чёртова дюжина получается, — пробормотал Георгий. — И свадьба тринадцатого числа...

— Ты веришь в приметы? — вскинула невеста тонкие брови, с отвращением оттирая с тарелки жир от яичницы.

— Не знаю, — замялся Георгий. — У ракетчиков много примет и суеверий. Я раньше скептически к этому относился. А потом поверил. И у меня, и у мамы были нехорошие предчувствия в день исчезновения отца...

— Исчезновения? Ты до сих пор думаешь, что он жив?

Георгий не ответил.

— А почему генерал так о тебе заботится? — спросила Инесса. — Из глухого леса перевел тебя в Москву, назначил на хорошую должность, дал квартиру и даже в нашей свадьбе принял участие! Ведь не каждый молодой лейтенант...

— Старший лейтенант, — поправил Георгий. — Он много летал с отцом и хорошо к нему относился... И, наверное, считает, что на нем лежит часть вины. Отец выполнял его особое задание...

— Чёрт! — вскрикнула Инесса.

— Что такое?

— Ноготь сломала... Проклятая посуда, в день свадьбы!

— Отходи, я сам домою сковородку! А ноготь — это ерунда.

— Ты что?! Это катастрофа! На меня же будут все смотреть! Нет, надо это срочно исправить!

Георгий не представлял, как можно исправить такую ситуацию, но знакомая маникюрша за час нарастила сломанный ноготь, и к моменту регистрации невеста выглядела идеально. Впрочем, с точки зрения жениха идеальной она была в любом случае.

* * *

Две «Волги» с шашечками подкатили к «Огоньку» точно к назначенному времени. На ступенях у входа их встречали родители жениха и невесты: Мария Ивановна Балаганская держала хлеб-соль, Кузьма Степаныч Каргаполов поспешно открыл шампанское и наполнил два бокала, стоящие на подносе в руках жены, Веры Петровны. Прохожие останавливались и с интересом смотрели на офицерскую свадьбу. И Георгий, и

Веселов, и три сотрудника Главного штаба были в парадной форме: китель и брюки цвета морской волны, золотые погоны, ослепительно белые, накрахмаленные сорочки, черные галстуки и черные полуботинки. Со стороны такой наряд выглядел торжественно и красиво.

Георгий и Инесса отведали хлеб-соль, чокнулись и выпили пузырящееся в бокалах шампанское, разбили ловко подложенную под ноги тарелку. Инесса успела первой — ее острая шпилька угодила в самый центр, и тарелка разлетелась на куски. Значит, ей и предстояло верховодить в семье... Впрочем, Георгий был не против. Он влюбленно рассматривал молодую жену — в длинном белом платье, короткой фате, с распущенными по плечам волосами и в белых лодочках на высоченных шпильках она выглядела как киноактриса. Сослуживцы то и дело бросали восхищенные взгляды, но молодой муж не ревновал — ему даже нравилось, что мужчины обращают на неё внимание. Пусть завидуют!

Впрочем, офицеры с неменьшим интересом рассматривали и подружку невесты — блондинка в коротком белом платье с открытыми плечами и тоже в туфлях на шпильках выглядела не менее броско. Алла польщенно улыбалась и тоже откровенно рассматривала военных.

— Проходите, дорогие друзья, просим к столу, — после поздравлений, объятий и поцелуев стали приглашать гостей родители молодых.

Заскрипели по кафельному полу отодвигаемые стулья. Веселов приглашающе махнул рукой Алле, но та послала ему воздушный поцелуй и села рядом с капитаном Макаровым. Сергей испытал что-то похожее на сожаление: он думал, что свидетель и свидетельница будут вместе весь вечер. А может быть, и потом... И тут такой облом! Он почему-то вспомнил, как пахли ее волосы, когда они ставили подписи в журнале регистрации. Французские духи! И тогда, на Новый год, он тоже обратил внимание на ее терпкий, чуть сладковатый аромат... Интересно, откуда у студентки деньги на дорогой парфюм?

Молодые сели в центре, по обе стороны от них расположились родители. Яркая цветастая блузка Веры Петровны и видавший виды костюм Кузьмы Степановича с нелепым, давно вышедшим из моды галстуком-шнурочком резко контрастировали с одеждой остальных гостей. Впрочем, это их не особенно смущало: они не сводили с молодых умилённых взглядов: повезло дочери — Москва, муж перспективный офицер, со своей квартирой...

— Молодец, Оленька! — растроганно прошептала Вера Петровна на ухо супругу. — Всем деревенским девкам нос утерла!

— Только не нравится мне, что она имя поменяла, — сказал Кузьма Степанович. — Разве Оля — плохое имя? В честь бабушки назвали...

Супруга отмахнулась.

— Сам видишь: она знает, что делает...

Тамадой выбрали Макарова, который раньше был замполитом и в штабе обеспечивал линию воспитательной работы. Он быстро взялся за дело:

— Первый тост за молодых! Пожелаем им сибирского здоровья, кавказского долголетия, здоровых детей!

Только осушили рюмки и фужеры, как за стеклянной стенкой затормозила чёрная «Волга» с военными номерами. Это была машина главкома, и ошеломленные офицеры штаба, гремя стульями, встали.

— Ничего себе, кажется, Виктор Дмитриевич приехал, — растерянно сказал Балаганский и тоже стал подниматься.

Но из «Волги» молодцевато выпрыгнул высокий стройный капитан в тщательно подогнанной и отлично выглаженной повседневной форме. Георгий и его сослуживцы узнали Воронина — адъютанта главнокомандующего. Держа в руках букет алых роз, он уверенным шагом направился ко входу. Георгий встретил его у дверей.

— У меня поручение от генерала, — без особой сердечности сказал Воронин.

Он, мягко говоря, недолюбливал Балаганского, потому что расчитывал занять должность офицера по особым поручениям и имел для этого все основания, но место оказалось предназначенным для зеленого юнца, специально вызванного из глухой тайги!

Подойдя к столу, капитан вручил Инессе букет, щелкнул каблуками и даже поцеловал ей руку.

— От имени и по поручению генерал-полковника Толстунова Виктора Дмитриевича разрешите поздравить вас с бракосочетанием и вручить подарки! — торжественно произнёс он и протянул Балаганскому на ладони небольшой коробок с прозрачной крышкой, под которой, на синем велюре, лежали часы из желтого металла.

Георгий тут же вынул их и, подняв над головой, показал всем присутствующим. За столом одобрительный зашумели.

— Неужели золотые?

— Конечно, золотые! — авторитетно заверил Воронин, достал из кармана кителя другой коробок и, открыв крышку, преподнёс Инессе.

Молодая жена восторженно вытащила за цепочку часы-кулон в виде треугольника с откидывающимся зелёным стеклом.

— И это всё золотое! — сказал капитан, снял и положил на локоть согнутой левой руки фуражку, налил в чей-то фужер нарзану. — От имени главнокомандующего поднимаю этот бокал за здоровье молодых и их долгую счастливую жизнь!

Офицеры встали, все начали чокаться.

Капитана, видно, мучила жажда — он выпил фужер до дна, вытер губы отглаженным платком, снова надел фуражку.

— Желаю хорошо повеселиться! — сказал он и отдал честь.

— Может, вы с нами присядете? — спросила Мария Ивановна.

— Извините, служба! — Четко повернувшись через левое плечо, он чеканным шагом вышел из стекляшки.

«Волга» уехала.

Сослуживцы Георгия многозначительно переглянулись.

— Вам генерал когда-нибудь что-нибудь дарил? — спросил капитан Макаров.

— Да нет, не доводилось, — в один голос ответили товарищи — капитан Долгунов и старлей Фиников.

— А поздравлял с чем-нибудь?

— А то ты сам не знаешь...

— Вот то-то! — Макаров опрокинул внеочередную рюмку водки и закусил селедочкой.

— И что это значит? — хлопая ресницами, спросила Алла.

— То, что этот парень далеко пойдет! — Макаров погладил ее по колену. — Генерал его любит, как родного сына!

— Не всякого сына, — кисло заметил Долгунов.

— Во всяком случае, должность ему приготовлена полковничья, а там, скорее всего, и до генерала дослужится.

Рука Макарова скользнула вверх по бедру девушки, на середине пути она её остановила. Расценив это как разрешённую границу, капитан там ладонь и оставил.

— А чего все какие-то сонные? — воскликнул он. — Горько!

— Горько! Горько! — загалдели гости.

Молодые поднялись, со вкусом поцеловались. И закрутилось колесо веселья. Застучали вилки по тарелкам, зазвенели бокалы, зазвучали тосты и крики «Горько». Если бы кто-то заснял на видео этот процесс и позже посмотрел при ускоренном воспроизведении — получился бы занятный фильм. Весь смысл торжества, судя по нему, сводился бы к молниеносному поеданию салатов, отбивных и жареных кур, быстрому наливанию и опрокидыванию рюмок и фужеров, вскакиванию молодых, соприкосновению губами и падению обратно на свои места... Две дородные женщины в относительно белых халатах выбегали бы из кухни, лихорадочно собирали пустые тарелки и бутылки и убегали обратно. Словом, фильм получился бы забавный.

Но видео никто не снимал. Даже обязательного для таких случаев профессионального фотографа не пригласили: свадьба офицера Главного штаба РВСН не является разрешённым объектом для фиксации. Тосты за молодых сменяли тосты за их родителей и снова — за молодых. Коллеги Балаганского красноречием не отличались, все их пожелания были единообразны, как и всё остальное в армии, и сводились к тому, что быть Георгию генералом. Это же касалось и гражданских гостей. Компенсируя отсутствие цветистости и оригинальности, каждый тостующий, комкая слова, торопился крикнуть: «Горько!», и когда всеобщее внимание переключалось на молодых, с облегчением выпивал. Но спиртное делало свое дело — лица краснели, градус веселья повышался, все уже хотели не слушать, а говорить, стало шумно, и управление столом было окончательно утрачено.

— Объявляю танцы! — громко выкрикнул Макаров.

Первый пригласил Аллу. Она прижималась к нему и громко, заливисто смеялась. Рядом Балаганский кружил Инессу. Подружки весело перемигивались.

Кавалеры подхватили и Веру, и Валю, и Марию Ивановну, а Кузьма Степанович оказался ревнивым и танцевал со своей Верой Петровной, то и дело наступая ей на ноги, не по сезону обутые в черные полусапожки. Через полчаса разгоряченные мужчины вышли на улицу покурить. Все просили Балаганского показать часы, восхищенно крутили головами, цокали языками, потом Веселов настоял, чтобы Георгий надел часы на руку.

— Это тебе не обычные «Командирские»! — сказал он. — Я такие никогда и в руках не держал...

Георгий послушался. Золотые часы на кожаном ремешке непривычно сидели на запястье.

— Дай бог здоровья Виктору Дмитриевичу, — искренне сказал Веселов. — И тебе тоже. Когда начальник академии мне диплом вручал, прямо сказал: «В моей жизни еще не было, чтобы после антисоветских анекдотов в офицеры пропускали! Скажи спасибо своему товарищу, он при мне главкома просил. А перед генерал-полковником тебе вообще надо на колени стать!»

— Как родители?

— Как... Ты же знаешь — из системы МИДа их убрали, — Веселов тяжело вздохнул. — Отец полгода без работы мыкался — никуда не брали. Потом устроился преподавателем советского права в финансовый техникум, а мать так и сидит дома... Представляешь, после их уровня... Все «друзья» как-то быстро рассосались. Короче, еле сводят концы с концами. Маски, статуэтки из черного дерева, картины, музыкальный центр — всё в комиссионку посдавали. Мать сразу постарела, отец выпивать стал, перенес инфаркт...

— Да ты что! Про инфаркт я не знал...

— Дачу государственную забрали, скорей всего, из квартиры тоже переселят — дом-то ведомственный, для руководящих кадров.

— Ничего себе!

— Вот так, Жора! Вся жизнь нашей семьи под откос пошла из-за этого мерзавца! Если бы не ты, так и я бы неизвестно кем был. И неизвестно где... Я этого вовек не забуду!

— Да ладно, Сергей, хватит об этом...

— Нет, не хватит! Я тебе до гробовой доски друг! А эту суку Дыгая... — Голос Веселова задрожал от ненависти. — Я бы его своими руками застрелил... С удовольствием!

— И что? Себе жизнь испортить? Судьба его накажет...

— Пусть судьба нас только сведёт!

— Это вряд ли: Дыгай сидит в шахте где-то в Сибири, а ты на Дальний Восток уезжаешь.

— Поживём — увидим! Земля — она круглая... — процедил Веселов и, махнув рукой, сменил тему: — За всеми хлопотами я жениться не успел. Так что теперь одному в гарнизоне куковать...

— Ничего, женишься, какие твои годы! — Георгий ободряюще похлопал его по плечу. — Кстати, где моя жена?

А Инесса с Аллой в это время курили в туалете.

— Я ведь Жорке сказала, что давно курить бросила, — жадно затягиваясь, говорила Инесса. — Приходится тайком...

— А он что, запаха не чувствует?

— Я дома не дымлю, курю только легкие, ментоловые, если чаем зажевать, то совсем не пахнет.

— Ох, Инка, как я за тебя рада! Твой Жорик у большого начальника в любимцах ходит, ребята говорят, что он и генералом станет! А главное — он из совсем другого круга, общих знакомых нет, никто ему ничего не нашепчет. Завидую тебе белой завистью!

— Ничего, и на твоей улице «КамАЗ» с пряниками перевернётся. — Инесса аккуратно затушила сигарету, прополоскала рот водой из-под крана.

— Какой там?! Мне вообще пришли «вилы»...

— А что случилось-то?

— Арсена арестовали за валюту. А вся его шобла на меня думает... Наши девки сказали, что теперь горбоносые меня по всем центровым кабакам ищут. Валить из Москвы надо! Только куда и как жить? В маленьких городках не развернешься, там все на виду...

— Слушай! — Инесса оживилась. — А почему бы тебе дружка не охмурить?

— Сергея этого? Он же с проблемами! И что, мне с ним к чёрту на кулички ехать?

— Из проблем он как-то выкрутился. Зато в дальней военной части тебя никто никогда не найдёт. Работы там нет — живи на всём готовом. Пару-тройку лет перекантуешься, а надоест, так развестись всегда можно. В твоем положении это лучший вариант...

— А что? — задумчиво произнесла Алла. — Это мысль...

— Ладно, пойдем, а то меня муж, наверное, обыскался...

Когда они вернулись в зал, навстречу бросился Макаров и схватил Аллу за руку.

— Куда пропала, Аллочка? Я тут заждался! Приглашаю на танец!

Но блондинка освободила руку.

— Нееет, сейчас дамы приглашают кавалеров! — И, обойдя остолбеневшего капитана, подбежала к Веселову. — Сереженька, ты про меня совсем забыл! А мы ведь дружки! Пойдем танцевать!

Она схватила Сергея за руку и, выведя в центр зала, закружилась с ним в танце, прижимаясь явно теснее, чем того требовал этикет. Георгий, глядя на них, лишь усмехнулся и направился к Инессе.

— Молодая жена пропала на целых десять минут! — шутливо укорил он и, будто невзначай, показал новые часы.

— Я исправлюсь, о мой муж и повелитель! — покорно сказала Инесса. — Надену свой новый кулон и буду точной, как ракета! И такой же послушной!

Растроганный Георгий поцеловал ее в щеку.

* * *

Как и предполагалось, умершего товарища Л.И. Брежнева сменил на высшем государственном и партийном посту товарищ Ю.В. Андропов, который активно взялся за наведение порядка, укрепление государственной дисциплины и борьбу с коррупцией. Но Юрий Владимирович руководил государством недолго — всего 15 месяцев, после чего смерть вырвала его из рядов живущих. Генеральным секретарем избрали товарища К.У. Черненко, который занимал эту должность немногим более года и тоже покинул этот бренный мир.

Жизнь шла своим чередом, хотя вряд ли в этот «свой черед» укладывались три смерти Генеральных секретарей за три года. Но если учесть, что все трое были людьми весьма преклонного возраста и страдали тяжелыми болезнями, то эти печальные факты можно считать естественными. Тем более что руководство страной возглавил молодой, здоровый и энергичный товарищ М.С. Горбачев, который активно начал комплекс реформ, многозначительно именуемый «Перестройкой». Так что, в целом, можно было считать, что жизнь идет своим чередом. Правда, в водовороте смен руководства страны, борьбы с коррупцией и реформ покинули свои посты десятки руководителей высшего уровня и сотни начальников поменьше. Эти процессы не обошли и армию.

Министр обороны Уваров скончался и был с воинскими почестями похоронен в Кремлевской стене. Вихрь кадровых перестановок выбросил на пенсию начальника штаба РВСН, командиров ракетных армий, дивизий и полков. Прошло интенсивное обновление командного состава, старший лейтенант Балаганский досрочно получил капитана и заметно продвинулся по службе, что, в принципе, могло объясняться происходящими в ракетных войсках процессами, хотя завистники утверждали, что его толкает вверх главком Толстунов. Но через несколько лет генерал-полковник Толстунов ушел на пенсию, и злые языки перестали муссировать эту тему.

Кроме военного пенсионера Толстунова людей, знавших об операции «Подснежник», в живых не осталось, хотя ее безмолвный свидетель все же существовал. Его тяжелое тридцатиметровое тело томилось в тесной подземной шахте, мечтая освободиться от каменной неподвижности и стремительно лететь сквозь атмосферу и стратосферу по заранее проложенной параболе к неведомой, но притягательной цели, на которую с ужасающей точностью можно будет обрушить все десять ядерных боеголовок, ждущих своего часа в головной части. Но для этого должны были сложиться определенные условия... И центральный компьютер внимательно их отслеживал.

«Говорит Москва! — известила радиостанция «Маяк» на частоте 549 кГц. — В столице 15 часов. В Ашхабаде — 17, в Караганде — 18, в Красноярске — 19, в Иркутске — 20, в Чите — 21, в Хабаровске, Владивостоке — 22, в Южно-Сахалинске 23 часа, в Петропавловске-Камчатском — полночь». Сеть передатчиков на территории всего Советского Союза была выверена так чётко, что по ней, беря пеленги, могли уверенно летать самолёты. Содержание передачи совпадало с введенным в компьютер шаблоном, значит, ничего чрезвычайного в стране не происходило. Затем центральный компьютер промониторил наличие и интенсивность переговоров в эфире на военных частотах — они велись с обычной интенсивностью. Получил сигналы телеметрии с постов РВСН — отклонений от нормы не обнаружено. Уровень радиации на поверхности — норма. В окрестностях, на других стартовых позициях дивизии — тоже норма. Сейсмические возмущения отсутствуют. Точечные источники мощного ионизирующего и электромагнитного излучения в контролируемой зоне тоже отсутствуют.

Обобщив полученные данные, центральный компьютер вписал в реестр сегодняшней проверки серию единичек и ноликов, которая на человеческом языке означала: по косвенным признакам обстановка без изменений, необходимых условий для старта нет.

Жизнь продолжала идти своим чередом.

7 декабря 1988 года
Москва

За шесть месяцев, проведённых на пенсии, некогда бравый главком РВСН Виктор Дмитриевич Толстунов заметно сдал, как будто лопнула пружина, которую ежедневно заводила служба. А может, возраст сказывался — 74 года это не шутка, хотя Нина Викентьевна всего на два года моложе, а летает как пчелка... Ноги быстро уставали и отказывались носить его крупное, погрузневшее тело. На улицу отставной генерал перестал выходить, да и по квартире двигался мало — сидел в кресле-качалке с книгой, иногда сидя засыпал. Режим дня изменился — ни звонков, ни срочных совещаний у министра, ни задач государственной важности. А ночью сон не приходил, он или читал допоздна, или вспоминал прошедшие годы, иногда забывался только под утро, но теперь можно было отсыпаться днем...

Сегодня Виктор Дмитриевич проснулся около одиннадцати. Он определил это, даже не глядя на часы, — солнце взошло уже достаточно высоко, чтобы его лучи пробились сквозь окно комнаты на южной стороне дома. Откинув одеяло, Толстунов сел, покрутил головой, отгоняя мучивший его дурной сон. Пытаясь попасть непослушными ногами в тапочки, увидел, что рядом на полу лежит развёрнутая книга.

«Я же вроде клал её на столик, — подумал генерал. — Упала, а может, мимо положил. Интересно, на каком месте раскрылась?»

В последнее время атеист, как и все коммунисты, Толстунов стал суеверным. Виктор Дмитриевич наклонился, поднял книгу, но прежде чем закрыть, надел очки и прочёл текст на развороте:

Каркнул Ворон: «Nevermore».
Изумился я сначала: слово ясно прозвучало,
Как удар, — но что за имя «Никогда»? И до сих пор
Был ли смертный в мире целом, в чьём жилище опустелом
Над дверьми, на бюсте белом, словно призрак древних пор,
Сел бы важный, мрачный, хмурый, чёрный Ворон древних пор
И назвался: «Nevermore»? [1]

Мрачный, мистический текст подтверждал кошмарный сон. На самолет, летящий так низко, что задевал брюхом верхушки елей, вдруг напала стая воронов, которые расклевали его, разбили стекла кабины и заклевали пилотов. Потом появился его личный пилот Пётр Балаганский с поклеванным лицом. «Товарищ генерал, а ведь это вы мне подсказали летать на бреющем для конспирации, — не шевеля губами, произнес он. — Вот и долетался...»

И это была правда — его идея! А ведь на бреющем всякое может случиться... Дрогнула рука, или разреженный воздух, или птицы... За спиной Балаганского стояли темные фигуры в летных куртках и армейских шинелях, лиц у них не было вообще — какие-то мутные овалы. «А это кто?» — спросил Виктор Дмитриевич. «Никто мы... — словно эхо донесло издалека. — Никто-о-о-о...» «Никогда», «никто»... И вороны... Это

---

[1] Эдгар Аллан По. «Ворон».

какой-то знак свыше! Похоже, они меня к себе зовут...
Или даже требуют...» — подумал генерал, захлопнул
книгу и аккуратно положил её на журнальный столик. Потом взял трубку телефона. Не кремлевской
«вертушки» прямой связи — тот давно сняли, а самого обычного, городского. Набрал номер собственной
приемной. Точнее, бывшей собственной приемной.

— Федор? С Василием Владимировичем соедини!

Волынец взял трубку сразу. Потому что еще мало
времени прошло, по инерции сохранялась сила авто-
ритета. Как головная часть ракеты — двигатели всех
ступеней отработали, а она идет на цель... К тому же
Волынца он выделил из массы офицеров, продвигал
по карьерным ступенькам, да и главкомом тот стал
с его подачи. Хотя благодарность проходит быстро,
только страх никогда...

— Здравствуйте, Виктор Дмитриевич! — раздался
бодрый голос. — Разрешите доложить: в ракетных частях полный порядок!

— Это ты зря, полного порядка никогда не бывает...

— Чем могу быть полезен, Виктор Дмитриевич?

— Да сон мне дурной приснился...

— Сон?!

— Думаешь, старик совсем из ума выжил — звонит
сны пересказывать? Нет, Вася, сон вроде как вещий...
Мой пилот Балаганский приснился, вроде к себе звал.
Вот и хочу узнать: как там его сынок? Ты не забыл мою
просьбу?

— Как можно, Виктор Дмитриевич! Он уже капитан, замнач отдела оперативного управления.

— Это я знаю, спасибо! Просто я старый, может,
просить тебя уже и не придется... Ты его в Академию
Генштаба нацеливай.

— Что за упаднические настроения, Виктор Дмитриевич! Мы с вами еще его генеральское звание отметим! Если не зажмет, конечно!

— Не зажмет, это парень правильный, как его отец был...

Толстунов положил трубку.

После завтрака он сел в любимое кресло и стал смотреть новости. Когда через час Нина Викентьевна принесла ему крепкого чаю с лимоном, он как обычно сидел перед телевизором, но ничего не видел. Сердце генерала перестало биться. Говорят, что так умирают хорошие, безгрешные люди. Хотя вряд ли бывший главком РВСН был праведником.

Похоронили генерал-полковника Толстунова со всеми воинскими почестями, комендантский взвод дал троекратный залп в воздух. Среди многочисленных провожающих с большими и шитыми звездами на погонах затерялся капитан Балаганский. Как он ни сдерживался, но время от времени смахивал со щек предательски выкатывающиеся слезы. Этой возможности Георгий был лишен на похоронах отца, но сейчас испытывал чувство, что окончательно осиротел. Ни он, никто другой не знал, что генерал Толстунов унес с собой тайну ракеты, несущей боевое дежурство в автономном режиме.

7 декабря 1988 года
Западная Сибирь

Ворон каркнул, слетел с обломленной ели и сел на торчавший из-под снега киль хвостового оперения. Потом перебрался на разорванный дюралюминиевый фюзеляж. Заглянув внутрь через разлом, он стал крутить своей чёрной головой по сторонам, поочерёдно опуская вниз то левый, то правый глаз в поисках чего-либо пригодного для пропитания. Ворон уже собирался спрыгнуть вниз, но в этот момент почувствовал приближение страшной, неведомой ранее силы, которая заставила его взлететь и спешно убраться на Чёрное урочище, где в это время напуганные той же силой сородичи сбивались в стаи и, истошно каркая, летали по кругу.

Сила эта исходила из-под земли, почти за три тысячи километров от Чёрного урочища. Сильнейший удар, превышающий одиннадцать из двенадцати возможных баллов, длился всего считаные секунды, но за это время стёр с лица земли город Спитак, разрушил Ленинакан, Степанован, Кировакан и унёс более двадцати пяти тысяч жизней. На поверхности земли образовался разрыв длиной в тринадцать километров. Подземные толчки ощущались в Ереване и Тбилиси. Волна, вызванная землетрясением, обошла Землю и была зарегистрирована научными лабораториями в Европе, Азии, Америке и Австралии.

В полутора сотнях километров юго-восточнее Чёрного урочища землетрясение зафиксировали сейсмоприёмники системы автоматического управления «Сатаны». Они передали сигнал на главный компьютер, и моментально включился режим тревожности — показатель сейсмического возмущения входил в число основных параметров оценки обстановки. Зашумели под землёй электродвигатели подачи сжатого воздуха, готовые привести всю систему в движение, в УКП на боевом пульте загорелся транспарант тревоги над пустым креслом оператора.

«Температура на поверхности — минус 14,2 градуса Цельсия, — продолжала фиксировать аппаратура показания по другим параметрам. — Уровень радиации — 11 микрорентген в час, насыщенность эфира радиосигналами — ниже средней, ионизация атмосферы — средняя...»

Когда экстренная проверка всех параметров завершилась, главный компьютер проанализировал данные и пришёл к заключению, которое на человеческом языке, применительно к ситуации, звучало бы кощунственно: «Нет повода для беспокойства». Но техника — не человек, течение времени не делает её сентиментальнее, в отличие от бывших генералов, и бессонница ей тоже неведома. И в этот раз техника оказалась права: ужас, происходивший в Армении, не имел никакого отношения к ядерной войне. Электродвигатели снова заглохли, режим тревожности отключился. Ракета продолжала спать, ожидая своего часа.

ГЛАВА 7

Карьеры и судьбы

4 октября 1993 года
Москва

Яркий свет освещающих периметр прожекторов пробивался между пластинами оконного жалюзи. Старый диван в комнате отдыха начальника штаба РВСН был короток для высокорослого подполковника Балаганского, и Георгий мучился уже пятую ночь. «Если назначат, первым делом новый диван закажу», — подумал он, переворачиваясь со спины на бок и обратно. Хотя дело было, конечно, не в диване: сутками напролет поступали звонки по специальной и открытой связи, приходили шифротелеграммы и курьеры с пакетами, надо было ежечасно анализировать обстановку, писать отчеты и доклады... Спать удавалось урывками, и сон был тревожный и тяжелый. Недаром Алимов сразу спекся, и осуждать его за это трудно...

Особой радости от назначения исполняющим обязанности начальника штаба Георгий не испытывал — время сейчас не то, чтобы радоваться: ещё неизвестно, чем вся эта заваруха закончится. Две недели назад президент Ельцин распустил Съезд народных депутатов, в ответ законодательная власть отрешила его от должности, но обе стороны остались на местах и вступили в острую конфронтацию, привлекая на свою сторону силовые структуры, в первую очередь — армию. Как только завертелась эта политическая карусель, начальник штаба полковник Алимов неожиданно для всех на службу не прибыл: позвонил дежурному и сообщил, что заболел. Когда доложили главкому, тот пришел в ярость:

— Самый хитрожопый нашелся! Знает, что паны дерутся, а у холопов чубы трещат, и боится промахнуться! Поддержишь одних, а верх возьмут другие — вот и окажешься крайним!

Стоящий перед ним замначштаба Балаганский опустил голову. Он воспринимал неожиданный вызов и гнев генерала как адресованные не только Алимову, но и ему лично.

— Только большая должность — это еще и большая ответственность, а раз ты от ответственности прячешься, то иди на фуй! — продолжал бушевать главком. И неожиданно уже обычным тоном спросил: — А ты ответственности не боишься?

— Никак нет, товарищ генерал-лейтенант!

— Тогда приступай к исполнению обязанностей начальника штаба! — приказал Волынец. — И запомни мою позицию: мы выполняем приказы только министра обороны! Если от Ельцина или Хасбулатова[1] придут какие-либо запросы — будем отвечать, а приказы и указания — игнорировать!

— А... А какие могут быть приказы, товарищ генерал-лейтенант? — спросил Балаганский.

Главком выругался.

---

[1] Хасбулатов Руслан Имранович — в описываемый период Председатель Верховного Совета Российской Федерации.

— Да какие угодно! Например, снять с боевых дежурств личный состав и с пистолетами направить штурмовать Кремль или защищать Белый дом... А может — запустить ракету в противную сторону! А может... Короче, мы выполняем приказы только министра!

— Так точно!

— И имей в виду, что когда в стране такой политический раздрай, то это самый удобный момент для вражеского нападения! Надо обеспечить повышенную боеготовность ракетных войск!

— Задача понятна, товарищ генерал-лейтенант!

— Ну, тогда иди работай. — Тон генерала смягчился. — Виктор Дмитриевич очень хорошо о тебе отзывался и рекомендовал использовать на должностях с большим объемом работы... И действительно, ты меня ни разу не подвел. Поможешь разрулить эту ситуацию — пойдешь учиться в Академию Генерального штаба!

Обстановка в Москве накалялась. На улицу выходили сторонники пртивоборствующих сил, вспыхивали массовые драки, милиция разгоняла шествия и задерживала зачинщиков... То тут, то там вспыхивали перестрелки. Сторонники Верховного Совета пытались захватить телецентр «Останкино», но штурм не удался, у стен Белого дома построили баррикады, в Москву начали стягиваться войсковые и милицейские подразделения из других городов. Сотрудники штаба были переведены на казарменный режим. Хотя самих казарм в штабе, естественно, не было. Но режим был. Вот и пришлось две недели ночевать по кабинетам. Георгию ещё повезло: в его распоряжении оказалась отдельная комната и короткий, но мягкий диван, а некоторые офицеры спали на составленных в ряд стульях и рабочих столах.

Впрочем, в штабе РВСН по сравнению со штабами других войск было относительно спокойно: кроме отчетов и бумаг, исполнение которых как бы заверяло запрашивающих в лояльности ракетчиков, от них не требовалось конкретных действий. Видимо, ни одна из сторон, считавших, что именно она руководит государством, всё же не решалась взять на себя руководство «ядерным щитом» России. К тому же РВСН — не те войска, с помощью которых можно решать внутриполитические проблемы. И все же нервное напряжение было таким, что у Волынца случился гипертонический криз и его отвезли в госпиталь. Заместители грамотно уклонялись от решения вопросов, дожидаясь прояснения ситуации и переводя стрелки на исполняющего обязанности начальника штаба. Балаганский чувствовал себя так, будто остался единственным держащим небо атлантом.

Георгий уже почти уснул, как в кабинете загудел телефон ВЧ-связи. Вскочив, он босиком пробежал к аппарату и схватил трубку.

— Слушаю, Балаганский!

— Как обстановка? — раздался в трубке голос Волынца.

— Без изменений, товарищ генерал-лейтенант! Подразделения в повышенной готовности, с личным составом ведется разъяснительная работа, охрана штаба осуществляется в усиленном варианте, звонков и распоряжений от Ельцина и Хасбулатова не поступало!

Волынец хмыкнул.

— И что же ты разъясняешь личному составу?

— Не я, Василий Владимирович, замполиты... Они научены...

— Ну, ладно, — Волынец отключился.

«Переживает, — подумал Балаганский, положив трубку на рычаги. — Хотя знает: о любом мало-мальски значимом событии ему тут же сообщу. А все равно звонит... Интересно, а Инесса за меня волнуется?»

Он включил свет, взялся за обычный телефон, набрал выход в город и домашний номер. Слушая гудки, представил, как Инесса, голая, вскакивает с кровати, спросонья пытается наощупь найти в темноте трезвонящий аппарат, ударяется о кресло (у нее вечно синяки то тут, то там), но, не обращая внимания на ушиб, торопится ответить... Но никто не отвечал!

Балаганский бросил взгляд на настенные часы. «Второй час... Зря, наверное, звоню, — проскочила быстрая мысль. — Девочка набегалась за день, устала, а тут ее поднимают среди ночи... И что я ей скажу?»

Но длинные гудки продолжали идти, а трубку никто не снимал. И каждый безответный гудок будил в душе любящего мужа холодного, аналитически мыслящего штабиста. Наконец, он проснулся окончательно. «А от чего, собственно, она устала? От магазинов, кафе, салонов красоты да подруг-бездельниц? Может, если бы работала, так и не шлялась бы по ночам...»

Подождав ещё полминуты, он положил трубку, вернулся в комнату отдыха, раздвинув пластины жалюзи, выглянул во двор. Парный патруль, вооруженный автоматами, как и положено, обходил территорию — в любой момент можно было ожидать нападения разъяренной толпы. Балаганский лег на короткий диван и закрыл глаза. В душе любящий муж спорил с аналитиком. «В конце концов, номер знает, могла бы и сама позвонить за целый день! Наверное, от работы меня отрывать стесняется... Да не такая уж она стеснительная!»

Проснулся Балаганский около шести часов утра. Сел, включил телевизор в мебельной стенке напротив. На телеканале «Россия» бородатый очкарик в камуфлированном жилете, как понял Георгий — представитель частной охранной структуры, — сидя за столом с американским ружьём Remington R12 в руке, рассказывал о том, как должно работать МВД. Мысленно выругавшись, Георгий выключил телевизор, зашел в ванную, умылся. Потом позвонил домой.

— Алло! — сонным голосом ответила Инесса.

— Доброе утро! Разбудил?

— Конечно, разбудил!

— Ну, извини, — смутился любящий муж.

— Ладно, извиняю. Ты домой собираешься вообще?

— Собираюсь. Ты же понимаешь — сейчас обстановка такая... И ты не выходи сегодня никуда, пожалуйста, побудь дома.

— Вот ещё! Я как раз сегодня хотела...

— Я сказал – сиди дома! — перебил и.о. начальника штаба. — И носа на улицу не высовывай!

— Ну, ладно, — растерянно произнесла Инесса. — Раньше ты на меня голос не повышал...

— Извини! — исправился любящий муж. — Просто я за тебя волнуюсь.

Положив трубку, Георгий нажал кнопку пульта оперативной связи.

— Дежурный по штабу подполковник Дементьев! — моментально донеслось из динамика.

— Через пятнадцать минут жду вас с докладом!

— Есть!

Побрившись и прыснув в лицо одеколоном, Балаганский вернулся в кабинет и занял свое место за столом. При прикосновении к кожаному сиденью любящий муж испарился. В кресле сидел жесткий начальник штаба «ядерного щита» России.

— За время моего дежурства чрезвычайных происшествий в войсках не случилось, пусков не производилось, — доложил подполковник Дементьев, положив на стол заполненный формализованный бланк отчёта на нескольких листах: по отдельному листу на каждую ракетную армию.

Довольно увесистую папку входящей почты дежурный привычно положил на край стола. Георгий пролистал отчёт.

— Что там у Белого дома? — спросил он.

— Обстановка напряжённая. «Альфа» вроде бы отказалась штурмовать. Но подтягивают танки на прямую наводку... В сводках это не отражается.

— Спасибо, можете идти!

После ухода дежурного Георгий отзвонился главкому и коротко доложил обстановку. Затем принялся разбирать почту. Большинство документов имели грифы различной степени секретности и доставлялись исключительно сотрудниками фельдъегерской службы. Нужно было принять решение по вопросам, входящим в компетенцию начальника штаба: отписать бумаги на исполнение по управлениям и отделам, если же вопрос требовал рассмотрения главкомом, он откладывал их в отдельную папку. При этом вспоминал армейскую шутку: «Все до старшего лейтенанта включительно должны уметь работать самостоятельно. Капитан должен уметь организовать работу. Майор должен знать, где что делается. Подполковник должен уметь доложить, что где делается. Полковник должен уметь самостоятельно найти место в бумагах, где ему положено расписаться. Генерал должен уметь самостоятельно расписаться там, где ему укажут». В каждой шутке — лишь доля шутки...

Балаганский просматривал документы, накладывал визы, раскладывал бумаги по разным стопкам: экземпляр приказа о выпуске из академии и откомандировании ракетчиков к местам службы — это в кадры, заявку на инженерное имущество — в тыл... Георгий задержал взгляд на знакомой фамилии в очередном документе.

«Представление к увольнению из Вооружённых Сил капитана Веселова...» — прочёл он. Неужели?! Да, точно — речь шла о Сергее. Уволить его хотели за «пьянство и семейные скандалы на почве ревности к жене...» Подписал представление командир войсковой части 10160 полковник Ищенко.

«Сейчас проверим, каков ты сам, полковник: выполняешь усиленный вариант несения службы либо только представления кадровикам подмахиваешь!» — Балаганский приказал соединить его с командиром части 10160. Ждать пришлось недолго.

— Полковник Ищенко! — ответил настороженный голос на том конце провода. — Здравия желаю, товарищ подполковник!

Слышимость была такая, как будто Ищенко говорил не с Дальнего Востока, а из соседнего кабинета.

— Доложите обстановку!

— Во вверенном мне подразделении — без происшествий! — уверенным тоном отрапортовал Ищенко, хотя наверняка перебирал в голове возможные причины, которые могли повлечь звонок из Москвы. — Выполняются директивы Главного штаба об усиленном варианте несения службы! Настроение личного состава хорошее!

— Кстати, о личном составе. Передо мной лежит ваше представление к увольнению капитана Веселова, — Балаганский выдержал паузу. — Скажите, а по службе к этому капитану претензии есть?

— Да... — замялся Ищенко. Он быстро терял уверенность. — То есть никак нет! По службе претензий нет, но по линии социалистической дисциплины...

— Какой дисциплины?

— Социалистической, — уже совсем неуверенным тоном повторил полковник.

«Какой, к чёрту, социалистической?! Что это за дисциплина такая?!» — захотелось вдруг крикнуть Балаганскому. Но он сдержался.

— Это ваше упущение по линии воспитательной работы, — сказал Балаганский прежним, повелительно-спокойным тоном. — Вы разбрасываетесь опытными специалистами вместо того, чтобы их воспитывать!

— Виноват, товарищ подполковник! — уныло проговорил Ищенко.

— Ждите обратно своё представление, в нём будут мои указания, — продолжал Балаганский. — Раз уж ваш кадровик сам не знает, что нужно делать в таких случаях.

— Есть!

«Ну вот, сейчас этот Ищенко устроит разгон замполиту и кадровику, —усмехнулся верный друг, положив трубку. — На какое-то время они оставят Серёгу в покое. Но и с ним, похоже, нужно пообщаться — дыма без огня не бывает».

Балаганский взял ручку и в верхнем левом углу представления, под угловым штампом написал: «Вернуть инициатору!» Дважды подчеркнул и написал ниже: «Усилить воспитательную работу, подключить женсовет для нормализации обстановки в семье, создать капитану перспективу роста, направить на курсы повышения квалификации в Москву». Потом сменил ручку на карандаш и дописал: «Или ты за него в шахту полезешь?»

Через полтора часа позвонил взволнованный дежурный по штабу:

— На Краснопресненской стрельба из танков, БМП и БТР! Наши действия?

«Начался штурм», — подумал Балаганский. А вслух сказал:

— Соблюдать усиленный режим несения службы, сохранять спокойствие и ждать дальнейших указаний министра!

Но через несколько минут зазвонил аккуратный белый телефон с золотым гербом СССР на диске. Осторожно, будто гранату, он взял трубку.

— Исполняющий обязанности начальника штаба подполковник Балаганский!

— Товарищ подполковник, военные, изменившие присяге, обстреливают Верховный Совет, — раздался в трубке глуховатый голос, хорошо знакомый по телевизионным передачам. — Немедленно направьте верных присяге солдат на защиту Верховного Совета!

— Товарищ Хасбулатов, мы выполняем приказы только министра обороны, — с трудом выговорил Балаганский.

Он понял, что сейчас острие проблем, от которых убежал Алимов, волею провидения устранился Волынец и технично уклонялись его заместители, уперлось прямо в него. И сейчас он рискует не только должностью и погонами, но и головой.

— Вы пойдете под трибунал, подполковник! Немедленно вышлите людей и бронетехнику!

— Но у нас нет свободного личного состава... И нет бронетехники... Поймите, наши подразделения разбросаны по всей стране, в Москве расположен только штаб...

— Значит, возглавьте своих штабистов и мчитесь сюда! Нас обстреливают! Вы понимаете, что это значит?! Быстро!

— Сейчас... Я только согласую с Генеральным штабом...

— Некогда согласовывать! Вам приказывает Председатель Верховного Совета!

— Сейчас, сейчас...

Балаганский положил трубку. Он весь взмок, руки подрагивали. Набрал номер Генерального штаба, потом перебрал еще несколько телефонов — везде не отвечали. Тогда он позвонил коллеге — начальнику Главного штаба Военно-воздушных сил. Тот отозвался сразу.

— Полковник Крылов!

— Балаганский, — не здороваясь, сказал Георгий Петрович.— Вам звонил Хасбулатов?

— Руцкой[1] звонил, требовал поднять авиацию и бомбить Кремль.

— А вы что?

— Мы же не сумасшедшие. Хотели сообщить в Генштаб, только там трубки не берут... А что у вас?

— Да, примерно, то же самое, только без бомбардировки. — Балаганский отключился.

---

[1] Руцкой Александр Владимирович — в описываемый период вице-президент России, поддерживающий Верховный Совет в противостоянии ветвей власти.

Потом позвонил на квартиру Волынцу, доложил обстановку. Тот не стал прятаться за бюллетень:

— Сейчас приеду!

И действительно, через час главком приехал, вызвал к себе руководителей, обматерил заместителей, похвалил Балаганского:

— Молодец, в штаны не наложил, за чужие спины не прятался, от ответственности не бегал, сделал все правильно!

— Еще неизвестно, правильно или нет, — буркнул полковник Тарасов — зам. по боевой подготовке. — Посмотрим, как все обернется! Обстановка покажет!

Но обстановка показала, что Балаганский был прав. К вечеру Съезд народных депутатов и Верховный Совет России были разогнаны, Хасбулатов и Руцкой арестованы.

— Иди, отдыхай, Георгий, — сказал главком. — Возьми мою машину — сейчас вся Москва перекрыта. И хватит исполнять обязанности — считай, что ты уже полноценный начальник штаба!

Около девяти Георгий отпер замок своей квартиры. Только перешагнув порог, он почувствовал накопившуюся за последние дни усталость. Хотелось просто раздеться, упасть на кровать, вытянуться во весь рост и ничего не делать. Знакомый запах домашнего очага, такая привычная, домашняя атмосфера — всё вокруг излучало спокойствие. Но владевшее им внутреннее напряжение не отпускало.

— Это ты, Георгий?

Инесса выбежала в прихожую, помогла снять шинель, быстро поцеловала в щеку. Она была в белоснежном махровом халатике выше колен и лыжных шерстяных носках, которые странно выглядели в паре с домашними шлепанцами.

— Ножки мерзнут, — по-детски надув губки, пояснила она, поймав удивлённый взгляд мужа.

Георгий обнял жену за талию, поцеловал в губы.

— Ты что, курила?

— Нет, девчонки курили, вот и меня провоняли...

«На балконе курила, поэтому и носки надела», — понял холодный аналитик-штабист, который давно догадывался, что супруга тайком покуривает. Но любящий муж промолчал.

— Переодевайся, я пока ужин приготовлю. Ты же не предупредил, что придёшь...

— Жена мужа должна ждать всегда, — буркнул штабист.

Любящий муж попытался улыбнуться, но улыбка вышла неискренней — не хотелось даже шутить.

— Не нужно ужина, — сказал он. — Я не голоден. Купаться и спать.

Смысл последней фразы Инесса истолковала по-своему: когда муж вышел из ванной, она уже лежала в постели, как обычно, голой.

«Упасть на кровать и ничего не делать не получится, — поняли штабист и любящий муж одновременно. Но последний не огорчился. — А впрочем...»

Впрочем, делать ему почти ничего и не пришлось. Инесса вначале скользнула вниз, и горячие губы возродили усталую плоть к жизни, потом оседлала мужа и так умело начала сладострастную скачку, что все тревоги последних дней куда-то исчезли, а напряжение стало постепенно растворяться... Стрессы, ответственность, ожидание катастрофы как будто остались в другой жизни. А в этой не было места ничему, кроме выступивших от усердия капелек пота на груди, равномерно покачивающихся розовых сосков, разметавшихся по белым плечам волос, искаженного страстью любимого лица и закушенной губы... Они одновременно вошли в финальную фазу, вскрик любящего мужа и стон добросовестной жены слились воедино. Будто сраженная пулей, всадница повалилась рядом. Некоторое время они лежали молча и неподвижно. Потом Инесса повернулась на бок, прижалась всем телом, обняла, забросила на мужа ногу.

— Ну вот, ножки согрелись... Хочешь, потрогай... Балаганский погладил гладкую ступню.

— Да, действительно...

— О чём ты думаешь?

— Прихожу в себя. Это были очень напряженные дни.

— Бедный, бедный Жорик! — Она покрыла его щеку и шею поцелуями.

— Зато теперь я начальник штаба. Без всяких «ио»...

— Поздравляю! Теперь ты точно станешь генералом! Это надо отметить!

Инесса вскочила, выбежала из спальни и вернулась с бутылкой «Двина» и двумя бокалами. Георгий с удовольствием рассматривал обнаженное тело супруги.

— Наливай! — Она села, скрестив по-турецки ноги, и протянула бутылку мужу.

Он машинально взял ее, но не обратил на «Двин» никакого внимания, так как рассматривал то, что уже десять лет интересовало его больше многих других вещей.

— Куда ты смотришь? Или не насмотрелся еще? — довольно засмеялась Инесса. — Сейчас зальешь коньяком постель!

— Да вроде и насмотрелся, а все равно интересно. — Любящий муж плеснул в бокалы янтарную жидкость.

Они чокнулись.

— Давай за твое продвижение! — с воодушевлением провозгласила Инесса. — Всегда мечтала стать генеральшей! А Алка мне еще на свадьбе это напророчила!

Они выпили.

— Кстати, ты с Аллой связь поддерживаешь? — поинтересовался любящий муж.

— Да, поздравляем друг друга с праздниками. Иногда обмениваемся письмами.

— Как у них с Сергеем жизнь идет? — тем же тоном спросил начальник штаба.

— Она довольна: первая красавица в части, в нее все влюбляются! Работать не надо, делает что хочет, только по Москве скучает. Да с Сергеем проблемы: ревнует её по пустякам, пьянствовать стал.

— Странно! Он же спортсмен и выпивал очень умеренно...

— Когда это было! Тогда он был мажорчик, весь в шоколаде. А когда с жизнью сталкиваешься, то и пить начнешь, и дурь курить... Не так, что ли?

Но Георгий не отвечал — он крепко спал. Инесса вздохнула, налила себе еще коньяку, выпила... И тоже быстро заснула.

* * *

А далеко от дома Балаганских, в сибирской тайге, в «постели» из металла и бетона, спала «Сатана». В отличие от людей, её абсолютно не волновал ни конституционный кризис, ни секс... Волновало только изменение заданных параметров, соответствующих мирной жизни. Отсутствие из-за штурма телецентра «Останкино» радиовещания «Маяка» на частоте 549 кГц насторожило её «мозг» — главный компьютер. И радиообмен между частями ракетных войск и Центром был гораздо выше обычной нормы. Но, проведя тестирование остальных параметров, система успокоилась и вернулась в обычный режим. Лишь одним она была похожа на людей — физической усталостью. Как и человеку, каждой ракете отведён свой срок, и он недолог по сравнению с человеческой жизнью — всего 25-30 лет. Треть этого срока внутренние часы «Сатаны» уже отмотали, о чём компьютер бесстрастно внёс в свой реестр причудливую запись из единиц и ноликов.

9 ноября 1993 года
Москва

За одиннадцать лет со дня выпускного банкета кафе «Виктория» сменило нескольких хозяев, одну букву в названии, повысило статус и превратилось в итальянский ресторан «Vittoria».

«А дублёнка у Серёги осталась та же, — подумал Балаганский, глядя на прохаживающегося у входа Веселова. — Он тогда ещё хвастался, что отец ему привёз откуда-то, из Канады, кажется».

Георгий вылез из машины. В модном длинном пуховике тёмно-коричневого цвета с капюшоном, он был похож больше на завсегдатая злачных мест, чем на начальника Главного штаба РВСН. На самом деле рестораны Георгий не посещал и подаренное женой пальто надел второй раз в жизни: так получалось, что он всегда ходил в форме, — служба практически не оставляла свободного времени. Зато у Инессы времени было хоть отбавляй, и она частенько ныряла с подругами в модные кафешки. Хотя с какими подругами и в какие кафешки, оставалось только догадываться. Но любящий муж верил каждому ее слову и не задумывался на эту тему, а штабной аналитик предпочитал не нарушать такой безоглядной доверчивости.

— Капитан Веселов для прохождения курсов переподготовки и повышения квалификации офицерского состава «Выстрел» прибыл! — с улыбкой, не соответствующей принятой им стойке «смирно», отрапортовал Сергей.

— Вольно, карьерист! — усмехнулся Балаганский и протянул руку.

Они поздоровались и приобнялись, как это делают старые друзья после долгой разлуки.

— Ну, ты заматерел! — улыбаясь, заметил Георгий. — Раскормила Алла! Вон, дублёнка аж чуть не трещит по швам...

«А цвет лица — нездоровый, — отметил он про себя. — И мешки под глазами».

— Да не очень-то она меня балует, — отмахнулся Сергей. — Просто на дежурстве сидишь почти без движения... Вот ты — да, солидно выглядишь, почти по-генеральски...

Они зашли в просторный, неузнаваемо изменившийся зал: цветные витражи с пейзажами Средиземноморья, большая хрустальная люстра в центре, по кругу — галогеновые лампочки, испускающие с подвесного потолка острые лучики на покрытые бордовыми скатертями столы и стулья с такой же бордовой обивкой. Худощавый официант в расклешенных белых брюках, белом пиджаке с выглядывающей из-под него тельняшкой и белом берете с синим помпончиком изображал, надо полагать, итальянского моряка с одного из витражных парусников. Он провел гостей к уютному столику в углу, подал каждому толстый том в кожаном переплете. Веселов отложил свой в сторону.

— Заказывай на свое усмотрение, я все ем!

Балаганский бегло просмотрел меню.

— Чёрт-те что за названия! Официант! — позвал он командным голосом.

Худощавый юноша тут же возник у стола.

— Объясни мне по-русски, что это за блюда! — приказал Балаганский. — И посоветуй, что лучше выбрать!

«Моряк» кивнул.

— У нас замечательная итальянская кухня: восемь видов пиццы, лазанья, шесть видов пасты...

Балаганский поморщился.

— Нас интересует хорошее мясо!

— Тогда рекомендую медальоны из свиной вырезки с салатным миксом и сливочно-грибным соусом, а также каре ягненка на гриле с рулетиками из цукини...

— Неси! И бутылку красного вина.

— «Кьянти»? С мясным ассорти и острой закуской?

— Хорошо, — легко согласился Балаганский.

— Давай лучше водки возьмём, — предложил Веселов. — Вино для женщин. Тем более — столько не виделись...

Собравшийся уходить официант обернулся и вопросительно посмотрел на Балаганского.

— Неси «Кьянти», — подтвердил тот. И когда «моряк» отошел, строго сказал: — Завязывай с водкой, Серёга! Тебя уже представляли на увольнение, неужели не сделал выводов?

— Да сделал, сделал... Спасибо тебе...

Веселов хотел было назвать Балаганского, как в былые времена, Жоркой, но язык не повернулся —

все-таки перед ним сидел начальник Главного штаба РВСН.

— Спасибо тебе, Георгий! — растроганно сказал он. — Я и не надеялся, что оставят. Но я не алкоголик, ты же знаешь! Ну, выпиваю, есть грех. А они раздули дело... Там ведь по-другому с ума сойти можно — через день на ремень, теснота, почти тридцать метров над головой и постоянное ожидание войны!

— Как же остальные не сходят?

— Да что мне остальные?! Мне ведь кроме Аллы и не нужен никто. А она... Детей не хочет заводить или не может. Вроде бы и есть семья, а живём как чужие. Мужики вокруг неё постоянно вьются, цветочки дарят, майор-начпрод то парной оленины принесет, то пирог с зайчатиной, то еще чего! А ей нравится — улыбается, глазки строит. Говорит, что это просто знаки внимания, мол, каждой женщине такое приятно... А когда я «внизу» сижу, какое ей внимание оказывают?!

Официант принес бутылку вина и тарелки с закусками: ветчина, сырокопченые колбасы, паштеты, оливки, маслины, вяленые помидоры... Они выпили за встречу, за дружбу, за ракетные войска. Легкий хмель приятно кружил голову.

— Я ведь не знал, захочешь ли ты встретиться, — сказал Веселов. — Ты же вон какой большой начальник, подполковник уже... А я — капитан из-под земли, таких в войсках тысячи. Наудачу позвонил в приёмную, а меня и соединили сразу, и ты сам предложил увидеться. Такое редко бывает. Молодец, не зазнался! И помогаешь мне... Давай за тебя выпьем!

— Нет, — покачал головой Балаганский. — Лучше за порядочность, за человеческие отношения, которые не зависят от должностей!

— Да так и не бывает, — сказал Веселов, но до дна осушил бокал. — Хотя со мной вдруг все внимательными стали — и Ищенко, и замполит, и кадровик... Беседовали внимательно, заботливо, говорили, что в капитанах я засиделся, что мне надо продвигаться по службе, вот на повышение квалификации направили... А я сразу понял, что это ты им фитиля вставил!

Вино и закуски закончились, Балаганский заказал вторую бутылку, которую официант принес с основными блюдами. В разговоре наступила пауза. Георгий с аппетитом уплетал нежную ягнятину, запивая очень подходящим к ней вином, Сергей ковырялся в свиных медальонах, но пил исправно. Новая бутылка быстро подходила к концу.

— Ничего, я придумал, что сделаю, — вдруг сказал Веселов. Он заметно опьянел.

— Что ты сделаешь?

Сергей хитро усмехнулся.

— Скажу Алке, что ухожу на дежурство, а сам отсижусь где-нибудь и через несколько часов заявлюсь домой! Посмотрю, чем она занимается и кто ей «внимание оказывает»!

Балаганский нахмрился и отодвинул пустую тарелку.

— Послушай, Сергей, ты кто такой? Ракетчик или... — Он сдержался и оборвал фразу. — О чем ты думаешь?! Я тебя вперед продвинуть хочу, а ты назад пятишься! Сейчас ты так засрался, что я не могу тебя в Москву перевести — никто не поймет! Вот курсы закончишь, пить бросишь, в семье обстановку наладишь... По службе к тебе претензий нет, получишь должность старшего оператора пуска — там подполковничий «потолок», скандалы забудутся, и я тебя на законных основаниях возьму к себе в штаб! Вот такой у меня план! А у тебя план другой: Алку выслеживать, скандалы затевать... Вспомни, как за тобой девчонки табунами бегали и ты ими крутил, как хотел!

— Вот за это, наверное, и расплачиваюсь, — вздохнул Веселов.

— Ну, ты ещё скажи: «Судьба такая»! Помнишь, чему нас в Академии на диамате[1] учили? Человек сам хозяин своей судьбы! Короче, если ты свой хвост загаженный не отрубишь, на мою помощь можешь не рассчитывать! Понял?

— Понял, — кивнул Сергей и допил свой бокал. — Хорошее вино. Дорогое, наверное?

— По средствам, — сухо сказал Балаганов.

Он уже жалел, что сорвался на резкий тон. Надо было оставить этот разговор на потом. А то пригласил старого товарища на обед и сам же аппетит ему испортил... Впрочем, Сергей сам виноват!

Подошел официант, предложил десерт. Офицеры отказались.

— Счет, пожалуйста, — попросил Балаганский.

А Веселов, улыбаясь, рассматривал парнишку в дурацком берете и с выглядывающим в вырезе белой куртки треугольником тельняшки.

— Что смешного? — спросил Георгий.

— Вспомнил, как мы с моряками дрались. А эта сука, Дыгай, уже тогда на нас наступал... Кстати, не знаешь, как мой должник, Мишаня, поживает, где подъедается?

Капитан Дыгай служил в сорок первой ракетной армии в ста километрах от полка, в котором начинал службу лейтенант Балаганский. Все эти годы нес служ-

---

[1] Диамат — диалектический материализм.

бу «внизу», характеризовался положительно, взыска-
ний нет, имел благодарности от командования. Два
года назад был представлен к Почетному знаку «Отлич-
ник РВСН», но Балаганский вычеркнул его из списка.

— Не интересовался! — равнодушно сказал Георгий. — И хватит уже про долги... Столько лет прошло!

— Хватит?! Нет, не хватит! — Сергей повысил голос. — Это он моих родителей раньше времени на тот
свет отправил! Так что для него срока давности нет...

— Да? — остро глянул Балаганский. — Ну, тебе
видней...

Он уже понял, что от Веселова толку не будет: тот
живет не по корпоративным законам офицеров ракетных войск, а по своим представлениям об окружающем мире. Представлениям, искаженным алкоголем
и личной обидой. На таких людей полагаться нельзя:
могут подвести в решающую минуту. И это их последняя встреча. Он сделал все, что мог. Если Сергей ис-
пользует подвернувшуюся возможность — очень хорошо! А если нет... Как написали классики: «Спасение
утопающих — дело рук самих утопающих»...

Они вышли из ресторана, сдержанно попроща-
лись и разошлись в разные стороны. У машины Балаганский остановился, повернулся и долго смотрел
вслед старому товарищу. Тот шел нетвердой походкой,
иногда покачиваясь, и наверняка что-то бормотал.
Быстрое опьянение — один из признаков алкоголиз-
ма... Да-а-а... Их пути разошлись! Три товарища... В ту
давнюю новогоднюю ночь они не знали, как сложится
дальнейшая жизнь, строили планы на будущее и договорились, что тот, кто сделает карьеру, потащит за собой и других. Кстати, это предложил Дыгай. И он же
всё торпедировал после той самой новогодней ночи.
Действительно, сука!

Западная Сибирь
УКП группового старта второго полка третьей
дивизии сорок первой ракетной армии

А сука Дыгай привычно сидел «внизу», на глубине двадцати шести метров, на одиннадцатом уровне УКП, за боевым пультом. В это дежурство, как обычно, вторым номером у старшего оператора пуска капитана Дыгая был лейтенант Игорь Кульгавый. «Притёршихся» друг к другу офицеров боевого расчёта без необходимости по разным сменам старались не разбивать. Конфликты в смене никому не нужны — боевой расчёт не амбар с зерном охраняет, да и не с дробовиком...

— Что-то вентиляторы гудят громче обычного, — вдруг сказал Дыгай. — А воздуха гонят меньше... Дышать тяжело стало...

— Да нет, всё как всегда, — удивился лейтенант. — Вентиляция в норме, товарищ капитан.

— Ну, ладно...

Но воздуха не хватало. Да и круглые стены трехметровой капсулы вроде бы стали сходиться, сжимая и без того тесное помещение. Михаил понимал, что такого быть, конечно, не может, но чувствовал, что пространство сужается, и ничего поделать с этим чувством не мог. На него волнами накатывал страх, он вспотел и незаметно протер лицо платком. Сейчас бы подняться наверх, глотнуть свежего воздуха, ощутить безграничный простор окружающего пространства, и страх пройдет! Но это исключено, и сам факт невозможности выйти на поверхность угнетал больше всего! Если бы можно было хотя бы позвонить Надежде или поговорить с Колькой, но это тоже исключено. До конца дежурства оставалось четыре часа, но каждая минута кажется часом!

— Давай, Игорь, подежурь, я спущусь, подремлю, — сказал Дыгай, стараясь, чтобы голос не выдал его чувств. — Если что — буди!

— Есть, товарищ капитан!

По вертикальному трапу он спустился на двенадцатый ярус, в комнату отдыха. Две койки одна над другой, откидной столик, маленький обшарпанный холодильник с запасом продуктов, над ним опломбированная аптечка, туалет... По нормативам, дежурная смена способна нести службу в автономном режиме полтора месяца. Полтора месяца! Это же с ума можно сойти!

Дремать Дыгай, конечно, не собирался: каждая клеточка его тела дрожала от возбуждения, ни о каком сне не могло быть и речи! Он ушел сюда, чтобы напарник не видел, что с ним происходит. Потому что страх — вещь заразная: Дыгай был достаточно опытен, чтобы знать: паника легко передается от одного человека к другому и способна охватить большие массы людей. А тут их только двое. И если обоих накроет псих, то придется сообщать наверх, менять дежурную смену и направлять спецсообщение в Москву. А это чрезвычайное происшествие!

Оставшись один, Дыгай, против ожидания, почувствовал себя еще хуже: воздуха не хватало, а страх заполнил все его существо и рвался наружу — криком, какой-нибудь дикой выходкой, битьем головой о стену... Он принялся приседать, потом отжиматься, чтобы отвлечься, переключиться, обмануть страх... Но ничего не помогало. Дыгай ударил кулаком в стену, но и боль не помогла избавиться от нарастающего ужаса. Стало ясно, что больше он никогда не спустится «вниз», значит, все равно придется писать рапорт и скрывать свое состояние не имеет смысла.

Михаил сорвал с аптечки листок с печатями и открыл дверцу. Вот то, что ему нужно! Вскрыв пачку транквилизатора, он проглотил таблетку. И сразу стало спокойнее. Не потому, что лекарство так быстро подействовало: просто организм понял, что теперь страх пройдет, и он действительно прошел. А через пять минут Дыгай почувствовал, как внутри его все расслабляется, чувство нехватки воздуха исчезло, а железная капсула, удавом сжимающая его тело, расширилась до привычного диаметра и уже не вызывала беспокойства.

Повеселевший Дыгай вернулся на одиннадцатый ярус.

— Не заснул, — пояснил он напарнику. — Хочешь, пойди отдохни. Что ты так подозрительно смотришь?

— Нет, ничего, товарищ капитан... Вы нормально себя чувствуете?

— Нормально, а что?

— Лицо красное, пот выступил, и вообще...

— Я там физкультуру делал: приседал, отжимался. Всё тело затекло!

Лейтенант Кульгавый смотрел недоверчиво. Стало ясно, что в рапорте о дежурстве он, как и положено, напишет о странном поведении старшего оператора. Ну, да теперь это уже не имело значения.

Сменившись, Дыгай направился прямиком в санчасть.

— Это клаустрофобия, — сказал моложавый майор медицинской службы с розовым лицом. — Нести службу под землей вы не можете, от боевых дежурств я вас отстраняю. Сейчас выпишу направление на военно-врачебную комиссию.

Комиссия состоялась через неделю, в окружном госпитале. Предварительный диагноз подтвердился. Заключение гласило: «Клаустрофобия. Годен без ограничений к службе на наземных объектах. Негоден к службе в условиях ограниченного пространства».

Капитан Дыгай был отправлен в отпуск, а после возвращения принял под командование первую роту отдельного батальона боевого обеспечения.

Часть вторая
НАЙТИ «САТАНУ»

ГЛАВА 1

Находка в тайге

8 мая 2012 года
Западно-Сибирская тайга

Неделю лил дождь, земля и листва деревьев напитались влагой. Изба деда Осипа и бабки Дарьи была в Листвянке крайней и обычно первой встречала редких гостей таёжной деревушки. Так получилось и на этот раз. Рев мотора и лязг гусениц взбудоражил всю округу и заставил хозяйку отложить шитье и выглянуть в окно. У окраины селения она увидела вездеход, наматывающий на траки комья весенней грязи.

— Выйду, гляну, кто это к нам пожаловал на таком тракторе, — сказала она мужу, который снаряжал патроны и как раз отвешивал порох, а потому не стал отвлекаться от столь ответственного дела.

Но Дарья и не ждала одобрения или разрешения — подняв на лоб очки на резинке и набросив на плечи телогрейку, она вышла на низкое, покосившееся крыльцо. Небо очистилось, ярко светило солнце, но прохладный ветерок рассеивал теплые лучи, напоминая, что сибирское лето еще не вступило в свои права. Она плотнее запахнула телогрейку и, кряхтя, влезла в обрезанные резиновые сапоги.

Желающих поглазеть на неожиданных пришельцев оказалось немало. Почти весь поселок высыпал на улицу. Некоторые смотрели издали, рассудив, что гости никуда не денутся, да и все новости вмиг разлетятся. Многие подходили поближе. Опираясь на палку и прихрамывая на правую ногу, шёл навстречу гостям Гришка Бессарабец, наверняка надеясь, что приезжие угостят его выпивкой, за ним семенила любопытная Ефросинья Астахова — вдова недавно усопшего ветеринара, за ней волчатник Пашка Крымов с женой, фельдшер Кривобок, который лечил всем больные зубы, Валентина Рожкова — бывшая роковая красавица...

Бабке Дарье далеко идти не пришлось, она спустилась с крыльца и вышла за калитку. Вездеход не доехал до нее метров десять, чихнул двигателем и заглох. С пассажирского места из кабины вылез на подножку молодой парень в черном свитере под горло, с худым, покрытым щетиной лицом, спрыгнул на землю и пошёл навстречу селянам, чавкая по грязи высокими сапогами с отвёрнутыми голенищами, в которые были заправлены серые рабочие брюки из грубой ткани. Наружу вышел и бородатый водитель, неспешно закурил, прошелся, разминая ноги, а из верхних люков высунулись до пояса плотный мужчина в потертой кожаной куртке и худенькая девушка в мужской клетчатой рубашке из плотной фланели.

— День добрый! — поздоровался парень в свитере, подходя поближе и располагающе улыбаясь. — Меня Егором зовут.

— Здравствуйте! — закивали местные, собираясь в круг вокруг нежданного пришельца.

Они были похожи друг на друга: все одного возраста — за пятьдесят, одинаково одетые — и мужчины и женщины в темных куртках, темных штанах или юбках, кепках или платках. У всех усталые лица и тусклые глаза — жизнь здесь нелегкая.

— Как живете-можете? — издалека начал разговор приезжий.

— Живем, как можем, — заулыбался Гришка, демонстрируя отсутствие передних зубов.

У всех остальных тоже были щербатые рты: лечение Кривобока сводилось к удалению больного зуба, протезированием здесь никто не занимался, а ездить в райцентр из-за таких мелочей было не принято.

— А вы кто такие? С чем пожаловали?

— Геологи мы. Молибден ищем. Слыхали про такой металл?

— Не, мы больше по зверям, — покачал головой Крымов.

Егор достал из кармана куртки маленький камень с отливающими на солнце металлическим блеском вкраплениями свинцово-серого цвета.

— Вот такие камешки нигде не находили? Они должны в ваших местах водиться. Может, попадались кому?

— Это чё, и есть молибден? — спросил Гришка, пытаясь рассмотреть камень подслеповатыми глазами.

— Почти. Это руда, молибденит называется.

— Нее, — причмокнул беззубым ртом Гришка. — Где я такое увижу? На ветке, что ли? Или в огороде? Пушнина у нас имеется, если нужна, могём договориться...

— Нет, пушнина без надобности, — вздохнул Егор и разочарованно потер скрипящую щетину.

— Ну-ка, дай глянуть, — неожиданно для всех сказала бабка Дарья и протянула морщинистую руку. Когда блестящий камешек оказался на мозолистой ладони, она вернула очки на место и принялась его внимательно рассматривать.

— Ты, Дашка, небось в руде хорошо разбираешься? — поддела ее Рожкова и засмеялась, прикрывая рот ладошкой.

— Не так, как ты в х...х, похуже, — парировала Дарья и вернула камешек. — Те геологи, что до вас были, тоже это искали. Не знаю, нашли или нет, а только их старший Ульяну, подругу мою, увёз в город, женился...

— Когда это было?!

— Да уж полвека минуло, мы молодые были, красивые, — улыбнулась старушка. Зубов у нее тоже не хватало. — А ты, милок, подумал, что он на бабку позарился?

— Экспедиция Ерофеева, — задумчиво произнёс геолог. — Этот камешек они нашли. А сейчас мы их результаты и проверяем.

— Долго же вы собирались, — засмеялась бабка Дарья, тоже прикрываясь ладошкой.

Егор пожал плечами.

— Тогда разведали большое месторождение под Карагандой, его и стали разрабатывать. А теперь обстановка изменилась, Казахстан стал другим государством, вот мы и ищем свои богатства... А карты Ерофеева пропали, в живых участников экспедиции не осталось, только район известен. Потому мы вас и спрашиваем.

— Я таких камней не встречал, — сказал Крымов и, развернувшись, пошел к своему дому.

Еще несколько человек, утратив интерес к происходящему, последовали его примеру.

Зато вышел из дома дед Осип, уверенной походкой подошел к Егору, поздоровался за руку.

— Че это вы тут рассматриваете?

Геолог молча показал кусочек руды, Осип задумчиво покрутил его в руках.

— Я такой когда-то у Васьки Зенитчика видел, — наконец сказал он. — Васька тогда бегал как змеей укушенный, всем показывал: думал, золотую жилу отыскал... А оказалось — никакое это не золото...

— Точно? — оживился Егор, испытующе рассматривая нового собеседника.

Осип выгодно отличался от односельчан: у него имелись все зубы, хотя и пластмассовые — он не поленился специально поехать в райцентр и заказать вставную челюсть. И держался солидно.

— Точно не скажу, я анализов не делал, — степенно сказал Осип. — Но похожий.

— А кто такой этот Зенитчик?

— Так это мой друг! — воскликнул Гришка, оживленно жестикулируя. — Мы с ним не разлей вода! Он мне тогда хвастался, что за Черным урочищем золотую жилу нашел, обещал весь поселок водкой залить! Только облом вышел с этой жилой... А потом его и посадили... Вот если б взаправду нашел золото, то вместо тюрьмы жил бы в каменном доме в Таёжном — райцентр, магазины, ресторан... Ведь так же?

— Наверное, так. — Геолог внимательно рассматривал синие от татуировок пальцы собеседника. — А вы, я вижу, тоже в тюрьме побывали?

— Было дело. — Гришка спрятал руки за спину. — Ни за что посадили — за шкурки! Браконьерство пришили...

— Это первый раз! — вмешалась Ефросинья. — А второй раз за Верку — чуть не до смерти забил девку... А третий — когда с ружьем за всеми гонялся, стрелял куда ни попадя.

— Понятно, — кивнул Егор и отвернулся от Гришки к женщинам. — Тогда лучше вы мне расскажите: что за человек этот Зенитчик?

— Васька-то? — влезла бабка Дарья, опередив Ефросинью, которая уже открыла рот. — Та-а-акой кобель был в молодые годы! Вон, с ней воловодился, с Валькой... — Она указала узловатым пальцем вслед уходящей Рожковой. — Пока у Вальки мужик в тюрьме сидел, он к ней вечером — шасть! А муж вернулся, голубков застукал, вынул ножик и попер, как у них в тюрьме принято... А у Васьки тоже ножик оказался...

— Охотничий, в сапоге! — уточнил Гришка, разводя указательные пальцы сантиметров на двадцать пять и радостно подхихикивая, будто это у него нашелся клинок в трудную минуту.

— В общем, зарезал он его, — продолжила Дарья.

— Ничего не зарезал, Колян сам напоролся, — снова вмешался Гришка.

— Сам, не сам, только дали ему семь лет. — Бабку Дарью было трудно сбить с мысли. — А когда возвратился, пить стал по-черному...

— И ничего не по-черному... Нормально пьет, как любой мужик...

— Но тайгу он зна-а-ает, хорошо знает. С детства с отцом на охоте пропадал...

— Чего он там знает! Больше болтает! Одно слово — Зенитчик! Батя его, Дормидонт, тот был настоящий охотник и тайгу знал, как свой карман! — Осип махнул рукой и пошел обратно в дом.

— А почему его Зенитчиком зовут? — поинтересовался Егор.

— Это уже потом он болтать стал, когда из тюрьмы вернулся, — вмешалась Ефросинья. — Будто по молодости из ружья самолет сбил. Вот за это и прозвали Зенитчиком. Брехун, одним словом!

— Да-а-а, — разочарованно протянул Егор. — А отец его где?

— И-и-и, милый, Дормидонт давно в тайге сгинул, — покачала головой Ефросинья.

Геолог удивился.

— А как же так, если тайгу знал, как свой карман?

— Так это ж тайга! — снисходительно пояснил Гришка. — Зайдет тебе медведь за спину, набросится, поломает да скальп снимет... Ты и не вспопашишься! Или трясина засосет... Или...

— Там другое, — махнула рукой всезнающая Ефросинья. — Болтают, убили его, за то, что чужие ловушки разорял...

— Могёт, и так, — согласился Гришка. — В тайге разговор короткий. А он действительно по чужим территориям ходил...

— Ну... Если так, веди к своему Зенитчику, — вздохнув, попросил Егор.

— Да чего ж мне с палочкой по грязи-то ползать? Давай на твоей колымаге, — не дожидаясь ответа, Гришка поковылял к вездеходу.

Егор двинулся за ним, но сделав пару шагов, остановился.

— А вы столько лет здесь прожили... Не жалеете, что, как подруга, не уехали? — обернувшись, спросил он у бабки Дарьи.

Она задумчиво пожевала губами.

— Я-то? Так меня никто и не звал. Да и чего жалеть! У Ульяны своя судьба, а у меня своя...

— Ну, ладно, спасибо за помощь! Счастливо оставаться!

Егор улыбнулся и пошел к вездеходу.

Гришка уже перезнакомился с геологами, выпросил сигарету у Петровича, почтительно поздоровался с Дремовым, безошибочно определив в нем старшего, зубоскалил с Наташей, обещая подарить соболиные шкурки.

— Ну, так чё? — увидев Егора, переключился он. — Поедем, что ли?

— Залезай! — вместо ответа скомандовал Егор, и через минуту вездеход тронулся по единственной, непроезжей для другого транспорта улице поселка.

Гордо восседающий в кабине Гришка высунулся в окно и махал рукой выглядывающим из-за заборов односельчанам. Это был момент его триумфа. Но продолжался он недолго: метров через сто пятьдесят машина остановилась у покосившейся избы Васьки Зенитчика.

— Пойдемте с нами, Дмитрий Эдуардович! — сказал Егор. — Для солидности!

Втроем они подошли к обветшавшему забору.

— У Васьки в доме две лайки живут. Любит Васька собак. Сам голодать будет, а их накормит, — сообщил Гришка, открывая полусгнившую деревянную калитку. — Вы их не бойтесь. Они охотники, а не охранники.

Он постучал в дверь, за которой тотчас раздался дружный собачий лай.

— Ну, всё, харош! — прозвучал хриплый окрик хозяина, и лай прекратился.

Дверь отворилась, из глубины комнаты пахнуло собачьей шерстью и перегаром. На крыльце появился бледный худой старец с седой неухоженной бородой. Колючие глаза быстро обежали неожиданных гостей. Он явно был нетрезв.

— Здоров, Вась! — сказал Гришка. — Вот, геологов к тебе привёл...

— Это не геологи, — возразил хозяин и сунул руку за спину. Язык его заплетался. — Это особисты переодетые, по мою душу прибыли! Спасибо тебе, братан!

— Да что ты, Вася! — испугался Гришка. — Всамделишные геологи, я их знаю! У них и кусочек руды с собой...

— Мы действительно геологи! — выступил вперед Дремов и протянул вперед руку. — Говорят, вы такие камешки находили?

— Брешут, ничего я не находил! — отрезал Василий. — Вы их меньше слушайте! Такого наплетут!

— Как же так, Вася? — засуетился Гришка. — Ты же сам говорил: за Черным урочищем целая жила! Ты еще думал — это золото! Забыл, что ли?

— А ты, Иуда, свое получишь. — Васька-Зенитчик вытянул руку из-за спины, только теперь в ней был зажат нож.

Егор и Дремов шарахнулись назад, а Гришка вообще отбежал к калитке.

— Стременулись, суки! — засмеялся Зенитчик и, слегка присев, угрожающе выставил клинок.

Сразу стало ясно, что это не древний старец, а мужик лет пятидесяти, который хотя и спился, но с ножом управляться умеет.

— Давай, налетай, хоть по-одному, хоть всем скопом! — Бывший зэк стал медленно надвигаться на геологов.

Такого оборота никто не ожидал. Егор попятился, а Дремов дрожащими руками расстегнул куртку и принялся вынимать из тугой кобуры «ТТ», но пистолет не вынимался — вспотевшие пальцы соскальзывали с рукоятки. Увидев оружие, Зенитчик остановился и по-волчьи оскалился.

— Теперь точняком ясно, какие вы геологи! — процедил он и пошел обратно в дом.

Дверь захлопнулась, снова залаяли собаки.

— Уходим, быстро! — крикнул Гришка. — Сейчас он ружье вынесет!

Они выбежали за калитку, быстро погрузились в вездеход, ничего не понимающий Петрович дал по газам, и машина помчалась прочь.

— Что там случилось? — спросила Наташа.

— Да он нас чуть не зарезал! — тяжело дыша, сообщил Егор. И накинулся на Гришку: — Ты нас куда привел?!

— Куда, куда, — с плаксивыми нотками сказал тот. — Откуда я знал?! Вам хорошо, вы уехали, и ищи-свищи... А я-то тут останусь! Слышали, как он мне грозил? А впустую грозиться западло. Значит, сделает! А вы мне даже стакана не налили! И зачем я с вами связался?!

— Ты по карте ориентируешься? — спросил Дремов.

— Ну. А что?

— Покажешь, где Черное урочище, я тебе целую бутылку дам.

— Конечно покажу! — окрепшим голосом воскликнул Гришка.

На околице вездеход остановился, Дремов развернул карту, и Гришка уверенно ткнул в нее пальцем.

— Вот оно! А ваши камешки надо где-то здесь искать!

Дремов выдал ему обещанную бутылку водки. Гришка довольно покрутил ее в руках.

— Настоящая, заводская! Ну, уважили! Спасибо!

Он ловко выбрался наружу, привычно свернул пробку, припал к горлышку и в несколько глотков наполовину опустошил бутылку. На лице появилась блаженная улыбка.

— Хорошо пошла! Аж кровь заиграла!

— А как же ты теперь с Зенитчиком разойдешься? — спросил Егор.

— Да очень просто! Возьму ружжо и завалю гада! — не переставая улыбаться, сказал Гришка и снова поднес бутылку ко рту.

Петрович восхищенно наблюдал, как остатки водки переливаются в организм Григория.

— Вот это да! Из горла, да в два глотка!

— Ладно, поехали! — приказал Дремов, и вездеход тронулся с места.

— Когда найдете, меня не забудьте! — крикнул Гришка. — Проставьтесь, как положено!

Не получив подтверждения, он швырнул вслед вездеходу сверкнувшую на солнце бутылку, развернулся и направился восвояси. Причем он почти не хромал и не опирался на палку, зато ругался и грозил кулаком всем своим врагам, как действительным, так и мнимым.

* * *

Тучи снова заволокли небо: над тайгой зарождалась гроза. Ещё до того, как помрачневший небосвод перечеркнули первые зигзаги молний, большая темно-серая крыса, давно живущая в ракетной шахте, почувствовав сгущение электричества в атмосфере, беспокойно заметалась по кабелям и шлангам, ведущим к гигантской колонне транспортно-пускового контейнера, проходящим сквозь его стенки и через специальные узлы присоединенным к находящейся внутри ракете. Вынырнув из хитросплетения кабелей, она, с трудом удерживаясь на гофрированной стали, пробежала по дозаправочному шлангу, задрав голову, принюхалась, вдохнув острым носом воздух и... жалобно пискнув, сорвалась и полетела на дно шахты уже мертвой: высокотоксичный и летучий гептил, окислив за многие годы металл, сумел просочиться сквозь резьбу. И вода постепенно просачивалась в шахту: на внутренней стороне бетонной стены появились два больших влажных пятна. Но в герметичном контейнере тело самой «Сатаны» оставалось по-прежнему матово-чёрным, без единого признака коррозии. «Радиоактивный фон в норме, — фиксировал главный компьютер. — Сейсмологическая обстановка в норме, ионизация атмосферы повышена в пределах нормы»... Оснований для старта все еще не было.

В сотне метров над тяжелой крышкой полыхнула яркая вспышка, расколов черное небо и рассыпавшись по нему десятком больших и маленьких молний. Одна из них ударила в опору ЛЭП, и тут же с запозданием донесся раскат грома, будто небо и впрямь лопнуло пополам. В грохоте и треске искр оторвавшийся от изолятора провод полетел вниз и опасной змеей свернулся в ветвях вековой ели.

«Обесточивание основного источника питания», — бесстрастно зафиксировал главный компьютер, моментально послав импульс на переключатель резервного питания. Мощные аккумуляторы, способные в режиме экономии обеспечивать автономную работу системы в течение 15 суток, приняли вахту на себя. На поверхности по-прежнему ничто не выдавало происходящих под землей событий — аккумуляторы не производят шума, не дают дыма и копоти. Если до момента их разрядки по подземной линии, проложенной от ЛЭП к ШПУ, не потечёт ток, аппаратура включит дизель-генераторную установку, рассчитанную ещё на 30 суток. Но и тогда шум из специально оборудованной камеры не просочится наружу, а дым, пройдя сквозь специальные фильтры, обесцветится и не будет заметен со спутника или самолета. Только чувствительное обоняние обитающего в округе зверья уловит запах отработанной солярки. Но ни один зверь не может помешать работать системе, расчитанной на противодействие человеку. А ДРГ[1] противника, к счастью, отсутствуют как на окружающей, так и на всей остальной территории России.

ЛЭП питает многочисленные населенные пункты — от поселков и райцентров до многотысячных городов. Поэтому сразу после аварии вездеход аварийной бригады двинулся вдоль обесточенного участка линии электропередач. А к утру следующего дня неисправность была обнаружена и ликвидирована. Система энергообеспечения ракеты переключилась на основной источник питания, аккумуляторы стали на подзарядку и пополнили растраченный запас энергии до номинального. Так уже было несколько раз, и до включения дизель-генераторной установки очередь никогда не доходила.

И сейчас «Сатана» продолжала штатно нести боевое дежурство в автоматическом режиме. О некоторых отклонениях в окружающей обстановке свидетельствовал только труп крысы на дне шахты, но его никто не рассматривал и к числу факторов, имеющих значение для функционирования ракеты, он не относился.

И очередная серия единиц и нолей, вписанная в реестр контроля окружающей обстановки, зафиксировала, что оснований для старта по-прежнему нет.

---

[1] ДРГ —диверсионно-разведывательная группа.

15 мая 2012 года
Западно-Сибирская тайга

Дремов слыл самым тихим и интеллигентным из начальников геологических партий. Он даже ругался тихо и интеллигентно. Как эти качества совмещались с его жестким характером и физической крепостью, для подчинённых оставалось загадкой.

— Кого ты нашел себе в советчики? — не повышая голоса, возмущался он и почти ласково подпустил пару эпитетов, обычных для разноса начальником подчиненного.

Они сидели у костра, на полянке, неподалеку от вездехода, вяло отбиваясь от пока еще немногочисленного гнуса. Было довольно прохладно, и все жались ближе к огню. Наташа варила мясной суп из тушенки и сейчас, попробовав, всыпала в котелок вермишель. Петрович меланхолично курил, а Дремов распекал Егора.

— Алкоголики-рецидивисты, один — вообще бандит. Порезал бы нас — и сорвалась экспедиция, важное задание — псу под хвост.

Снова последовало несколько нецензурных эпитетов, которые в исполняемой тональности воспринимались как легкий укор.

— Так у вас же пистолет есть, Дмитрий Эдуардович! — вроде простецки, а на самом деле с подковыркой воскликнул Егор и незаметно подмигнул Петровичу.

— В следующий раз я его тебе дам! — слегка повысил голос Дремов. — Я же не полицейский — в бандитов стрелять... И ты, кстати, тоже. Напомню тебе, что мы геологи. И вот целую неделю тут копаемся, а что нашли?

— Ладно, Эдуардыч, что ты на парня наезжаешь? — вмешался Петрович. — Он-то при чем? Мы что, сразу всегда жилу находим? Бывало, по полгода гнуса кормили...

— Нет, на полгода я не согласна! — возмутилась Наташа. — Мне уже осточертели эти консервы... И «Дэтой» так провонялась, что не только мошки, но и мужчины в городе будут от меня шарахаться...

— Может, это и к лучшему, — сказал в сторону Петрович. Его раздражало, что лаборант и по совместительству повариха ведет себя как заместитель начальника. Впрочем, основания для этого у нее имелись.

— Что вы имеете в виду?! — взвилась девушка.

— А давайте мы завтра с утра на охоту сходим, — невинным тоном предложил Егор начальнику, соскакивая с основной темы. — Всё равно Ната будет сегодняшние пробы проверять, а вы ее проконтролируете...

— Гм. — Идея контролировать лаборантку в опустевшем лагере явно понравилась Дремову, но на то он и начальник, чтобы не соглашаться с глупыми предложениями подчиненных. — На охоту! Это тебе не практиканток в Сочи щупать! А если на медведя напорешься?

— Так я ружье возьму с жаканами, Петрович карабин, — не сдавался Егор. — Медвежатину тоже есть можно.

— Да куда здесь идти?! Ни одной тропы, ни одной затёски на дереве... По бурелому напролом лезть?

— Да мы недалеко, Эдуардыч, — поддержал Егора Петрович, почесывая бороду. — Куропатку хотя бы какую на обед добудем, или глухаря. Заодно тропу поищем или просеку... Всё равно ведь дальше пробираться нужно как-то.

— Идея хорошая, мне нравится, — оживилась Наташа. — Дичь можно на вертеле зажарить, я шашлык люблю.

— Рацию возьмите, — согласился, наконец, начальник. — И связь проверяйте, чтоб не выйти за радиус действия.

— Ладно, не первый раз замужем, — кивнул Петрович.

Вышли они с утра, как только рассвело, взяли с собой все, что надо. Первое, что проверяют по карманам в тайге, даже если удаляются от жилья «на минутку», — наличие спичек и «Дэты». Самый страшный хищник в тайге — не волк и не медведь, а гнус. Но пока настоящий сезон гнуса не настал. Холодно для него ещё. Да и для людей тоже не жарко, хотя и май на дворе. Здесь еще не совсем весна. Под деревьями то тут, то там лежат ноздреватые сугробы, лужи подернуты коварным льдом, который проваливается под болотными сапогами, открывая порой метровую яму. Егор поддел термобельё под рабочий комбинезон, взял двустволку с дробовыми патронами: в левом стволе дробь первого номера — на зайца или гуся, в правом третьего — на глухаря, утку, перепелку. На пояс повесил большой охотничий нож, в карман положил несколько пулевых патронов, если вдруг медведь появится... Но в основном для медведя предназначался карабин СКС[1], болтавшийся за спиной Петровича, который шел впереди, как более опытный таежник. Это он предложил взять шесты — при движении по бурелому вещь незаменимую.

Охота не задалась с самого начала. Тайга казалась вымершей, дичь будто спряталась или исчезла. Они

---

[1] СКС — самозарядный карабин Симонова.

прошли километра полтора, не встретив особых препятствий, только два раза пришлось перебираться через завалы из полусгнивших деревьев. Но никакой живности не встретили.

— Как думаешь, Петрович, куда все зайцы делись? — спросил Егор.

— Как «куда»? Узнали, что ты идешь, и в норы забились, — хохотнул Петрович. — Ты не просто смотри по сторонам, ты воздух нюхай. Тогда звериный запах учуешь...

— А вон белка! — сказал Егор, запрокинув голову. — Кстати, белок есть можно?

— Только если совсем подопрет. Там же мяса с гулькин хрен, когда шкурку снимешь, совсем ничего не останется. Если штук пять набить, можно шулюм сварить.

— А если...

«Фррр», — раздалось сзади, геологи обернулись и увидели, как из-под куста, который они только что миновали, выскочил крупный заяц и огромными скачками пустился в бегство, причем не в обратную сторону, что увеличивало его шансы, а вперед, подставляя себя под выстрел.

— Заяц, заяц! — суматошно заорал Егор, сдергивая ружье и вскидывая приклад к плечу.

Сразу должен был грохнуть выстрел, но выстрела не было: только Егор дернулся вперед, ожидая отдачи, которой не последовало. Зверек скрылся в кустах.

— Ты что? — изумленно воскликнул Петрович.

— Да это... Предохранитель забыл снять...

— Голова твоя дубовая! — Петрович постучал себя согнутым пальцем по лбу. — Ты не об охоте думаешь, а черт-те о чем! Он килограммов пять весил!

— Ладно, с каждым может случиться, — буркнул Егор. — Ты-то сам что не стрелял?

— Из карабина?! Я что тебе — ворошиловский стрелок?!

— Хоть попробовал бы наудачу: может, и попал бы... А ты даже его с плеча не снял...

— Стрелки переводишь? — Петрович покрутил головой. — Вот молодежь пошла: ни одного дела поручить нельзя, только болтать молодцы...

— Ладно, ладно... Я теперь ружье в руках нести буду и предохранитель сниму.

— Еще чего придумал! — возразил Петрович. — Чтобы мне в спину пальнуть? Тогда иди впереди! И смотри, чтобы себе ногу не отстрелить!

— Ладно, не бойся...

Некоторое время они шли молча. Солнце поднялось над тайгой, и под деревьями стало светлее. Дорогу пересекал широкий овраг, придерживаясь за стволы деревьев, они спустились вниз. Дождевые потоки смыли почти весь снег, а каменистая почва не раскисла.

— Давай тут пойдем — удобнее, — предложил Егор.

— А главное, здесь зайцы должны быть, — сказал Петрович. — Смотри в оба.

— Да смотрю, смотрю... А как ты думаешь, Эдуардович Наташку уже проконтролировал?

— Опять?! Закрой рот и не болтай!

— Да это я не болтаю, а прикидываю: можно уже возвращаться или еще рано.

— Куда возвращаться?! — возмутился Петрович. — С пустыми руками, что ли? Зачем тогда ходили, ноги били?

Впереди начинался завал, когда они подошли поближе, из-под сломанных стволов выскочили сразу два зайца и бросились в разные стороны.

— Давай, Егор! — крикнул Петрович.

Грохнул выстрел. Мимо!

— Ну, ты совсем ...! — Петрович тоже подпустил неприличный глагол, но поскольку тон у него был не такой, как у Дремова, то Егор обиделся.

— Хочешь, забери ружье и сам стреляй, а я буду комментировать!

— Да ладно, ладно, не кипятись! — не стал обострять ситуацию Петрович. — Пошли дальше, их должно быть много.

Они стали перебираться через завал.

— Странно... Это не сгнившие деревья упали, — вдруг сказал Петрович. — Глянь, вокруг стволы стоят наполовину поломанные, новые ветки пустили... Кто их мог так обломать?

— Может, молния?

— Молния одно дерево сломить может, а тут вон сколько наваляло...

Егор поскользнулся и с помощью шеста едва удержал равновесие.

— Черт, я чуть ногу не сломал!

Петрович сосредоточенно молчал: стволы были покрыты изморозью, и приходилось смотреть, куда ступаешь. С трудом перебравшись через завал, они остановились, переводя дух.

— Смотри, Петрович, что это?! — вдруг воскликнул Егор.

Впереди, среди деревьев, блестело что-то явно чужеродное для таежной природы.

— Пойдем, глянем...

Они прошли метров сорок и остановились как вкопанные.

— Ни фига себе!

Среди деревьев, разорванный пополам, как бумажный, лежал фюзеляж самолёта. Крылья оторваны, передняя часть сплющена, тонкий слой зелено-бурого мха пятнами покрывает светлый металл. Блеск вертикального оперения и увидели геологи.

— Давно лежит, — сказал Петрович таким тоном, будто они нашли пустой кошелек.

Подойдя ближе, они заглянули в разлом фюзеляжа...

Внутри царил хаос. Вперемешку валялись вырванные чудовищной силой кресла, полусгнившие квадраты некогда полированных панелей, разорванная диванная подушка, из которой торчали пружины, разломанный шкаф...

Но это было еще не все...

— Черт! — Егор отпрянул.

Кроме всего прочего, салон был забит человеческими костями: позвонками, тазовыми суставами, сплетенными в узел грудными клетками, черепами... Кое-где кости уже обросли мхом, а какую-то их часть определенно растащили лесные звери и птицы. На некоторых останках имелись выцветшие остатки одежды.

У самого среза фюзеляжа скелет был присыпан перегнившей листвой и хвоей, лёгшей рыжим слоем на изломанные кости. Из-под этой даже на вид липкой массы торчало что-то чёрное. Петрович раскопал перегной шестом. Оказалось — это угол чемоданчика, пристёгнутого наручниками к кости. Точнее — когда-то он был пристёгнут к запястью, от которого теперь осталась лишь кость. Петрович наклонился, взял рукой кейс и потянул... Кость выпала из наручника... Егор отвернулся — его стошнило.

— Какие мы нежные?! — брезгливо произнёс Петрович.

И Егор понял, что брезгливость относится к нему, а не к страшной находке. Потом Петрович пошарил шестом среди костей и, поддев, вытащил кожаный офицерский ремень советских времён.

— Военные, — заключил он и сбросил с шеста ремень обратно.

Еще поворошил шестом, затем, уже рукой, вынул из рыжей липкой массы небольшой прямоугольник, потер его об штаны и показал постепенно приходящему в себя Егору две звезды.

— Подполковник! Видно, важные птицы здесь летели... А превратились в растащенные зверьем скелеты... Вот только чемоданчик сохранился... Интересно, что там внутри?

Петрович протер замки, внимательно рассмотрел их.

— Шифры! Если бы обычные замки, можно было поискать ключ. Ну-ка, дай нож!

— Зачем?

— Зачем, зачем! Поддену крышку и открою! Замочки-то здесь хлипкие...

— Его нельзя открывать...

— Почему? Это же не простой багаж! Не зря же его к руке пристегнули... Может, там бриллианты. Или другие ценности...

— Ты что, Петрович, никогда такие кейсы в кино не видел? Нет там никаких ценностей! Это, похоже, для секретных документов.

— Так откроем и посмотрим!

— Только я отойду в сторону. Там внутри может быть мина, чтоб врагу не достались секреты. Начнешь взламывать, а тебя на куски разорвет!

— А может и не быть...

— Тогда тебя посадят. За шпионаж.

— Почему за шпионаж? Какой я шпион?

— Если там важные документы, то обязательно посадят. Найдут за что!

Петрович аккуратно поставил чемоданчик на землю и сплюнул.

— И что теперь нам с ним делать?

— Властям сдать надо, — не задумываясь, ответил Егор. — Что еще?

— Властям? Где тут власть искать... Разве что медведя... Ладно, докладай начальнику, пусть он думает...

Только теперь Егор вспомнил о болтающейся в нагрудном кармане рации и о том, что он не проверял — есть ли связь с базой. Впрочем, сейчас это уже не имело значения.

* * *

Ближайшая власть оказалась в селе Дальнем, в двадцати километрах за Листвянкой. Олицетворял ее участковый уполномоченный капитан полиции Мурашов. Опорный пункт полиции располагался прямо в жилом доме капитана, только с другой стороны, и представлял из себя небольшую комнату со столом, покрытым допотопной зеленой скатертью, трех старых стульев — для хозяина кабинета и двух посетителей, тумбочки, на которой стоял сейф, канцелярского шкафа с какими-то пыльными папками. Над сейфом висел черный прямоугольник радиоточки. Так выглядели сельские присутственные места тридцать лет назад. На окне имелась решетка, а в углу прикрепленное к бревенчатой стене железное кольцо.

— Если кто-то буянит, я его наручником пристегиваю, пока не остынет, — перехватив взгляд сидящего напротив Дремова, пояснил Мурашов. — У меня ведь участок сто на сто километров, семь населенных пунктов, десятки заимок, охотничьих избушек... И бузотеров хватает!

Это был плотный краснолицый мужчина лет пятидесяти, в форме старого образца, с уверенными повадками хозяина тайги. Но сейчас уверенности поубавилось, и он старался не дотрагиваться до черного чемоданчика, поставленного Дремовым на стол рядом с массивным телефонным аппаратом, выпущенным в начале шестидесятых. Больше того — избегал даже смотреть на него. И приготовленная для документирования показаний бумага оставалась нетронутой.

— Надо же... Неужели Зенитчик действительно сшиб самолет? А все думали — пьяная болтовня... И я так думал, — задумчиво говорил он. — А оно вон как оказалось — выходит, все правильно рассказывал...

— Да при чем здесь Зенитчик? — нетерпеливо перебил Дремов. — Я прервал важную экспедицию, сообщил вам об авиакатастрофе, принес эту штуку, привел свидетелей... — Он показал на сидящего рядом Петровича и стоящего чуть в стороне Егора. — А вы, вместо того, чтобы принимать меры, рассказываете про пьяного бандита, который нас чуть не зарезал!

— Вот как? — оживился Мурашов, привычно придвигая к себе лист бумаги и беря ручку. — Расскажите об этом подробно!

— Послушайте, капитан, я не для того ехал сюда полдня, чтобы заявлять на этого идиота, — по-прежнему негромко и вежливо сказал Дремов, но в голосе его появились металлические нотки человека, привыкшего руководить другими людьми. — Я довел до вас информацию о деле государственной важности, извольте принимать соответствующие меры, а не заниматься ерундой! Мне надо объяснять своему начальству в Москве причину схода с маршрута! Что я скажу? Что поехал заявлять на вашего Зенитчика?

Мурашов хорошо разбирался в людях, в интонациях голосов и знал, чем кончаются доклады в Москву. Он с досадой швырнул ручку, она покатилась по столу и упала на дощатый пол.

— Да вы поймите, самолеты и секретные чемоданы — это не компетенция полиции! И я не знаю, что с ними делать! А Зенитчика мне теперь надо упаковать, и ваши показания станут основанием для задержания! А потом следователи его и на самолет раскрутят! Может быть, я хоть на старости лет получу звание выше «потолка» и выйду на пенсию подполковником!

— Раз вы некомпетентны, сообщите тем, кто компетентен! А потом занимайтесь своим Зенитчиком или чем хотите, а мы вернемся на маршрут!

Дремов чуть повысил голос, и подчиненные переглянулись — для него это было столь же нехарактерно, сколь нехарактерно для других начальников геологических партий разговаривать тихо и вежливо. И сейчас он практически перешел на их язык — язык крика и мата. Но многие лучше всего понимают именно такой язык.

Обреченно вздохнув, капитан порылся в пухлом засаленном справочнике, снял тяжелую трубку, покрутил диск толстым пальцем и начал пересказывать всю историю кому-то на другом конце провода. Потом положил трубку на аппарат и перевел дух.

— Вам надо в райцентр ехать, в Таёжный, там уполномоченный госбезопасности. Ему все расскажете и отдадите чемоданчик, — глядя в сторону, сказал он.

Дремов встал, молча взял кейс и направился к двери. Губы его шевельнулись, и вряд ли это были слова прощания. Егор и Петрович переглянулись еще раз и пошли вслед за начальником.

Мурашов с облегчением смотрел вслед несостоявшимся заявителям, а когда дверь за ними закрылась, пыльной тряпкой протер место, где стоял страшный чемодан. Потом открыл сейф, извлек початую бутылку водки, налил полстакана, залпом выпил и закусил бутербродом из сала, положенного на черный хлеб. Владевшее им напряжение постепенно проходило. Капитан прошелся по комнате, выглянул в зарешеченное окно. Вездехода на улице уже не было — незваные гости со своим сбитым самолетом и секретным чемоданчиком, возможно, нагруженным взрывчаткой, убрались из поселка и из его жизни. Ну, и хорошо! Он повернул ребристый кружок выключателя радиоприемника. Официальный голос диктора, читающего новости сегодняшнего дня, успокаивал, возвращая к обычной, повседневной жизни, в которой не было происшествий, касающихся его лично.

— Стрелки часов «Судного дня», символического измерителя глобальной ядерной угрозы, переведены на одну минуту ближе к «полуночи» из-за «неадекватного прогресса» в области ядерных и климатических проблем. Это решение было спровоцировано провалом установления контроля над распространением ядерного оружия, в частности, неспособностью США, Китая, Ирана, Пакистана, Израиля и Египта достичь соглашения о запрещении ядерных испытаний. Вдобавок, этому способствовала катастрофа на АЭС «Фукусима-1», а также ухудшение климатических процессов. Теперь до полуночи, то есть до ядерной катастрофы, осталось пять символических минут. Ранее, в 2010 году, стрелку часов переводили на одну минуту назад благодаря решению США отказаться от планов развёртывания системы ПРО в Восточной Европе и переговоров с Москвой по подписанию новой версии договора СНВ...»

Голос диктора приобрел трагические нотки, но Мурашов не слушал: глобальные новости не касались закрепленного за ним участка и не требовали от капитана каких-либо действий. Поэтому он плеснул в стакан еще немного водки и выпил одним глотком. Участковый редко пил на работе и при этом всегда знал меру. Закусив, он спрятал бутылку, достал из сейфа пистолет, надел фуражку и поехал за Зенитчиком. Он снова был уверенным и, как всегда, целеустремленным, ибо теперь находился в своей, привычной стихии.

* * *

Протекторы колёс на служебном «уазикс» стёрлись почти под ноль, а новую резину никто выдавать не торопился.

— Крутись, Мурашов, как другие участковые крутятся! — отмахивался начальник, когда капитан заводил об этом разговор. — Нагни какого-нибудь крепкого хозяйственника, пусть раскошелится на новые скаты!

Но на территории пятого участка подходящих хозяйственников не было, и можно было «нагнуть» только медведя, однако тот сам кого угодно нагнет... За свои деньги Мурашов покупать скаты тоже не собирался. «Спичкой воздуха не нагреешь. Положено, значит, пусть выдают, а то никакой зарплаты не напасёшься, — размышлял он, рыская по заполненной талой водой колее, как по скользким рельсам. — У Ирины день рождения скоро, тоже потратиться придётся: юбилей, как-никак, сорок пять... Нужно сегодня пораньше домой вернуться, она на вечер собиралась тетерева запечь...»

До Листвянки капитан добрался часам к трем. Верный своему правилу вначале разведать обстановку, он остановился у крайней избы.

— Есть кто живой? — спросил он с порога, приоткрыв незапертую дверь.

Из комнаты вкусно пахнуло чесноком и борщом. Участковый сглотнул слюну. «Не, не буду, даже если пригласят! — решил он. — А то брюхо набьешь, размякнешь, уже не до Зенитчика будет...»

— Заходи, Валерьич! — пригласил дед Осип, вставая из-за стола, чтобы встретить гостя. — Ты вовремя: мы с Дарьей как раз обедать собрались, садись и ты с нами, да по маленькой пропустим.

— Доброго дня вам! За приглашение спасибо, но при исполнении я не употребляю, а всухомятку — желания нет. Обедайте, я пока посижу.

В избе было жарко. Мурашов огляделся, снял с себя милицейский бушлат, повесил на гвоздь у двери. На соседний гвоздь повесил фуражку. Ботинки с высокими берцами участковый снимать не стал — уж больно долго и неудобно их шнуровать. Но и натаптывать грязью в комнате тоже не хотелось. Он снял ведро с водой, освободив табурет, и сел прямо у двери. На колени положил потертую коричневую папку с документами.

— Ну, нет так нет, — сказал Осип, усаживаясь обратно. — Только не дело нам обедать, пока ты ждать будешь. Давай уж, рассказывай, зачем пришёл.

— Да, говорят, Васька Зенитчик на геологов с ножом бросался, чуть не зарезал.

— Значит, уже по всей округе слух прошёл? — удивленно воскликнула Дарья. — У Гришки язык, что помело!

— Помолчи лучше! — беззлобно одёрнул её муж. — Должность такая у участкового — он и без Гришки всё знать обязан...

— Так что там у них получилось?

— С ножами сцепились, что ли, — начала объяснять Дарья.

— Это тебе у Гришки спросить лучше, — недовольно перебил Осип. — Зачем бабьи пересказы слушать?

— Если это все правда, так не след мне в поселке отсвечивать: пока я до Гришкиного дома доеду, Васька в тайгу уйдет...

— Да правда, чистая правда! — вмешалась Дарья. — Гришка сказывал, что тот ему еще вслед стрелял!

— Стрелял даже? — Мурашов покрутил головой. — Дело серьезное! Вот что, Осип Петрович, мне помощь ваша нужна... Поможете Ваську задержать? Вроде дружинника?

— Стар я уже для дружинника, — буркнул Осип. — Хотя... Он, конечно, односельчанин, только мозги совсем пропил, опасный для людей стал, как зверь хищный. Помогу, пожалуй. Только нужно ещё кого-то с собой взять.

— А кого же взять-то здесь?

— Да хоть того же Гришку. Он с удовольствием нам поможет!

— Гришка?!

— Конечно. Им ведь теперь двоим здесь не жить: если не Васька Гришку завалит, так Гришка его. У них же понятия зэковские, что у одного, что у другого.

— Тоже правильно... Ну, Гришку так Гришку...

Осип встал.

— Даш, ты это, — обратился он к жене. — Сходила бы к Гришке, позвала сюда его. Скажи, Валерьич его требует. Да ружье пусть прихватит!

— Вы что, на медведя идете? — цокнула языком Дарья. — Или Васька шпиён какой? Ну, побузил по-пьянке, а вы целую войну затеваете...

Впрочем, возмущалась она беззлобно, для порядка, уже накидывая телогрейку.

—— А он придет? — спросил Мурашов, когда дверь за бабкой Дарьей закрылась.

— Куда он денется, — сказал Осип, заряжая двустволку пулевыми патронами. — Зэки власть боятся!

И действительно, Гришка Бессарабец, несмотря на хромоту, пришёл, даже обогнав бабку Дарью. Он был в длинном, замызганном брезентовом плаще, из-под которого виднелись сапоги, с обязательной палкой и с ружьем за плечами.

— Зачем тебе мое оружие понадобилось, начальник?! — с порога начал возмущаться он. — Я ни в кого не стрелял, это в меня стреляли!

— Угомонись! — остановил его участковый. — Я не по твою душу приехал. Рассказывай, что там между геологами и Васькой Зенитчиком случилось?

— Ааа, это... Так, а чё геологи? Их Васька ножом припугнул, те и сбежали. А в меня он вообще из карабина пальнул...

— И не попал?

— Вот так просвистело! — Гришка провел ладонью в нескольких сантиметрах над фуражкой.

— Так, вроде, вы рядом были...

— Как видишь, начальник! Не пришло ещё, видать, моё время.

— А за что он так на вас накинулся?

— Да ни за что! Геологи хотели дорогу узнать, а я их привел... А ему привиделось, что это не геологи, а эти, как их... Особисты, во... Ну, а я раз привел, то предатель...

— Ладно, давай теперь я задокументирую!

Мурашов достал чистый лист бумаги, положил его на папку и начал писать.

— Гришка, не забоишься с нами к Ваське пойти? — спросил Осип, надевая телогрейку.

— Старый, ты говори, говори, да не заговаривайся! — ответил Бессарабец. — Чё бы это мне Ваську бояться? Пусть он меня боится!

В это время дверь распахнулась и в избу вошла бабка Дарья.

— Идешь все-таки? — спросила она у мужа, увидев его одетым и с ружьём на плече.

— Это наши дела, бабам в них лезть негоже. Скоро вернусь.

— Аккуратнее там, на своих делах.

Хозяйка принялась убирать со стола посуду. Мурашов протянул шариковую ручку Гришке.

— Вот здесь пиши! — ткнул он пальцем в низ исписанного листа. — Пиши: «С моих слов записано верно и мною прочитано»...

Подписав документ, Гришка преданно посмотрел на Мурашова.

— Ну, раз готовы, выдвигаемся! — скомандовал участковый.

Они погрузились в «уазик».

— Значит, так, если что, вы стреляете только в воздух, — сказал Мурашов, трогаясь с места. — Чтобы деморализовать его...

— Чего? — спросил Бессарабец.

— Чего, чего! Напугать!

— Почему это? Он в меня палил, а я должен в воздух?! Я ему прямо в его дурную башку засажу!

— Да потому, что это я представитель власти, — раздраженно сказал Мурашов. — А вы — общественность! А общественности право стрелять на поражение не предоставлено! Короче, поняли меня?!

— Да все понятно, Валерьич! — примирительно сказал Осип. — Я думаю, Васька вас увидит и дурить не станет...

— Посмотрим, — сказал участковый, останавливаясь напротив дома Зенитчика. — Пойдем. Только осторожно...

Они вышли из машины и подошли к хлипкому заборчику.

— Василий Дормидонтович, выходи, разговор есть! — привычно крикнул Мурашов грубым, «служебным» голосом.

В доме зарычали собаки. Мурашов взялся за верхний край серой штакетины, потянул... Полусгнившая древесина хрустнула и в месте, где была прибита гвоздём к поперечине, переломилась. Такой палкой от собак не отобьешься... Участковый отбросил штакетину в сторону.

— Васька, открывай, базар есть! — хрипло прокричал Бессарабец.

Участковый зло глянул в его сторону. Но ответом стал только лай собак.

— Василий Дормидонтович, выходи! — повторил Мурашов.

Зазвенело стекло, и из разбитого окошка высунулся черный ствол карабина.

«Бах! Бах!»

Пули со свистом пролетели рядом и шлепнулись в борт «уазика».

— Отходим, за машину! — крикнул капитан.

Они забежали за «уазик». Пули пробили его насквозь и вышли с другой стороны. Мурашов потрогал ощерившееся острыми краями отверстие.

— Осип Петрович, спрячься за капот! Через двигатель не пролетит! — скомандовал он. — А где Гришка?

Но тут же сам увидел, что Бессарабец бежит прочь, припадая на одну ногу и всполошенно размахивая руками. Полы плаща развевались, комья грязи летели из-под сапог. Ружье и палку он бросил. Да-а-а, ситуация осложнялась. «Не надо было одному сюда соваться, — подумал капитан. — Вызвать своих, с автоматами...»

«Бах! Бах!»

Пули пробили стекло и прошли в десятке сантиметров от участкового.

— Ах ты, гад! — Мурашов вытащил пистолет, лязгнул затвором и выстрелил в воздух. — Бросай оружие и выходи!

— Сейчас, бегу и падаю! — закричал Зенитчик и снова выстрелил.

Видно его было плохо — только мелькало за разбитым окном белое пятно исподней рубахи. Мурашов обошел машину сзади, высунулся и, прижимая для упора руку к холодному кузову, прицелился. Он никогда не был хорошим стрелком и сейчас надеялся на удачу. Точнее, ни на что не надеялся, просто делал то единственное, что оставалось ему делать.

«Бах! Бах!» Голос «макара» не уступал голосу карабина. Капитан спрятался за ненадежную преграду и присел, ожидая ответных выстрелов. Но карабин молчал. Он огляделся. Улица была пуста. Осип сидел на корточках за капотом, ружье стволами смотрело в ясное небо. Васька больше не стрелял, только вдруг завыли собаки...

— Слышь, Петрович, я пойду гляну, а если он высунется, стрельни́ в стену возле окна! — попросил Мурашов.

Выставив пистолет и пригибаясь, он перебежками бросился к дому. Откинув с разбега калитку, взбежал на крыльцо, ударил в дверь, сорвав хлипкую щеколду и ворвался внутрь. Васька лежал на боку, согнув ноги и вытянув руки перед собой. Вокруг растекалась лужа крови, пачкая валяющийся рядом карабин. Он отодвинул оружие ногой подальше, нагнувшись, взял Ваську за руку, чтобы проверить пульс. Но и так стало ясно — он мертв. Истошно выли собаки.

Пошатываясь, участковый вышел на крыльцо. За двадцать пять лет службы ему несколько раз приходилось стрелять вверх, но в человека он стрелял впервые, да еще со смертельным исходом. Хотя капитан не отличался впечатлительностью, его мутило.

— Ну, что там?! — крикнул Осип из-за машины.

— Готов...

— Что там? — снова крикнул Осип, и Мурашов понял, что он прошептал, а не крикнул в ответ:

— Готов!

Осип высунулся, потом осторожно вышел из-за укрытия и с опаской подошел.

— Насмерть?

— Ну...

— Ты извини, Валерьич, что я не стрелял, — извиняющимся тоном сказал он. — Не приучен я к этому...

— А я приучен? — Мурашов пытался спрятать пистолет, но руки дрожали, и он не попадал в кобуру.

— Тебе расслабиться надо, Валерьич! Пойдем ко мне, самогонки выпьем...

Капитан покачал головой.

— Нельзя мне — сейчас служебная проверка начнется, на алкоголь проверять будут. И так... Да и не хочется... — Потом, вспомнив, растерянно добавил: — Да и домой мне надо: Ира тетерева запекает... Как неудачно все вышло...

Дед Осип ободряюще похлопал его по плечу.

— Удачно, Валерьич! Очень удачно! Неудачно — если бы мы тут мертвыми лежали! А оно вполне могло так обернуться...

И он был совершенно прав.

18 мая 2012 года
Западная Сибирь, райцентр Таёжный

Где искать того, кто им нужен, геологи не знали. Да и жителей Таёжного вопрос ставил в тупик. Зато дорогу к районному отделу МВД им показали сразу, и вскоре вездеход подкатил к двухэтажному деревянному зданию с антеннами на крыше и флагом России на фасаде. Дремов зашел и спросил у дежурного: где искать службу безопасности?

— А чего их искать? — удивился молодой лейтенант полиции. — Они же наши соседи! Обойдите дом с другой стороны и увидите!

Так далекие от подобных дел геологи узнали, почему полицейские называют старших братьев «соседями». Оперуполномоченный ФСБ, который назвался Иваном Ивановичем, проявил к специальному чемоданчику и упавшему самолету гораздо больше интереса, чем участковый полиции Мурашов в селе Дальнем. Он отобрал подробные объяснения у Дремова, Егора и Петровича, потом попросил всех выйти и долго разговаривал по телефону. Но, как выяснилось, оказался тоже недостаточно компетентным. Когда уставший от ожидания Дремов не выдержал и, постучав, вошел в кабинет, тот раздраженно сказал:

— Дело серьезное! Надо чемодан в Омск везти...

— Как в Омск?! Я не могу, надо на маршрут возвращаться.

Иван Иванович отмахнулся.

— Кто вам такую вещь доверит?! Это дело государственной важности! Сейчас дадите подписку о неразглашении и ищите свой молибден дальше! Только думаю, туда столько народу наедет, что не до молибдена будет.

— Что вы говорите! — возмутился Дремов. — Молибден — это тоже дело государственной важности!

— Подписывайте, и свободны! — Оперуполномоченный пропустил его реплику мимо ушей и положил на стол строгий бланк. — И ваши подчиненные пусть зайдут и подпишут!

Переночевав в Таёжном, в убогой гостинице, геологи поехали обратно к Черному урочищу.

— И чего вас понесло на эту охоту?! — ругался Дремов против обыкновения громко. — Сидели бы и работали, как положено! Наше дело — молибден искать, а не самолеты! Считай, два дня потеряли! А если и вправду понаедут...

Оказалось, и вправду понаехали! Во второй половине следующего дня над Черным урочищем с грохотом закружил вертолет, рыча мотором и с треском заваливая деревья, прошла инженерная машина разграждения, за которой оставалась вполне проезжая дорога. Вертолет сел неподалеку на расчищенную площадку, военные разбили лагерь, поставив несколько палаток и полевую кухню. У геологов несколько раз проверяли документы, а потом прямо попросили покинуть насиженное место. На вопрос Дремова, что происходит, пояснили, что прибудет следственная бригада, эксперты, а главное, очень важный генерал, у которого в этом самолете погиб отец.

Делать было нечего, партия снялась и, обогнув место катастрофы, переместилась дальше на несколько километров. Здесь было спокойно, только над головой то и дело летали вертолеты. Геологи, не обращая внимания, продолжали работать. Так продолжалось три дня, потом вновь стало тихо. А еще через десять дней они обнаружили выход молибденита.

ГЛАВА 2
Вести из прошлого

18 мая 2012 года
Москва

Об обнаружении самолета генерал-майор Балаганский узнал через два часа после того, как геологи доставили спецчемоданчик в поселок Таёжный. В Москве была уже полночь, когда его разбудил звонок начальника военной контрразведки Сибирского военного округа генерала Горшенина. В его компетенцию входило обеспечение безопасности в частях и соединениях ракетных войск на территории округа, поэтому они с главнокомандующим РВСН были хорошо знакомы и даже приятельствовали, что позволяло звонить в такое время ему на квартиру. Привыкший к ночным звонкам Балаганский ожидал сообщения о каком-либо ЧП в подчиненных дивизиях, но дело приняло совершенно другой оборот.

— Извини, что разбудил, Георгий Петрович! Дело в том, что тут самолет нашли...

— Какой самолет? — спросил еще не окончательно проснувшийся главком.

— Ан-24. Тот самый! Ну, который пилотировал ваш отец...

Балаганского будто по голове ударили.

— Алло, Георгий Петрович! Вы на связи? Алло!

— Как же его нашли? — хрипло спросил Георгий. Хотя это никакого значения не имело, такой вопрос первым пришел ему в голову.

— Случайно, в квадрате Г-47. Он упал в заросший овраг, с воздуха не увидишь... А тут геологи молибден искали и наткнулись... Они и спецчемоданчик сдали...

— Я дела разбросаю и послезавтра прилечу, — сказал Балаганский, постепенно приходя в себя. — Спасибо, Савелий Сергеевич!

* * *

В три часа послезавтрашнего дня вертолет с главкомом, которого сопровождало местное военное начальство, приземлился на спешно подготовленной и оборудованной площадке в тайге. Майская погода в Сибири совсем не та, что в Москве, и, несмотря на вроде бы пригревающее солнышко, местные были в бушлатах и шинелях. Предложили шинель и высокому гостю, но Балаганский отказался, оставшись в кителе. Отказался он и от предложенного обеда, накрытого в большой армейской палатке. Поэтому все сразу погрузились в вездеход и по ровной, еще свежей просеке подъехали к оврагу.

— Дальше придется пешком, Георгий Петрович, — сказал Горшенин.

— Пешком так пешком, — ответил главком.

Он сохранил хорошую форму, не расплылся и мог пробежать кросс, уложившись в норматив. И главный особист был жилистым и поджарым. А вот командующий округом Ивашин и командующий сорок первой ракетной армией Сизякин имели избыточный вес, страдали одышкой, и перспектива пешего перехода по пересеченной местности им вряд ли нравилась. Но деваться было некуда и даже демонстрировать свое неудовольствие не следовало.

— Надо осторожней, сейчас энцефалитные клещи самые активные, — сказал Ивашин, чтобы объяснить главкому свое замешательство.

— Да, да, это так, — закивал Сизякин. — У нас в прошлом году двух солдат комиссовали по инвалидности...

Но Балаганский их не слушал, он уже быстро спускался в овраг, Горшенин спешил за ним. Пыхтя и отдуваясь, Ивашин и Сизякин ковыляли следом.

У самолета работала следственная комиссия — человек шесть в форме и штатском, место катастрофы окружили автоматчики, которые при виде такого количества генералов приняли строевые стойки.

К Балаганскому подбежал подполковник со щитами и мечами в петлицах:

— Товарищ генерал-майор, следственно-оперативная группа проводит осмотр места происшествия! Старший следователь военного следственного отдела подполковник Золотухин!

— Доложите результаты! — с каменным лицом приказал Балаганский, отметив, что к Горшенину тоже подошел майор с черными петлицами танкиста — особист и его начальник отошли в сторону.

— На расстоянии от восьмидесяти до ста двадцати метров найдены плоскости и двигатели, в кабине и фюзеляже обнаружены скелетированные останки предположительно семи военнослужащих, номера личных жетонов переданы в Главное управление кадров Министерства обороны! — четко докладывал следователь. —

Изъяты и направлены для расшифровки «черные ящики». По предварительным выводам экспертов причиной катастрофы стало столкновение со стаей птиц: каналы воздухозаборников забиты перьями...

— А где... останки пилотов? — с трудом выдавил Георгий.

— Вот они, товарищ генерал, — подполковник указал на семь лежащих в ряд черных пластиковых мешков. И извиняющимся тоном добавил: — Они разделены условно, там же все кости вперемешку... Особенно в кабине — ее в лепешку сплющило...

Отстранив следователя, Георгий Петрович подошел к мешкам. Они были наполнены только наполовину, будто там находились не офицеры, а поврежденные части авиаоборудования.

«Извини, отец, что я тебя не нашел, — мысленно обратился главком к одному из мешков. — Это ты меня нашел и вызвал сюда... И уже не разобрать — где твои косточки, а где чужие...»

Сзади деликатно кашлянул Горшенин и протянул связку ключей с алюминиевым овалом на кольце. Овал потемнел, но выбитые на нем буквы и цифры читались хорошо. «ВС СССР» — в верхнем ряду, «С-898595» — в нижнем...

Георгий Петрович не помнил личного номера отца, но ключи он узнал сразу, хотя они покрылись толстым слоем ржавчины. Вот этот от верхнего замка их квартиры, этот от нижнего, эти два — от дачи... Если их отмочить в бензине и смазать маслом, то они, возможно, и сейчас отопрут те замки, для которых предназначались...

— Я могу их взять, подполковник? — не оборачиваясь, спросил он, понимая, что до окончания расследования изымать из дела вещественные доказательства нельзя.

Следователь знал это еще лучше. Но запрет был формальным: номер жетона уже направлен на идентификацию, а ключи в расследовании вообще не играют никакой роли... К тому же просит главнокомандующий ракетными войсками...

— Конечно, возьмите, товарищ генерал-майор! — после затянувшейся паузы наконец сказал он.

А Горшенин подал чистый платок:

— Вот, Георгий Петрович, заверните, а то испачкаетесь...

Но Балаганский сунул ключи в карман брюк, медленно расстегнул китель, извлек из открытой кобуры плоский ПСМ[1] и три раза выстрелил в низкое облачное небо. Потом развернулся и пошел обратно, на ходу пряча оружие. Местные генералы поспешили за ним.

— А про какой чемоданчик ты говорил, Савелий Сергеевич? — спросил главком.

— Серьезный чемоданчик, для особо важных документов. Его уже в Москву отправили...

Снова отказавшись от обеда и скомкав процедуру прощания, главком улетел с места давней авиакатастрофы.

21 мая 2012 года
Москва

Офицеру по особым поручениям при главкоме РВСН капитану Ерманову только исполнилось двадцать семь лет, и он никогда не бывал в Центральном НИИ Министерства обороны. В непривычной обста-

---

[1] ПСМ — пистолет самозарядный малогабаритный, которым вооружается генеральский состав Вооруженных сил.

новке капитан чувствовал себя некомфортно, белый халат, накинутый поверх формы, стеснял движения и вызывал раздражение. Зато для двух экспертов взрывотехнической лаборатории такие халаты явно были привычней формы. Один управлял манипулятором, наблюдая на экране, как суставчатая механическая рука укладывает черный металлический кейс на небольшой столик в камере из брони и бетона. Кейс крутился и не хотел укладываться так, как надо. Второй эксперт сидел за пультом компьютера и ждал, пока коллега закончит сложную процедуру.

— К чему такие предосторожности? — спросил капитан.

Раньше эту должность занимали офицеры постарше и поопытней, но генерал Балаганский нарушил традицию.

— Сейчас узнаем, насколько они оправданы, — ответил тот, кто сидел за компьютером. Его лицо украшала узкая «шкиперская» бородка, невозможная для строевого офицера.

— Лучше перебдеть, чем недобдеть, — процедил первый эксперт и, уложив, наконец, кейс, перевел дух. — Вначале восьмидесятых в институте исследовали «Стингер»[1], который наши спецназовцы раздобыли в Афганистане. В отчетах потом написали, что он самоликвидировался... А про то, что одновременно «ликвидировались» два эксперта и два инженера, про это не упоминали...

— А при чем здесь этот чемоданчик? — спросил Ерманов.

— В таких бывает заряд для самоуничтожения, — меланхолично пояснил бородач, подводя к исследуе-

---

[1] «Стингер» — противозенитный ракетный комплекс американского производства.

мому объекту стержень с каким-то датчиком на конце и щелкая клавишами. Первый эксперт и капитан смотрели через его плечо.

На мониторе компьютера появилось изображение кейса, будто просвеченного рентгеном. В левом углу был отчетливо виден небольшой темный прямоугольник.

— И здесь он тоже есть...

— Ага, — подтвердил его коллега. — И папка с бумагами...

Бородач развернулся в кресле.

— Что будем делать?

— Резать плазмой опасно: может сгореть бумага...

— Эту возможность надо исключить! — решительным тоном перебил Ерманов. — Лучше просто подобрать шифр!

Эксперты усмехнулись.

— Просто не получится, — снисходительно, как несмышленышу, объяснил бородач. — Шесть кодовых дисков с шестигранными барабанчиками, — это пятьдесят тысяч комбинаций. Время, необходимое для их последовательного набора, составит около пятисот часов, или двадцать суток непрерывной работы...

— Исключено! — покачал головой Ерманов.

Несмотря на молодость и невысокое звание, он чувствовал себя вправе требовать и настаивать: за его неширокими плечами, словно огромная тень, маячила мощная фигура главнокомандующего ракетными войсками.

— Генерал Балаганский из самолета радировал, чтобы документы были доставлены ему в ближайшее время!

— Тогда будем вскрывать, — пожал плечами первый эксперт. — Циркулярной пилой сделаем разрез со стороны днища...

— А возможность взрыва?

— Существует. Но мы направим на него струю углекислоты, чтобы предотвратить возгорание. Если документы не сгорят, то их можно будет восстановить и после взрыва.

— Возможность взрыва надо исключить! — настаивал капитан.

— Исключить... Исключить не получится. Только свести к минимуму...

Эксперты принялись рассматривать изображение на мониторе, используя ручку вместо указки и переговариваясь вполголоса:

— Заряд соединен с одним замком — левым, вот провод... Если просверлить здесь и здесь, можно его перекусить...

Специалисты знали свое дело и через полтора часа Ерманов получил целой и невредимой пожелтевшую, отсыревшую картонную папку с грифом «Особой важности». Папка была опечатана, на обложке от руки написано: «Операция «Подснежник». Он тут же набрал приемную главкома, чтобы доложить об успехе. Но доклад не получился.

— Георгий Петрович заболел, — неожиданно сообщил референт.

Это было невероятно, как сообщение о том, что заболела баллистическая ракета.

— А что случилось?! — растерянно спросил капитан.

— Высокая температура, врач хотел отправить его в госпиталь, сказал, что это может быть энцефалит — генерал ведь только вернулся из Сибири, а там клещи...

— Так он в госпитале?

— Нет, приказал отвезти домой. И сказал, чтобы ты доставил ему какие-то документы...

— Есть доставить документы! — приободрился Ерманов: раз генерал требует документы, значит, все не
так плохо...

* * *

Переиначивая известную поговорку, можно сказать, что если главком не идет в военный госпиталь,
то военный госпиталь идет к главкому. Квартиру Балаганского за два часа посетили ведущие профессора
Военно-медицинской академии: инфекционист, эпи-
демиолог и терапевт. Мнение их было единодушным:
никакого энцефалита у генерала нет, а есть банальная
сильная простуда.

— В Сибири очень коварная погода, там и в мае теплый бушлат не помешает, — сказал терапевт, и коллеги
кивнули, соглашаясь. — К тому же вы перенесли нерв-
ный стресс, который ослабил организм... Несколько
дней постельного режима, антибиотики — и все пройдет!

Коллеги снова кивнули.

— Ну, и отлично, — с облегчением произнес генерал. Он лежал на диване в спортивном костюме, а теперь почувствовал прилив сил и сел. — А то запугали
меня этим энцефалитом...

— Это просто глупость, Георгий Петрович! — успокаивающе сказал инфекционист. — У энцефалита ин-
кубационный период три недели!

— А раз мы во всем разобрались, то не выпить ли
нам по рюмке хорошего коньяку? — спросил генерал,
и консилиум единогласно одобрил эту идею.

Инесса быстро приготовила бутерброды с маслом
и копченой колбасой, открыла оливки с анчоусами и
вкатила в комнату сервировочный столик с коньяком
и закуской.

Доктора одобрительно улыбались, и непонятно было, относятся эти улыбки к угощению или к генеральской жене, которая в пятьдесят лет сохранила гладкость кожи, блеск волос, девичью фигуру и соблазнительную улыбку. Поэтому первый тост подняли за здоровье генерала, а второй — за его очаровательную супругу, при этом доктора-полковники встали и выпили, отставив локти, по-офицерски. Потом почтили память славного летчика Петра Семеновича Балаганского, а дальше все пошло как обычно: выпили за ракетные войска, за медицину, за мир во всем мире... Потом бутылка кончилась, и доктора распрощались.

А через полчаса в дверь позвонил капитан Ерманов. Инесса впустила его, ласково улыбаясь, показала на стоящие под вешалкой тапочки для гостей и тихо предупредила:

— Георгию Петровичу надо отдыхать, не занимайте его долго...

Пройдя в комнату, капитан обнаружил начальника лежащим на диване, красное лицо свидетельствовало о высокой температуре, хотя в воздухе отчетливо витали и запахи спиртного. Коротко доложив результаты похода в институт, Ерманов извлек из кожаной папки дело «Подснежник» и протянул генералу. Тот взял картонную папку и принялся внимательно рассматривать надписи.

— Ты заглядывал внутрь?

— Никак нет, Георгий Петрович! — испугался Юра. — Да папка и опечатана!

— Ладно, я просто спросил...

— Прикажете подождать и забрать документы? — спросил порученец.

— Не надо, у меня есть сейф. Свободен!

Капитан Ерманов ушел, а генерал Балаганский сорвал печать и принялся читать аккуратно подшитые и пронумерованные листы, погрузившись в особо секретные дела тридцатилетней давности, о которых не знал ни один человек в мире. Но неодушевленный свидетель которых еще продолжал жить своей жизнью.

* * *

За двадцать девять лет непрерывного автономного дежурства, без человеческого участия, транспортно-пусковой контейнер «Сатаны» потерял безупречный внешний вид. Дожди просачивались через стодвадцатитонную крышку шахты, отчего на зеленом корпусе появились желтоватые потеки ржавчины, от утратившего герметичность патрубка дозаправочного шланга протянулась вниз ровная и широкая, как рубец, полоса, черная оплетка кабелей стала белесой и кое-где растрескалась, шланги покрылись толстым слоем пыли и паутины, внизу, на уровне порохового аккумулятора минометного старта скопился толстый слой липкой грязи. Но находящаяся внутри «Сатана» оставалась матово-черной и новенькой, будто только что была выпущена с завода: на боевые качества ракеты внешние изменения не повлияли. Очередное самотестирование подтвердило этот вывод: бортовая кабельная сеть — норма, бортовая цифровая вычислительная машина — норма, боевые заряды головной части — норма, ампулированная топливная система — норма... Только мощные амортизаторы, использующие газ высокого давления, просели на три сантиметра. Тут же включилась компрессорная установка, шум и вибрация нарушили привычный звуковой фон, который обычно равнялся нулю децибел. Но когда давление достигло нормы, двигатели выключились, и в шахте снова наступила мертвая тишина.

На поверхности жизнь была более насыщенной и многообразной. Лиса, выгнанная бескормицей из леса, забрела в поисках съестного на территорию ликвидированной (по документам) стартовой позиции третьего полка сорок первой ракетной армии. Осторожное животное, припав к земле, медленно подкрадывалось к сетчатому забору, за которым обычно держат кур и другую мелкую живность. На самом деле, «Сетка-100» совершенно не была похожей на такой забор, и даже приближаться к ней не следовало. Но лиса этого не знала. Когда до преграды оставалось несколько шагов, голубоватая молния электрического разряда ударила зверька в настороженно нюхающий воздух нос. Обугленную лису отбросило назад, запахло горелым мясом. Вскоре, почуяв поживу, слетелись вороны со всей округи. Это тоже осторожные птицы, они долго с карканьем летали по кругу и, только убедившись в отсутствии опасности, приземлились и принялись расклевывать обгорелую добычу. Но опасность была невидимой. Время от времени разряд убивал неосторожную птицу, стая всполошенно взмывала в воздух, кружилась с тревожными криками и... возвращалась к прерванной трапезе. Вскоре обгорелый труп лисы окружали распластанные тушки ворон, а уцелевшие снялись и улетели подальше от непонятной, но очевидной опасности.

Однажды на запретную территорию проник через повалившееся ограждение сам хозяин тайги. Привлечённый запахами тления, он направился к останкам своих предшественников, но до них не дошел: габариты и вес не позволили... Датчики автоматизированной системы охраны отреагировали на движущийся объект — установленный на крыше невзрачного домика за рядами проволоки крупнокалиберный пулемёт безошибочно захватил цель...

«Ту-ду-ду-хх!» — лязгнула короткая очередь, и несколько клоков шерсти с кусками мяса полетели вслед за пронзившими тело медведя пулями калибра 12,7 мм. Взревев, хозяин тайги замертво повалился на холодную землю.

Но эти события не интересовали датчики управления ракетой. «По основным и косвенным признакам обстановка соответствует мирному времени», — сделал вывод аналитический центр системы и вписал в реестр ещё серию чередующихся единиц и ноликов.

Однако тут включилась новая, неизвестная ранее программа, и у «Сатаны» появилась надежда на долгожданный полет, который, собственно, и составлял смысл ее бездушной жизни.

* * *

Главком Балаганский не вынес длительного постельного режима. Да в нем и не было необходимости: то ли коньяк оказал чудодейственное воздействие, то ли в основе заболевания лежала стрессовая ситуация, но через три дня он уже чувствовал себя полностью здоровым. Записался на прием к министру, доложил ситуацию.

— Ты что, офуел?!

Высокое дорогое кресло отлетело и с силой ударилось о стену, а сидевший в нем полный человек в гражданском костюме вскочил и затопал ногами. Он и был гражданским, воинского звания не имел, а в армейских делах разбирался гораздо хуже, чем в торговле мебелью, которой ранее занимался. Военные прозвали его Стульевым. Отсутствие компетенции Стульев компенсировал массовыми увольнениями опытных офицеров и генералов, разносами и оскорблениями подчиненных, а профессиональную терминологию успешно заменял нецензурной лексикой.

— Ты приходишь и говоришь мне, что у вас стоит на боевом дежурстве атомная ракета, которая по документам списана и уничтожена?! И ты не знаешь, где она находится?! — Толстые щеки побагровели и тряслись, как студень на вилке у алкоголика. — Так что, мне всё бросить на фуй и бежать искать твою долбаную ракету?! Да я тебя выгоню на фуй и под трибунал отдам...

— Под военный суд, — автоматически поправил Балаганский.

— Что?!

— Трибуналов уже давно нет. Сейчас военные суды...

— Поправляешь, учитель фуев?! Мне один хрен, как они называются! Получишь десять лет и будешь на зоне зэков учить!

Министр поймал свое кресло, придвинул к огромному полированному столу и сел.

— За что десять лет? — сдерживаясь, спросил Балаганский. — Я же нашел эту ракету, а не потерял...

— Да мне плевать, за что! Найдем! Если не отыщешь эту долбаную ракету! Пошел вон!

Круто развернувшись, главком вышел из кабинета. Лицо покрылось красными пятнами, руки и ноги дрожали. Сидящие в приемной молодые симпатичные девушки смотрели на генерала и улыбались. Девушек привел Стульев вместо уволенных генералов. Старослужащие называли их «амазонками».

В коридор Балаганский вышел с таким ощущением, будто извалялся в дерьме. Первым побуждением было написать рапорт об отставке. Но, как говорится, — избегайте первых порывов, они идут от души, а не от разума... Покинуть высокий, важный пост и стать никому не нужным пенсионером? Да пусть он застрелится, этот Стульев! Нет, надо терпеть... По самой простой логике и элементарной справедливости его самого должны выгнать — уж больно он не вписывается в свою должность. А сейчас в первую очередь надо разобраться с пропавшей «Сатаной»...

* * *

На оперативное совещание при главкоме был приглашен узкий круг лиц: начальник штаба ракетных войск Васильев, начальник отдела контрразведки Быков и офицер по особым поручениям Ерманов. Последний по должности присутствовал почти на всех мероприятиях, проводимых генералом.

— Судя по всему, самолет вылетел с полевого аэродрома сорок первой армии, — докладывал подполковник Быков — дородный мужчина с неожиданно добрым для его должности лицом. — В том районе и надо искать.

— Это все равно что искать иголку в стоге сена, — с досадой сказал Балаганский. — Там три сокращенных по ОСВ-2 боевых ракетных комплекса, в состав каждого входят от шести до десяти заброшенных стартовых позиций, между ними десять—пятнадцать километров. Необходимо ограничить район поисков!

— Нужны какие-то дополнительные признаки, товарищ генерал! — приподнявшись, сказал грузный полковник Васильев. — Иначе нет возможности сузить круг...

— Где их взять, дополнительные признаки? — Георгий Петрович поднял лежащую перед ним папку и показал присутствующим. — Все признаки здесь, а тут всего тридцать пять страниц. Откуда новые-то возьмутся? — Он уже в сотый раз пролистнул прошитые страницы. — Хотя... На нужном нам старте поставлен антенна радара, но РЛС[1], скорее всего, так и не была развернута...

Начальник контрразведки оживился.

— Так это другое дело! Пошлем вертолет, облетим все БРК[2], обнаружим антенну — там и будем искать!

— И еще, — продолжил генерал. — Надо создать поисковую группу, которая выедет на точку для деактивации ракеты.

— Организуем, товарищ генерал! — бодро ответил за всех полковник Васильев.

— И примите меры к тому, чтобы информация не вытекла за пределы круга осведомленных лиц! — нахмурился Балаганский.

— Сделаем, Георгий Петрович! — заверил подполковник Быков.

— Действуйте! Все свободны, — сказал главком. И тут же добавил: — Капитан Ерманов, задержитесь!

Когда они остались наедине, генерал смягчил командный тон:

— Садись, Юра. Надо найти людей, которые причастны к операции «Подснежник», и выяснить ее подробности. Тех, кто фигурирует в этом деле, — генерал постучал по папке, — уже нет в живых. Поищи, может, найдется кто-то осведомленный?

[1] РЛС — радиолокационная станция.
[2] БРК — боевой ракетный комплекс.

Порученец вскочил.

— Есть, Георгий Петрович!

— И обязательно разыщи конструкторов «Сатаны», выспроси все о ракете, уточни, не возникнут ли проблемы при ее деактивации?

— Есть, товарищ генерал! Разрешите выполнять?

— Выполняй!

* * *

Перед встречей Ерманов изучил фотографии Головлева, но узнать в восьмидесятилетнем старике с впалыми щеками и выцветшими старческими глазами создателя системы «Периметр» и многолетнего руководителя ракетного КБ было практически невозможно.

Дважды Герой Социалистического Труда, лауреат Ленинской и Государственной премии, создатель целого поколения советских ракет сидел в кресле, укрывшись клетчатым пледом, и гладил лежавшего на коленях чёрного котёнка.

— Имейте в виду, — шепнула Ерманову открывшая дверь дочь знаменитого конструктора — пышная, отчаянно молодящаяся дама. — У него плохая память на текущие события, иногда теряет нить беседы. Но что было давно — хорошо помнит. Особенно если это касается профессиональной деятельности...

— Здравия желаю, Александр Филиппович! — поздоровался Евсеев. — Это я вам звонил.

— Это я понял, молодой человек! — ответил Головлев неожиданно твёрдым голосом и сбросил котёнка на пол. — Сейчас мне редко звонят и еще реже приходят, так что перепутать вас с кем-либо не представляется возможным... Я так понял, что вы из штаба ракетных войск?

— Да, офицер по особым поручениям при командующем.

— Могу я посмотреть ваше удостоверение?

— Конечно.

Ерманов развернул темно-бордовую обложку и протянул конструктору. Тот достал из-под пледа очки, надел их и долго рассматривал документ со всех сторон.

— Ладно! Присаживайтесь, — наконец разрешил он и вернул удостоверение. — Ваша фирма может изготовить любой документ, даже паспорт марсианина, так что не подкопаешься...

Ерманов не понял, к чему это было сказано, но уточнять не стал и покорно сел на стул, принесённый дочерью. Сама она деликатно удалилась в другую комнату.

— Обычно ко мне приходят поздравлять с праздниками. Но сейчас не праздник, значит, вы пришли не поздравлять. Но чем я мог привлечь внимание вашего ведомства?

— Мы же занимаемся ракетами, — мягко пояснил капитан. — Поэтому вы, как конструктор, всегда находились в сфере нашего внимания.

— Оставим формулы обязательной вежливости. — Головлев махнул иссушенной старческой ладошкой. — Переходите к делу.

Котенок мяукал и терся о его покрытые пледом ноги.

— Что вы знаете об операции «Подснежник»? — спросил Ерманов.

— Конечно, ничего! Я же конструктор и не привлекался ни к каким операциям. Я всю жизнь создавал и усовершенствовал «изделия».

— Об одном из них и идет речь. «Р 36М», по документам уничтоженная в соответствии с Договором

ОСВ-2, а на самом деле оставленная на боевом дежурстве в автономном режиме.

— А-а-а... Да, я ходил на прием к Брежневу незадолго до его смерти. Он уже был совсем плохой. Но мы с покойным Владимиром Федоровичем Усовым были только декоративными фигурами. Все затеяли военные: маршал Уваров и командующий ракетными войсками... Толстиков, кажется...

— Толстунов.

— Или Толстунов, — согласился конструктор. — Их обоих тоже уже нет в живых. Я один остался. Но ко мне не может быть никаких претензий: я только дал техническое заключение — мол, перевести «изделие» в автономный режим возможно, и оно выстоит сколько надо... И потом, сам Генеральный секретарь дал разрешение! — И, неожиданно остро взглянув, спросил: — А вы из КГБ или из особого отдела?

Капитан начал понимать, в чем дело.

— Дорогой Александр Филиппович, КГБ и особых отделов давно уже нет, теперь существуют ФСБ и военная контрразведка, — как можно задушевнее сказал он. — Но я не оттуда и предъявил вам свое собственное удостоверение, а не документ прикрытия. И, конечно, никаких претензий к вам нет и быть не может. Есть только огромная благодарность за вашу работу и ваши «изделия».

Старик слегка улыбнулся.

— Да, недаром нашу птичку противники «Сатаной» прозвали! Вы же знаете, что конверсионные варианты запускали на орбиту космические станции, летали к Луне. Так что наш «карандашик» и заряд на Луну вполне доставить может! А вот «Периметр»...

На кухне раздались шаги, и Головлев замолчал. Послышался звук льющейся воды — дочь хозяина, наверное, заваривала чай. У Юры пересохло в горле, и он подумал, что если предложат чашечку, то он не откажется.

— «Периметр» загубили, — понизив голос, закончил фразу конструктор.— Да и вообще все псу под хвост пустили. Все умные, советоваться со старыми кадрами перестали, вот носители один за другим и падают. Только то, что мы делали, до сих пор работает...

— А про ту, оставленную в автономном режиме ракету вы что-нибудь знаете?

— Абсолютно, — старик покачал головой.

— Ну, хотя бы где она?

— Понятия не имею. Мы вышли от Леонида Ильича и уехали к себе, всем остальным занимались военные.

— А сейчас в каком она может быть состоянии?

— Ну, это должны знать эксплуатационники. Они же регулярно проводят регламентные работы.

— Дело в том, что регламентные работы на ней не проводились...

Глаза старика округлились.

— Вот как? Странно... В автономном режиме «изделие» проводит самотестирование и некоторые действия по обслуживанию осуществляет самостоятельно: подзаряжает аккумуляторы, подкачивает воздух в систему высокого давления, если надо, переключает неисправный блок на дублирующий. Если неисправность угрожает нормальному старту или полету, система отключается, и «изделие» деактивируется. А почему вы спрашиваете? Вы разве его не нашли?

— В том-то и дело, что нет!

— А я думал, вы меня проверяете... Хотя чего меня проверять? Я проверенный.

— Хорошо, — терпеливо продолжал Юра. — А если система сама не выключилась, что будет тогда?

— Ясно что! — удивился Головлев. — Значит, «изделие» простоит тридцать лет и пойдет на цель!

Капитан вскочил как ужаленный.

— Как?! Как пойдет на цель?!

— Очень просто. Ее недаром называют «Мертвая рука». Если в течение тридцати лет «птичка» не получает никаких сигналов с Центрального командного пункта и в обслуживающем ее КП не появились люди, она воспринимает это как сигнал об уничтожении органов военного управления и наносит удар возмездия!

Головлев возбужденно потряс худеньким кулачком. Глаза его горели.

— Подождите. — Юра обессиленно опустился на стул и вытер платком вспотевший лоб. — Неужели ракета сама, без команды, стартует и пойдет на цель?!

— Конечно! — гордо воскликнул конструктор. — А от кого ждать команды, если ее тридцать лет не было? Ясно, что все уничтожены!

— Но ведь у нее датчики обязательных параметров! Сейсмические толчки, ионизирующее излучение и так далее... Если все в норме, зачем стартовать?

— Да затем, что противник мог применить не ядерное, а какое-нибудь другое оружие массового поражения! — торжествующе воскликнул Головлев. — Нейтронную бомбу, химическое или биологическое оружие! Но враг не останется безнаказанным! Тогда включается вторая программа, которая при нормальных параметрах реагирует на отсутствие команд и признаков жизнедеятельности людей!

— Вот оно как, — упавшим голосом произнес Юра. — Значит, она стартует и отдаст команду на запуск всем остальным ракетам, оснащенным ядерными боеприпасами?

— Так должно было быть, — Головлев опять безнадежно махнул рукой. — Но «Периметр» был уничтожен. Так что наша птичка полетит одна. Но и этого врагу мало не покажется!

Юра опять вытер лоб.

— А когда начинается тридцатилетний отсчет? И когда истекает? День в день, что ли?

— Начинается с момента перевода на автономное несение службы, — спокойно ответил старик. — А истекает... Не день в день, конечно... Плюс-минус неделя или две... А может, и месяц...

Юра вскочил со стула.

— Спасибо, Александр Филиппович! Вы нам очень помогли! До свидания!

Почти бегом молодой капитан бросился к двери. Чаю ему не предложили, да он уже и расхотел его пить.

29 мая 2012 года
Катар, Доха

В небольшом, шикарно обставленном люксе пятизвёздочного бутик-отеля «Al Najada Boutique» никогда, наверное, раньше не собирались пятеро мужчин одновременно. Расположенный в старом городе, среди лабиринта извилистых переулков, и состоящий из трёх присоединенных друг к другу домов с резными фасадами, будто перенесенных из «Тысячи и одной ночи», отель был местом, где обещали традиционную — размеренную и спокойную жизнь арабского Востока: кальян, хамам, настоящий кофе с кардамоном, кебаб из ягнятины, отдых и покой для души и тела. И действительно, здесь можно было укрыться от бешеного темпа сверхсовременного мегаполиса, в который давно превратилась Доха и в котором круглые сутки кипела бурная жизнь в торговых центрах, ресторанах, SPA-центрах. Даже ночью, среди ярко освещенных, как в Стране желтого дьявола, небоскребов, под черным, испещренным большими звездами восточным небом, продолжалось бурление человеческой массы, в основном туристической, которая, впрочем, не могла как следует развернуться в условиях строгого «сухого закона». Здесь же после вечерней молитвы царила полная тишина.

«Бутик Аль Нахады» привлекал не только спокойствием и восточными усладами — в него можно было войти, не привлекая внимания, а главное — незаметно выйти, ибо длинные извилистые коридоры имели четыре выхода на разные улицы и в переулки.

Но что могло собрать ночью в одном номере стольких мужчин? Геев вряд ли посетит мысль закатиться впятером в отель класса пять звезд, если только они не подвыпившие тайком новые русские из стран бывшего Советского Союза. На крайний случай можно было предположить, что это руководители террористической организации, проводящие очередную конспиративную встречу. К геям собравшиеся не относились, к новым русским — тоже. Это были именно руководители «Аль-Каиды».

На диване, обтянутом белой кожей, расположился человек с гутрой[1] в мелкую розовую клеточку. Такие носят жители Саудовской Аравии. Перед ним, на красном ковре ручной работы, стоял низкий и длинный резной столик из чёрного дерева, на котором

---

[1] Головной платок, удерживаемый толстым жгутом.

расставлены четыре чайных прибора. Те, для кого они предназначались, сидели попарно, напротив друг друга, в белых кожаных креслах. У троих гутры были, как и их джабалии, белоснежные. Четвертый одевался по-европейски: без головного убора, в тёмно-синем костюме и белой сорочке с темно-синим галстуком, резко контрастирующими с белизной стен, мебелью и одеждой собеседников. Всех пятерых разыскивали антитеррористические подразделения многих стран, поэтому они принимали меры предосторожности: жили по чужим паспортам, которые регулярно меняли, постоянно переезжали с места на место, называли друг друга вымышленными именами.

— Ты проверил номер, Ахмед? — спросил «саудовец», поглаживая густые черные усы, в которых начинала пробиваться седина.

Все остальные, кроме «европейца», тоже имели усы разной формы и пышности.

— Проверил, Ага! — «европеец» показал небольшой прибор, на котором горела зеленая лампочка. — Здесь все чисто!

— Хорошо!

Ага наклонился вперед, опершись руками на колени, и обвел всех внимательным взглядом усталых глаз, под которыми набрякли большие мешки. Он был старше остальных — под шестьдесят и, судя по виду, нездоров.

— Нам стало известно, что в России есть атомная ракета «Сатана», нацеленная на Америку...

Будь эта фраза произнесена в другой компании, она бы вызвала усмешки: «Подумаешь, новость! В России *много* ракет, нацеленных на Америку!» Но в данном коллективе поспешность была не в чести, а сдержанность почиталась добродетелью, поэтому четыре человека продолжали внимательно слушать.

— Эта ракета не охраняется, она потеряна, — продолжил Ага. — Русские только сейчас узнали о ее существовании. Если мы найдем ее первыми, то... — Он замолчал.

— Как можно потерять ракету? — спросил «европеец».

— Русские хотели обмануть американцев и списали ее, как уничтоженную. А на самом деле оставили на боевом дежурстве в автономном режиме. Только те, кто это делал, погибли в авиакатастрофе, и про нее все забыли. И только недавно нашли разбившийся самолет, а в нем документы, где все написано...

— Источник информации надежен? — спросил араб, сидящий по правую руку от Аги.

— Он представил фотокопии этих документов. К тому же за него поручился сам «Алмаз».

Собравшиеся с уважением кивнули.

— Это будет великий джихад! — воскликнул Ахмед. — Русская ракета уничтожит города Дьявола, а те в ответ уничтожат Россию!

Человек с гутрой в розовую клетку обвёл взглядом присутствующих. Все поочерёдно кивнули. Решение было принято.

— Наша задача — очень быстро собрать в России группу проверенных людей, — сказал Ага. — В нее должен входить специалист по ракетам. Он должен будет дать «Сатане» старт...

— Кто будет руководить операцией? — спросил Моххамед.

— «Алмаз» лично. Еще вопросы есть?

Вопросов не было.

— Тогда давайте пить чай! — сказал Ага. И добавил: — Только наш план должен сохраниться в глубокой тайне! Любой, кто проникнет в нее, должен умереть!

— И он умрет! — хором ответили соучастники.

В квартире дома напротив худощавый человек по имени Дауд снял наушники. Он работал посыльным в «Бутике Аль Нахады», но это не было его основной работой. Последние фразы ему явно не понравились, он быстро убрал от окна прибор, похожий на стоящий на штативе фотоаппарат. На самом деле это был лазерный передатчик. Его невидимый луч снимал вибрации стекла номера люкс от звуковых колебаний, сигнал поступал в стоящий на подоконнике приемник, который усиливал его и превращал в звук, а звук записывался на DVD-диск... Дауд убрал с подоконника и приемник, сложил аппаратуру в специальный водонепроницаемый чемоданчик, потом вставил диск в самый обычный плеер и выборочно прослушал в нескольких местах. Запись получилась отличная, хотя от ее окончания веяло могильным холодом. Впрочем, Дауд знал, на что идет, и в его основной работе такие моменты бывали нередко.

На следующий день запись поступила в российскую Службу внешней разведки.

Москва
Главный штаб РВСН

Оперативные совещания главком Балаганский излишне не затягивал. Каждый участник должен был говорить кратко и конкретно, убедительно обосновывая свою позицию. И хотя начальник контрразведки напрямую ему не подчинялся, но и тот выполнял установленные требования.

— Вертолетный облет показал, что радиолокационные антенны имеются на трех заброшенных стартовых позициях, товарищ генерал, — докладывал подполковник Быков. Вид у него был озабоченный. — Так что проверять придется все три. Расстояние между ними десять—пятнадцать километров...

— И сделать это надо быстро! — Балаганский для убедительности прихлопнул ладонью по заваленному бумагами столу. — Капитан Ерманов опросил конструктора Головлева, и тот сказал, что пропавший «карандаш» автоматически стартует на цель через тридцать лет после установки в автоматический режим. Так что времени у нас остается немного!

При упоминании своей фамилии офицер по особым поручениям встал и подтверждающе кивнул.

— Садитесь, Юрий Иванович. — Балаганский перевел взгляд на полковника Васильева. — Поисковая группа подобрана?

— Так точно! Вот наши предложения по специалистам. — Начальник штаба встал и, положив перед главкомом лист бумаги, пояснил: — Подполковник Цепаев и майор Намётышев имеют большой опыт работы в группе пуска и эксплуатационном обслуживании «Р 36М». А инженер Журавлёв — заместитель руководителя НПО «Стрела», принимал участие в создании системы «Периметр»...

Балаганский быстро просмотрел.

— Что ж, возражений нет.

Ободренный Васильев добавил:

— Товарищ Быков обещал дать предложения по своей линии.

Особист кивнул.

— Мы тщательно подобрали людей. Майор Сизенко и капитан Рощин — опытные контрразведчики. Кроме того, я считаю необходимым усилить группу двумя спецназовцами. Все офицеры должны взять с собой табельное оружие.

— Зачем? — насторожился генерал.

Быков вздохнул.

— Мы получили сообщение из СВР[1]: про «бесхозную» ракету узнала «Аль Каида». Они собираются захватить ее и произвести пуск, чтобы спровоцировать атомную войну...

В кабинете наступила мертвая тишина. Участники совещания переглянулись. Все понимали: удастся ли план террористов — еще вилами на воде писано, а то, что подозрения падут на всех осведомленных лиц, — это факт!

— Каким образом они могли это узнать? — растерянно спросил главком.

— Этим занимаются и территориальные органы ФСБ, и наш департамент, — мрачно ответил Быков: он тоже входил в круг потенциальных подозреваемых.

Балаганский с силой провел рукой по лицу сверху вниз, будто умывался или стирал липкую грязь.

— Ладно! Я тоже проведу служебное расследование, и мы выясним, откуда утекла информация... Что есть еще о поисковой группе? Дополнения, предложения, возражения?

Все молчали.

— Значит, нет. Все свободны!

Офицеры встали из-за длинного стола для совещаний и, поставив стулья на место, по очереди вышли из кабинета. Только Быков остался стоять.

---

[1] СВР — Служба внешней разведки.

— Товарищ генерал, прошу составить списки тех, кто был ознакомлен с документами по данной теме, — сказал он, когда дверь закрылась. — И ставлю вас в известность, что я обязан провести оперативно-розыскные мероприятия среди личного состава.

Балаганский пожал плечами.

— Это входит в вашу компетенцию.

— Да, но я считаю, что правильно предупредить об этом руководителя.

Главком кивнул.

— И еще у меня есть просьба...

— Слушаю! — хмуро сказал Балаганский, отметив, что, когда особист подвесил его людей на крючок, самое время обращаться с просьбами.

— Речь о моем коллеге. Он достиг предельного возраста, ему продлили на два года. Сейчас ему стукнуло пятьдесят семь, пора на пенсию, а он хочет еще послужить, до шестидесяти. И это вполне понятно: пока мы служим, то все время в движении, живем полноценной жизнью... А когда выходим в отставку, сразу наваливаются болезни и быстрая старость. Потому что становимся никому не нужными, да и ритм жизни меняется. Ну, вы понимаете...

— Да уж конечно! Все время кадровиков гоняю, чтобы не забывали ветеранов: с праздниками поздравляли, в коллектив приглашали. Только какое отношение я имею к вашему коллеге? Ведь я вам сроков службы не продлеваю — это компетенция Департамента военной контрразведки.

— Точно так. — Быков для убедительности даже приложил руку к груди. — Он записался к вам на прием, просить о ходатайстве перед нашим руководством. Все-таки всю жизнь обслуживал ракетные войска, и это ходатайство станет серьезным аргументом.

— Ну, записался, так пусть приходит, разберемся...

Быков откашлялся в кулак, так он делал в минуты неловкости.

— Он опасается, что вы откажетесь его принять.

— Почему?! Как его фамилия?

— Полковник Ивлев.

— Вот оно что! — Балаганский сразу вспомнил ровный пробор с просвечивающей кожей головы и ухватки Мюллера из «Семнадцати мгновений весны». — Ну, я принимаю всех записавшихся и никому не отказываю!

— Спасибо, Георгий Петрович! Разрешите идти?

— Да, конечно.

* * *

Когда Ивлев вошёл в кабинет, Балаганский отметил, что, в отличие от многих, с годами особист не располнел, наоборот — казалось, что жизнь высосала из него все соки: подтянутость сменилась откровенной худобой, черты лица обострились еще больше, лоб перечеркнут глубокими морщинами, носогубные складки напоминали шрамы, кожа под подбородком обвисла... Но взгляд остался по-прежнему цепким.

— Товарищ генерал-майор, полковник Ивлев прибыл на прием по личному вопросу! — четко доложил он. — Прошу поддержать мою просьбу, изложенную в рапорте!

На стол главкома лег лист бумаги.

Присесть Балаганский бывшему куратору не предложил. Теперь они поменялись местами: полковник в смиренной позе просителя стоял перед генералом, как когда-то испуганный курсант стоял перед грозным особистом.

— Посмотрим, посмотрим...

Балаганский принялся читать рапорт, в котором Ивлев перечислял годы и места службы, награды и поощрения, подчеркивал тесную связь с ракетными войсками, а потом излагал просьбу ходатайствовать о продлении ему службы до достижения шестидесятилетнего возраста. Дочитав, он положил документ перед собой.

— Товарищ полковник, сколько агентов вы приобрели среди военнослужащих ракетных войск?

— Шестьдесят восемь! — столь же четко ответил старый знакомый.

— А сколько иностранных разведчиков вы разоблачили?

Ивлев сбился с бравого тона:

— Ну... Вы же знаете, это единичные случаи... У меня таких не было.

— А сколько вербовочных подходов вы пресекли?

Особист понял, к чему клонится дело, и, судя по тому, что приосанился и вскинул голову, решил принять начальственный разнос с достоинством.

— Ни одного, товарищ генерал-майор!

— И ни одного диверсанта не обезвредили?

— Так точно, товарищ генерал-майор!

«Держится хорошо», — отметил Балаганский. А вслух сказал:

— Зачем же вам столько агентов? Целых два взвода! И каждому вы говорили, что он нужен именно для разоблачения диверсантов, шпионов и пресечения вербовочных подходов! А разоблачали с их помощью любителей выпить, бабников, анекдотчиков... Значит, вы их обманывали?

Ивлев глянул исподлобья, тяжело вздохнул:

— Вы же понимаете, товарищ генерал-майор, от меня требовались показатели. А поскольку со шпионами и диверсантами напряжёнка, приходилось отчитываться нарушителями дисциплины, моральными разложенцами, антисоветчиками... Это обычная практика: на всех контрразведчиков шпионов никогда не хватит... Но наша работа помогает сохранить порядок и дисциплину в войсках...

— Если отчисление за анекдот перспективного курсанта Академии РВСН помогает сохранить порядок и дисциплину, то да!

— Веселова через год восстановили, и он окончил обучение...

— Но не благодаря, а вопреки вашим намерениям! Кстати, фамилию вы помните с тех времен или готовились к разговору?

— Помню, товарищ генерал-майор!

— А вы знаете, что родители Веселова потеряли престижную работу, отец перенес инфаркт, стал пить... Что их переселили из трехкомнатной просторной квартиры в центре в «однушку» на окраине? Что они рано ушли из жизни?

— Знаю, товарищ генерал-майор! Но... — спохватившись, Ивлев замолчал.

— Говорите, говорите, — подбодрил его Балаганский. — Что «но»?

Полковник посмотрел прямо в глаза генералу:

— В войсках Веселов зарекомендовал себя с отрицательной стороны! Он пьянствовал, скандалил с женой, конфликтовал с сослуживцами! Воспитательной работе не поддавался. Его хотели уволить, но вместо этого направили на курсы «Выстрел», после которых он получил повышение в должности, но поведения не изменил... А через несколько лет избил подполковника — начальника продовольственной службы дивизии, чуть не попал под суд и был уволен из армии! Так что, полагаю, отчисление Веселова из академии было вполне оправданным и своевременным! Несмотря на все защиты и блокировки, таких людей нельзя допускать к ядерной кнопке!

Главком помолчал. Ивлев явно намекал, что он своевременно «раскусил» нарушителя дисциплины и никудышнего офицера Веселова, но благодаря заступничеству и поддержке его, Балаганского, тот все-таки пробрался в особорежимные войска и мог наломать там дров... Да что там «мог» — наломал! Полковник тоже молчал. Возможно, он жалел, что не сдержал порыв, который не помогал ему достичь цели визита, скорей наоборот...

Балаганский задумчиво побарабанил пальцами по столу.

— Скажите, Денис Владимирович, а если бы я предложил вам сообщать мне о своих сослуживцах, на вашем языке «освещать» их... Например, раскопать всю подноготную подполковника Быкова. И пообещал взамен выполнение вашей просьбы. Вы бы согласились?

— Никак нет, товарищ генерал-майор, — твердо ответил Ивлев.

— Почему? Ведь именно это вы делали всю жизнь!

— Я выполнял свои служебные обязанности, предусмотренные законом, приказами и инструкциями. А то, что вы предлагаете, — противозаконно. Хотя я понимаю, что это шутка.

— Законы, инструкции... А ведь есть еще мораль! Как оценить с моральной точки зрения то, что вы сделали с молодыми курсантами? Дыгая склонили к предательству, Веселова сделали нарушителем дисциплины и пьяницей, из друзей они стали врагами!

На лице полковника отразилось недоумение.

— Извините, товарищ генерал, кто такой Дыгай?

— Вы хотя бы уже сейчас передо мной спектакль не разыгрывали! — повысил голос главком. — Это ваш агент, который дал информацию, что Веселов на Новый год анекдоты рассказывал...

Ивлев покачал головой.

— А-а-а, вспоминаю, вы еще тогда думали на своего одногруппника... Но вы ошибались. Этот Дыгай никакого отношения не имел к особому отделу!

— Конечно, вы и тогда отказывались. Хотя сейчас это не имеет никакого смысла.

— Так точно, товарищ генерал! Тридцать лет назад я бы не раскрыл своего информатора, но сейчас... Слово офицера: Дыгай не состоял у нас на связи! В вашей учебной группе у меня был один Зорький... Да и то «для галочки» — никакой полезной информации он не дал!

Ивлев говорил совершенно искренне, и Балаганский начинал ему верить.

— Это правда? — спросил он, в упор глядя на особиста.

— Конечно! Даже по формальным основаниям: зачем мне два агента в одной группе?

— Тогда кто дал эту информацию? — спросил генерал.

— Территориалы. Из Управления КГБ по Москве поступила копия сообщения их агента...

— Вот как? — генерал задумался. — Странно... Очень странно!

— Думаю, сегодня вы имеете возможность проверить мои слова!

— Обязательно проверю... А агент Зорький еще числится в подсобном аппарате контрразведки?

Ивлев чуть заметно улыбнулся.

— Нет, конечно! Он хорошо зарекомендовал себя в войсках при контактах с иностранцами, его даже хотели переводить к нам на гласную работу... Но потом главнокомандующий приблизил его к себе, и мы прекратили сотрудничество.

Наступила пауза.

— Разрешите забрать рапорт и быть свободным? — спросил полковник.

— Сейчас. — Балаганский придвинул к себе исписанный лист бумаги и наложил резолюцию: «Подготовить ходатайство по существу рапорта». Потом протянул рапорт Ивлеву.

— Возьмите!

Тот с удивлением прочел резолюцию и улыбнулся:

— Спасибо, Георгий Петрович! — и по неуставному добавил: — До свиданья!

Балаганский кивнул.

ГЛАВА 3

«Сатана» там правит бал

1 июня 2012 года
Москва

Отправлять поисковую группу Балаганский поручил Ерманову.

— Заваривал эту кашу порученец главкома, пусть порученец главкома и начинает ее расхлебывать! — сказал генерал. — Был бы ты постарше и поопытней — полетел бы с ними. А так — проводи, скажи добрые слова от моего имени, короче, подними боевой дух!

Группа собралась на испытательном аэродроме Раменское, которым пользуется авиация МО, МВД и ФСБ. Семь человек расположились в вестибюле служебного здания, они сидели в стандартных аэропортовских креслах для пассажиров, большие рюкзаки и сумки стояли рядом, некоторые положили на багаж ноги в высоких шнурованных ботинках. Четверо были в армейском камуфляже, двое в зеленой спецформе и жилетах разгрузки, все с пистолетами на ремнях, а «зеленые» еще и с автоматами. Седьмой член группы резко отличался от остальных — в каком-то охотничьем комбинезоне и гораздо старше по возрасту, он казался случайным пассажиром, ненароком оказавшимся в компании военных.

— Давайте познакомимся, товарищи, — поздоровавшись и представившись, сказал Ерманов.

— Старший группы майор Сизенко! — вскинул руку армеец с волевым лицом и неожиданной ямочкой на подбородке. — Военная контрразведка!

— Капитан Рощин, — отрекомендовался его сосед. — Коллега майора.

— Подполковник Цепаев, — чуть приподнялся худощавый мужчина в камуфляже. — РВСН.

— Майор Намётышев, ракетчик, — кивнул коренастый сосед Цепаева.

— Журавлёв, Юрий Захарович, инженер, — встал «охотник», интеллигентный человек с залысинами, увеличивающими и без того высокий лоб. Он явно чувствовал себя неловко.

— «Скрипач», — поднял палец атлетически сложенный «зеленый» и поправил зажатый между коленями автомат

— «Гений», — столь же кратко представился другой «зеленый» — высокий крепыш со шрамом на левой щеке.

На лицах присутствовавших появились улыбки: слишком не соответствовали псевдонимы облику этих людей.

— Товарищи из спецназа ГРУ, — пояснил Ерманов. — Ваше физическое прикрытие. Поступила информация, что «изделие» кроме нас ищет и группа террористов. К тому же, как мне доложили, «Гений» и «Скрипач» не хуже наших представителей разбираются в системах охраны стартовых комплексов. На демонтированных ШПУ защитные комплексы должны

быть деактивированы, но всякое в жизни бывает... Задача до вас доведена, вопросы есть?

Сизенко покачал головой. Он явно не воспринимал всерьез молодого капитана. Как, впрочем, и
остальные, кроме, пожалуй, Журавлева. Но Ерманова
это не обижало: он остается в Москве, а этим людям
предстоит бросок в тайгу, где их может ждать все что
угодно.

— Напоминаю, что майор Сизенко старший по
оперативно-боевой работе группы, — сказал порученец. — На этапе деактивации «изделия» командование
переходит к Юрию Захаровичу.

Журавлев снова встал и слегка поклонился.

— Генерал-майор Балаганский передал вам всем
привет и пожелание успехов в выполнении задания. —
Ерманов посмотрел на часы. — Вам пора!

Он пожал каждому руку. Поисковики поднялись,
взяли вещи и вышли на летное поле. На ВПП их ждал
Як-40. Ерманов наблюдал до тех пор, пока самолет не
взлетел и не растворился в яркой синеве неба.

* * *

Первая ночёвка на чердаке Серому не понравилась. Всю ночь он ворочался в полудрёме, пытаясь
прикрыться картонками от сквозняка из щели под
крышей да поглядывая: не подкрадывается ли огромная серая крыса, которая считала себя здесь хозяй-
кой. Крысу он опасался больше, чем двуногих конку-
рентов, — удар у него сохранился, любого с ног сва-
лит! А эти твари переносят чуму, цапнет за палец — и
прямое попадание! Уснуть удалось лишь на рассвете,
допив всё-таки полбутылки припасённой на утро
самопальной водки. «Как же не вовремя Людку уби-

ли, — засыпая, подумал он. — Уж лучше бы через годик-другой»...

У Людки-неотложки он жил последние два года, вдоволь наскитавшись по московским кильдюмам. Сама Людка говорила, что прозвище прилипло к ней из-за того, что когда-то она жила возле «Скорой помощи». Но Серый подозревал, что истинная причина в другом, тем более многие говорили, что она безотказно спасает от спермотоксикоза. Впрочем, ему было всё равно. У Людки было относительно чисто по сравнению с другими такими же шалманами, почти всегда была выпивка и какая-никакая закуска. Иногда она даже стирала. А вчера, проснувшись после попойки, Серый обнаружил под столом её труп со вспоротым животом...

Никого из гостей в квартире уже не было. Да и кто вообще был в ту ночь, он помнил слабо. Много народа сюда захаживало. Очень много. Особенно когда холодало. На самопальную водку всегда деньги найдутся, но пить под закусь да беседу всё лучше, чем одному и в подворотне. Принимали всех, кто приходил не с пустыми руками: и завсегдатаев, и совсем незнакомых... Что-то дотронулось до ноги, Серый выматерился и вскочил.

«Нужно валить отсюда! — решил он. — Наверняка её уже нашли. Обязательно на меня повесят... Нет, надо дергать из Москвы куда-нибудь подальше!»

Хотя куда именно надо «дергать», он совершенно не представлял. Спустившись с чердака, Серый побрёл к ближайшей мусорке. Ни бутылок, ни банок, ни подходящей еды там не оказалось, зато он нашёл газету и здесь же, за баком присел на корточки, ибо туалета на чердаке, естественно, не было. Попутно стал просматривать новости. «Наша газета продолжает публиковать сведения о доходах и имуществе кандидатов в депутаты областной Думы, которые они представляют в окружную избирательную комиссию...» — прочёл Серый. Он пробежал глазами список и присвистнул:

— Да у него же вообще ничего нет, как у меня! Вот ведь бедолага! Жалко его... Хотя станет депутатом — сразу разбогатеет! И он, и жена, и дети...

Скомкав газету, Серый использовал её по тому назначению, которое она, на его взгляд, заслуживала, и поднялся, натягивая штаны.

— Ой! — воскликнула женщина средних лет, собравшаяся выбросить пакет с мусором.

— Чё «ой»? Пожрать там у тебя найдется?

— Откуда? Там же отходы! Иди отсюда, извращенец! — закричала она и быстро пошла прочь.

— Отходы! Знаю я эти отходы! — крикнул Серый вслед. — И колбаса, и консервы, и хлеб... Только водку не выбрасываете, сами пьете!

Серый еще раз проверил баки. Еды действительно не было.

«Рано ещё, — решил он. — Наверное, выходной сегодня, спят все, нет, чтобы мусор вынести... К рынку пойду. Там базарные дадут чего-нибудь». Застегнув мятый испачканный пиджак — всё, что осталось от прежней жизни, — он направился в сторону рынка.

На конечной остановке маршрутных «газелек», возле рынка, Серый встретил узбека Рахима. Он был завсегдатаем расположенной здесь же пивной, в последнее время переименованной в кафе «Чайная роза». Но с тех пор ничего не изменилось, и заказать «соточку» здесь было гораздо проще, чем чашку кофе. Рахим ходил сюда как на работу. Поговаривали, что блатные назначили его смотрящим за этим «пятаком», чтобы он мог кормиться с водителей: пенсий-то за зоновский стаж пока еще не платят... Вряд ли кто-то из маршрутчиков всерьёз воспринимал его требования выделить червончик «на грев братвы, что за забором». Скорее просто из жалости к беззубому, с седой бородой, по виду — старику, но червонцы действительно давали, Серый сам это видел. Возможно, у них примета такая была: дашь червонец Рахиму — день пройдёт удачно... Не дашь — «газелька» может сгореть, как у Алима. Может, конечно, это совпадение, случайность, а может, и нет. Во всяком случае, водилы платили, а почему — кто их поймёт?! Газелисты — народ своеобразный. Зато у Рахима всегда можно было узнать все маршрутные новости: кто сегодня стал на ремонт, кто влез без очереди, кто уехал полупустым, а у кого даже места желающим не хватило. Такой вот, типа, диспетчер.

— Привет, Ракетчик! — издали приветственно поднял руку Рахим. — Заходи, по пятьдесят сделаем!

— Чё это ты сегодня такой добрый? — удивился Серый.

— Я всегда такой. — Рахим изобразил беззубым ртом подобие улыбки. — Моё имя означает «добрый».

— Угу, — проворчал Серый, поднимаясь по выложенным скользкой плиткой ступенькам. — Добрейший...

— Это правда, — хихикнул Рахим. — Никого не убил, не покалечил. Только карабчик, всегда карабчик. Кражи то есть...

Помещение было маленьким. Два из трёх высоких столиков пустовали, а за одним стоял и пил кофе мужчина средних лет, явно кавказской наружности. Одет он был прилично, но мрачно: чёрная кожаная куртка с латунными пуговицами, черная рубашка, чёрные джинсы... Черная щетина, крупный орлиный нос и черные глаза дополняли облик... В общем, ничего особенного. Обычный человек, коротающий время в ожидании нужной маршрутки. Таких посетителей за день здесь проходят десятки. Но Рахим поздоровался с ним очень почтительно. Может, потому, что рядом с чашкой на столе лежала черная папка, как у какого-нибудь начальника?

— Знакомься, Руслан! Это Серый, — в голосе Рахима появились многозначительные нотки.

Серый кивнул, пряча за спиной немытые с позавчерашнего дня руки. Но Руслан протянул руку первым, и Серому тоже некуда было деваться. Рукопожатие Руслана было крепким, а взгляд пронизывающим и требовательным. Новый знакомый был явно из крутых.

— Так, может, по пятьдесят за знакомство? — с надеждой спросил Серый.

— С утра на голодный желудок пить вредно! — усмехнулся Руслан. — А ты, я вижу, любитель?

— Ну... Как все. Меру знаю. А зачем тогда звали? Ты замполит, что ли? — разозлился Серый.

— Не волнуйся, дарагой! — сказал Рахим. — У Руслана дело к тебе.

— Да какое же дело, если и не познакомились толком?

— Ну, не здесь же толком знакомиться?! — примирительно сказал Руслан. — Возьмём заводской водки, закуски, пойдём к тебе...

— Ко мне нельзя, — замялся Серый. — Я с Людкой поругался...

— Не вопрос! Пойдём в нормальное заведение.

— А чем это не нормальное? — обиделся Рахим. — У меня тут скидки!

— Не обижайся, брат! — Руслан протянул ему сотенную купюру. — На вот тебе! А нам с Сергеем серьёзно поговорить нужно.

— Какие обиды? Никаких обид! — Рахим ловко взял деньги и поспешил к барной стойке.

— Пойдём отсюда! — Руслан повернулся и, не оборачиваясь, направился к выходу. Серый поспешил за ним.

— Сидел? — спросил Руслан, когда вышли на улицу.

— Сидел. Под землёй сидел. Почти пятнадцать лет.

— Как это? — вроде бы не понимая, уточнил Руслан.

— Ракетчиком был. Поэтому и погоняло такое: Серый-Ракетчик. Рахим не сказал, что ли?

— Хорошо, что не «трассер»[1], — проигнорировал вопрос Руслан.

— Знаешь армейские словечки?! — удивился Серый.

— Я тоже когда-то служил.

Серый хотел поинтересоваться, где служил его новый знакомый, но тот уже наклонился к окну стоявшего на площадке «Хендая» с шашечками и коротко переговорил с водителем. Потом кивнул и, открыв дверцу, привычно запрыгнул на переднее сиденье, выставил локоть в открытое окно.

— Садись! — небрежно пригласил он.

Серый неуклюже полез назад. Таксист недовольно покосился на его покрытое седой щетиной лицо, но промолчал.

Через двадцать минут пассажиры вышли у стекляшки под затейливой неоновой вывеской «Венский

---

[1] «Трассер» — солдат на побегушках (армейский жаргон).

вальс». Вальс здесь никто не танцевал, и по своему уровню он был ненамного выше «Чайной розы», но зато продавалась легальная выпивка, имелась вешалки для верхней одежды и столы, за которыми можно сидеть. Полная официантка быстро принесла бутылку водки, бутерброды с сыром и блинчики с мясом. Серый жадно опрокинул рюмку и столь же жадно набросился на бутерброды. Новый знакомый только пригубил, внимательно рассматривая собеседника. Не обращая внимания на его взгляд, Серый налил себе еще одну рюмку и выпил.

— Так кем ты, говоришь, служил? — спросил Руслан, хотя Серый ничего не говорил.

— До командира пэипэ дослужился, — ответил Серый, закусывая блинчиками. — Знаешь, что это такое?

— Нет, откуда?

— Группа ПиП — подготовки и пуска.

Он налил себе еще одну, потом еще... Хмель быстро ударил в голову.

— Серьезная должность. — Руслан опять чуть пригубил свою рюмку. — А почему из армии вылетел?

На этот раз Ракетчик выпил не закусывая.

— Почему, почему... Подполкана одного отмудохал. Он к моей жене подкатывал. А я хитрость придумал: ей сказал, что «вниз» спускаюсь, взял «дежурный» чемоданчик и ушел из дома... Там ведь как: когда на боевое дежурство заступил — всё! Только через сутки поднимешься, иначе никак, считай, что на Северный полюс улетел. На то у них и расчет был! А тут я возвращаюсь! Ну, и застукал...

— И что? — с интересом выпытывал Руслан.

— Известно что... Сам не знаешь? Под суд отдать хотели, потом передумали. Скорее всего, чтобы подполкана не «светить», — с него ведь тоже надо было спрашивать за аморалку. Да и к замполиту бы вопросы были. Вот и уволили по-тихому, за дискредитацию высокого звания советского офицера. А после увольнения медаль «За безупречную службу» вручили! Представляешь? Как издевательство! А главное — года до пенсии не хватило!

Серый съел все бутерброды и блинчики с мясом, почти прикончил бутылку. Лицо его раскраснелось.

— А дальше что?

— Да что... С Алкой мы помирились, она клялась, что больше ни-ни... Вернулись в Москву, здесь у меня после матери «однушка» осталась в Теплом Стане. Пошел в такси, оттуда через неделю попросили: запах, видите ли, учуяли... Может, это вчерашний? Но разбираться не стали. Короче, по разным местам помыкался: и слесарем в автомастерской, и грузчиком в «Ашане», и подсобником на заводе. Платят мало, а требуют до фига, через день-два комбинезон стирать надо — весь в масле да грязи... Это у меня, который весь мир на этом пальце держал. — Серый поднял указательный палец. — Потом вообще работы не стало, начал на уборку урожая ездить, потом в стойбригаду в Дагестан позвали, только я оттуда еле ноги унес — там настоящее рабство...

— А потом?

— Потом суп с котом! — Серый допил остатки водки, с сожалением поболтал бутылку и поставил под стол. — С Алкой разошлись, из квартиры она меня выставила, пока в Дагестане был. И пошло-поехало...

— Да-а-а, — сочувственно протянул Руслан. — Значит, и тебе они жизнь сломали?!

— А еще кому? — опьяневший взгляд Серого упёрся в холодные глаза собеседника.

— Да всем — и людям, и зверям, и природе...

Вжикнув «молнией», Руслан расстегнул свою папку и бросил на стол толстый журнал в глянцевой обложке.

— Посмотри!

Серый придвинул журнал к себе. Назывался он «Спасти планету». Красочная фотография на обложке напомнила о той, прошлой, жизни: горловина шахтной пусковой установки с открытой крышкой. Он сфокусировал взгляд, перелистнул страницу и бегло прочёл: «Создание международной экологической группы, которая берется проверить состояние экологии в местах, где в период Великого разоружения тридцать лет назад были заброшены части РВСН... приглашаются все неравнодушные... группа имеет много филиалов... взаимодействие через Интернет... привлечение внимания общественности к плачевному состоянию тайги и животного мира, загрязнению гептилом земли и озер...»

— Ну, и...? — не понял Серый. — Ты тут при чём?

— Я работаю на этот журнал.

— А я тут при чём?

— Ты тоже можешь заработать на этом денег. И немало. Если поможешь мне написать рассказ об экологической катастрофе.

— Я чё, писатель? Да и чё мне деньги?! Я вот этими руками атомную войну удерживал! — Серый потряс над столом крупными грязноватыми кистями с растопыренными обветренными пальцами. — Мне бы сейчас назад вернуться, я бы им всем кузькину мать показал...

— А чего б ты сделал? — жадно спросил Руслан.

— Чего, чего... Знаю чего! Так бы дверью хлопнул, что вся Земля зашаталась!

— Так там же блокировки? Как бы ты хлопнул?

— На каждую блокировку есть разблокировка. — Язык у Серого заплетался. — И я в этом разбираюсь. А вот в журналы писать не умею.

— Писать буду я, — сказал Руслан. — Но я же не военный. Мне нужно, чтобы кто-то соображающий в ракетных делах провёл меня по тем местам, объяснил, что там к чему... Так я подумал — может, ты поедешь с нами в экспедицию? Если, конечно, помнишь ещё что-то...

— Кто, я не помню?! Эээ, я всё помню! Я хоть сейчас могу за пульт сесть! Только ехать никуда не хочу... Пойду к Людке, высплюсь, потом на базар зайду к ребятам... — Тут Серый осекся и вмиг протрезвел. — Хотя нет, давай, поехали! Поехали! Прямо сейчас! Я все покажу...

Он с трудом встал.

— Ну, прямо сейчас мы поедем в одно место, поспим, — сказал Руслан, пряча журнал в папку. — А потом уже и дальше двинемся. Согласен?

— Угу, — икнув, ответил Серый. — Ик-караул устал...

Так он всегда говорил, когда напивался до отключки. А перед этим всегда рассказывал про свою героическую службу в ракетных войсках. Но на следующий день ничего не помнил. Как не помнил того, что там произошло у Людки-неотложки...

Руслан поспешно расплатился и, выведя под руку Ракетчика на улицу, махнул ближайшему такси.

Западная Сибирь

Высокая сочная трава прижималась к земле и болталась в разные стороны, когда вертолёт Ми-8 камуфлированной расцветки приземлился прямо в поле, в центр круга из боевого охранения солдат в камуфляже. Они тут же стали по очереди сниматься со своих мест и, оббежав вертолёт, спешно грузились на борт. Их встречал полковник с пилотским шлемофоном на голове.

— Первая воздушная поисково-штурмовая группа в количестве шестнадцати человек к выполнению задачи готова! Командир группы капитан Полосин, — перекрикивая шум двигателя, браво доложил коренастый крепыш в спецформе без знаков различия.

Бойцы группы быстро рассаживались на откидные лавки вдоль бортов, привычно ставя автоматы между ног стволами вверх.

— Садись, капитан! — Командир отдельного батальона охраны и разведки подполковник Дыгай тоже опустился на сиденье и похлопал рукой рядом с собой.

Капитан плюхнулся на лавку.

— Взлетаем! — скомандовал Дыгай, прижав к шее ларингофон.

Шум двигателя усилился, перешёл в свист, вертолёт поднялся вертикально метров на пятнадцать, на мгновение завис и взмыл вверх с левым разворотом.

— Слушай приказ! — сказал подполковник, разворачивая карту, где черными кружками были обозначены стартовые позиции. — Поступила информация, что в этом квадрате, — он ткнул пальцем рядом с одним из кружков, — охотники видели группу чужаков с автоматическим оружием. Задача — проверить!

— Есть! — кивнул капитан.

Минут через двадцать полёта они вошли в заданный квадрат. Под камуфлированным брюхом вертолёта тянулась однотонная зеленая масса, иногда разрываемая достаточно широкой рекой. Вертолет сделал круг, потом второй... После третьего капитан наклонился к Дыгаю.

— Если они нас услышали и затихарились, с воздуха не найдём! — прокричал он. — А место для днёвки подходящее — вода рядом!

— Вы командир группы — принимайте решение! — ответил полковник.

— Посадочным способом некуда... Предлагаю штурмовым, вдоль русла реки.

Комбат лишь пожал плечами: мол, я всё сказал... Полосин прошёл в кабину пилотов, переговорил с командиром и тут же вернулся.

— Приготовиться к десантированию! — объявил он подчинённым. — Вы с нами, товарищ подполковник, или как?

— С вами, — недовольно проворчал Дыгай. Он сменил шлемофон на фуражку, затянув ремешок под подбородком, и поправил пистолет на ремне. Потом с сарказмом добавил: — Или как...

— Идите тогда в числе первых!

— Иди ты сам, капитан! — вспылил комбат. — Я не салага, без тебя разберусь! Своими, вон, командуй!

Полосин рывком сдвинул дверь. В открывшийся проём пахнуло жжёным керосином от двигателя. Совсем близко блестела вода. Вертолёт медленно шёл вдоль русла, на высоте около двух метров, держась ближе к левому берегу.

— Первый пошёл! — скомандовал капитан, продублировав команду хлопком по плечу стоявшего у двери солдата.

Тот прыгнул вниз.

В проёме одна за другой, выдерживая интервалы, замелькали фигуры бойцов. С каждым покинувшим борт десантником вертолёт становился всё легче и поднимался немного выше. Последним прыгал Полосин. Вертолёт к этому времени поднялся метров до пяти. Подняв автомат над головой, капитан оттолкнулся и полетел в реку...

Река оказалась глубже, чем он рассчитывал, но до дна он достал. Холодная вода моментально пропитала одежду, проникая во все поры, и заметно утяжелила её. Оттолкнувшись от каменистого дна, Полосин вынырнул и что есть мочи погрёб к берегу, попутно стараясь рассмотреть, как обстоят дела у подчинённых. Солдатам повезло больше — они спрыгнули ближе к берегу и уже выходили на сушу, обтекая ручьями воды и на ходу расстёгивая одежду.

Присоединившись к ним, Полосин поднял руку над головой — знак пилотам: «В группе без ЧП, можно улетать».

Но вертолёт не улетел. Описав полукруг, он сделал второй заход и завис, на этот раз над полоской берега, выше деревьев. Кроны раскачивались, кружились сбитые ветром листья, из двери вылетел черный трос, нижняя часть достигла песка и свернулась кольцом. По тросу скользнула вниз атлетическая фигура подполковника. Через мгновенье он, даже не замочив ног, стоял на берегу и отстегивал пояс для десантирования. Потом махнул рукой, и Ми-8 скрылся за деревьями.

«Ничего себе, с пятнадцати метров! — подумал капитан Полосин. — Вообще, молодец мужик! Держит себя в форме, не чванится... Ведь мог вообще не высаживаться...»

— Т-товарищ к-капитан, — дрожа от холода, подошел сержант Ермилов. — Р-разрешите л-личному составу пр-рр-росушить одежду? В мокрой б-бегать не в-вариант!

— Ррр... Да! — коротко ответил Полосин, который сам чувствовал, что промерз до костей.

Солдаты достали предусмотрительно спрятанные в презерватив спички и быстро развели несколько костров. Составив автоматы в пирамиды, они сидели и стояли вокруг огня, растягивая выжатую одежду, чтобы скорее высохла. Густой белый дым шёл почти вертикально вверх — ветра не было. Полосин тоже подошёл к одному из костров и поднёс на вытянутых руках форменную куртку. Машинально взглянул на подполковника. Тот стоял у сосны и с кривой улыбкой наблюдал за происходящим. Эта улыбка не сулила ничего хорошего... И вдруг капитан понял, что допустил серьезный «косяк»: и неправильно выбрал способ десантирования, и не выставил боевое охранение, и просушку устроил не вовремя... Он бросил куртку на землю, схватился за кобуру и истошно закричал:

— К бою! Тревога!

Но было поздно. Между кострами блеснула вспышка.

«Ба-бах!» — раскатилось эхо от неожиданного взрыва...

«Тра-та-та-тах!» — почти одновременно с двух сторон раздались автоматные очереди...

Однако захваченные врасплох солдаты не падали наземь убитыми и ранеными, только кричали, разбегаясь от неожиданности. И цензурных слов в их криках было очень мало, если они вообще присутствовали.

— Мать вашу! — не отстал от подчиненных и Полосин, глядя на выбегающих из «зеленки» солдат в такой же, как они, камуфляжной форме и с автоматами наперевес.

— Поздно пить боржоми, голые чудо-богатыри! — сказал замкомбата майор Шабельский. Он появился из-за кустов последним и с довольной улыбкой подошел к Дыгаю. — Товарищ подполковник...

Но тот махнул рукой.

— Не надо, Владимирович, и так все видно. Командуй отбой учениям. Проверить оружие, пиротехнику, и через десять минут построение. Скажу я им пару ласковых. Привыкли, что диверсантов нет, только условный противник, вот и разнежились... Сейчас бы трупами лежали!

Москва

— Потом проконтролировал посадку в самолет и взлет, —закончил доклад капитан Ерманов.

Генерал кивнул.

— Хорошо. Как настроение у группы?

— Боевое. Особенно у «спецов» из ГРУ. Кажется, что они слона голыми руками могут порвать...

— А что, вполне возможно, — серьезно сказал Балаганский. — Держи на контроле работу группы, каждый день докладывай результаты.

— Так точно, товарищ генерал-майор!

— И еще. Завтра приедут сотрудники из Департамента военной контрразведки, будут проводить дознание по факту утечки совсекретной информации. Подготовь всех, кто имеет отношение к делу. И сам дашь показания.

— Кого «всех», Георгий Петрович? — растерялся порученец. — Я получил папку, отдал вам, и все... Кто еще имел к ней доступ, я не знаю.

— А ты внутрь заглядывал? — мрачно спросил Балаганский.

— Нет, конечно! Папка же опечатанная. И вообще...

— Ладно, свободен!

Когда дверь за порученцем закрылась, Балаганский встал и нервно прошелся по кабинету. Все сошлось одно к одному: утечка информации, охота террористов за спящей «Р 36М», да тут еще новость, сообщенная Ивлевым... Если не Дыгай, то кто?! Хотя сейчас вроде и не до этого...

Вернувшись на свое место, Балаганский снял трубку «вертушки»[1] и набрал двузначный номер.

— Слушаю! — раздался в трубке голос Полибина.

— Здорово, Витя! Балаганский на связи.

— Узнал, Петрович, узнал! Давненько тебя не слышал... Но ожидал, что позвонишь!

— Так тебе по должности положено все знать! Хотя какой у меня вопрос, ты не догадаешься!

— По-моему, сейчас у тебя только один вопрос!

— Это точно. Собираешься завтра на «четверку»?

— А как же! Евгенич, кстати, там новую кабинку поставил — инфракрасными лучами тело до пяти сантиметров в глубину прогревается.

— А я слышал, эту штуку твои люди туда привезли, — усмехнулся Балаганский. — Чтобы лучами мозги просвечивать и мысли читать. Я в микроволновку не полезу. Мне русская банька по душе, так чтоб влажность высокая, температуры средние...

В трубке раздалось нечто похожее на хрюканье.

— Давай, подтягивайся, юморист! Русская банька там, как всегда, на высоте. Евгеньич как раз свежих веничков привёз разных: дубовых, берёзовых, липовых. А то общество спрашивает: почему Петрович нас игнорирует?

---

[1] «Вертушка» — сленговое название телефона правительственной связи.

— Ладно, давай, до завтра!

Действительно, на субботние мероприятия «генеральского клуба» Балаганский приходил не часто. Застолья, баня, охота, биллиард и другие мужские развлечения его не особенно привлекали. Свободное время Георгий с удовольствием проводил с женой. Несмотря на долгую семейную жизнь, он по-прежнему был влюблен в Инессу и часто пропускал «обмывания» очередных званий, успешно проведённых учений (а успешно они проходили всегда), женитьбу детей, рождение внуков и прочих важных и не очень важных событий в жизни генеральской элиты.

Предстоящей встречи Балаганский ждал с нетерпением, отчего долго не мог уснуть. А когда уснул, ему приснился кошмар: особист Ивлев в капитанских погонах сидел в бане за замысловатым пультом и подкручивал какие-то маховички, направляя невидимые лучи в его, генерала Балаганского, голову.

Утром невыспавшийся Балаганский был разбужен телефонным звонком. Звонил аппарат закрытой связи, поэтому ответить, протянув руку к тумбочке, было нельзя. Чертыхаясь и шлепая босыми ногами по паркету, он побежал в кабинет и сорвал трубку:

— Слушаю.

Главком постарался скрыть недовольные нотки в голосе — по специальной связи обычно звонит начальство. И точно!

— Приветствую, Георгий Петрович! — пророкотал в телефоне властный голос заместителя министра Львова.

Генерал-полковник был последним из старой гвардии, еще не вытесненным «амазонками», но все ожидали, что в ближайшее время Стульев отправит его в отставку. Сам Львов тоже этого ожидал.

— Меня сегодня шеф на доклад вызывает по твоему делу, поэтому не взыщи, что разбудил...

— А какое такое «мое дело»? — оторопело спросил Балаганский.

— А ты не знаешь?! — раздраженно спросил Львов. — Разведка сообщила, что террористы ищут забытую ракету! А откуда утекла информация? Может, из моей епархии?

— Извините, товарищ генерал-полковник! Из моей!

— Вот то-то, — успокаиваясь, сказал замминистра. — Ты отчитался, что принял меры...

— Так точно! Направил поисковую группу специалистов-ракетчиков, усиленную спецназом.

— Этого мало! Надо поднимать дополнительные силы и средства!

— Виктор Владимирович, я не знаю, насколько точна информация разведки, но в любом случае ни одна террористическая группа не сможет даже подойти к командному пункту! И не сможет даже заглянуть в шахту!

— Ты это шапкозакидательство брось! Надо оцепить весь позиционный район сорок первой армии!

— Объект находится в расположении третьего полка, товарищ генерал-полковник! На одной из брошенных позиций с радарной антенной, а их всего три, — стараясь быть убедительным, проговорил Балаганский. — Наша группа ищет ее по этим признакам. Необходимости оцеплять весь позиционный район нет! Но вы правы, я подниму антидиверсионную группу дивизии — пусть прикроют все возможные точки!

— А сам догадаться не мог?! — строго, но удовлетворенно сказал Львов и, не прощаясь, отключился.

— Что это тебя подняли в такую рань? — в дверях стояла голая, разомлевшая ото сна Инесса. — Сегодня же выходной!

— На моей службе нет выходных! — буркнул Балаганский. — Пойди сделай кофе!

Он позвонил дежурному по штабу, отдал необходимую команду, потом заглянул на кухню, но там и не пахло ни кофе, ни Инессой. Георгий вернулся в спальню. Она, как ни в чем не бывало, валялась в постели, принимая соблазнительные позы и щедро демонстрируя выбритую промежность.

— А кофе?

— А кофе муж подаст в постель своей любимой женушке, — промурлыкала она, улыбаясь.

— Я ухожу, — мрачно ответил главком, не обращая внимания на прелести супруги.

— Куда? Сегодня же суббота...

— Ну и что? Ты же слышала — дела!

— А я, значит, опять буду скучать, — обиженно сказала Инесса, отворачиваясь.

Сердце генерала дрогнуло, и верх, в очередной раз, взял любящий муж.

— Не дуйся. — Он подошел к постели и поцеловал Инессу в теплое плечо. — Завтра куда-нибудь сходим!

Без четверти десять чёрный «Мерседес» главкома РВСН въехал на территорию объекта «А-4» — этим кодом когда-то обозначалась секретная дача Минобороны, и хотя объект давно был рассекречен, старое название сохранилось. Машина подъехала к крытой парковке. Водитель генерала Балаганского знал — здесь принято занимать свободные места слева направо, в порядке прибытия. Они оказались третьими, после «BMW 750» генерала Короткова — начальника Департамента материально-технического обеспечения

Министерства обороны, а между своими Евгеньича, и «Мерседеса» начальника УФСБ генерала Полибина. В двух сотнях метров от парковки на вертолётной площадке стояла «Кашка» — небольшой вертолёт Ка-26 с эмблемами МЧС на белом, опоясанном оранжево-голубой лентой борту.

Балаганский вошел в разгрузочный корпус. В большом зале два плотных мужичка с мокрыми волосами и красными лицами, обёрнутые простынями и похожие друг на друга как братья, сидели в кожаных креслах за накрытым столом. Перед ними в глубокой вазе краснели большие раки, на подносе отливали серебряной чешуей вяленые рыбцы. Они ели раков и пили пиво.

— О, кого я вижу! — трубным голосом закричал один. — Привет ракетным войскам! Что-то, Петрович, тебя давненько не было?

— Привет доблестным эмчеэсникам! — в тон ответил Георгий. — Некогда нам пиво пить, надо за ракетами следить! Кто еще здесь?

— Полибин с Евгеньичем в бильярд режутся. Валидыч вот-вот подъедет...

Через открытую дверь из биллиардной доносился костяной стук шаров. Балаганский разделся, нырнул в бассейн с прозрачной, чуть голубоватой холодной водой, быстро проплыл взад-вперед, потом погрелся в бурлящей джакузи, осмотрел инфракрасную сауну, с виду похожую на обычную кабинку для двух человек, с прозрачной дверью, и присоединился к эмчеэсникам. Валидыч — грузный генерал полиции подъехал через десять минут, Полибин с Евгеньичем, закончив партию, тоже вышли к столу. Потом неожиданно подоспел маленький, худенький, с лысой, как биллиардный шар, головой замначштаба сухопутных войск Голиков, который совсем не был похож на генерала.

— Ну что, за встречу? — потер ладони Полибин.

— Давайте вначале попаримся! — предложил Евгеньич — сухопарый, подвижный, с лысиной на макушке. — Для здоровья полезнее!

Вопреки распространённому о тыловиках мнению, Евгеньич был абсолютным трезвенником, занимался спортом и просто излучал здоровье. За столом он обычно пил чай, заваренный на травах, этим и объяснял, почему выглядит гораздо моложе своих пятидесяти восьми.

— Ну, давай, — согласился Полибин.

Он являлся полной противоположностью Евгеньичу — грушевидное лицо повторяло грушевидную фигуру (или наоборот), даже на вид можно было определить, что он страдает избыточным весом и одышкой, а перечень диагнозов в медицинской карте занимает не одну страницу. При этом генерал никогда не отказывал себе в удовольствии выпить бутылочку-полторы хорошего коньяка. А уж в качестве спиртных напитков он разбирался не хуже, чем Евгеньич в чаях и ароматизаторах для бани.

— Масло лаванды, кедра, мелиссы, мяты, шалфея, — любовно рассказывал Евгеньич, лёжа на верхней полке парной. — Это расслабляющие, успокаивающие запахи. А тонизирующие — бергамот, грейпфрут, имбирь, лайм. Но нужно ещё уметь подобрать концентрацию.

— Да, Евгеньич, пар у тебя на славу получился, — похвалил грузный и лысый Валидыч, покрытый множеством мелких нагретых капелек воды, концентрировавшейся из пара.

Напарившись, генералы вышли из парилки, расселись вокруг стола на диване и в мягкие кожаные кресла.

Закутанные по пояс в простыни, с простецкими красными лицами, они были похожи на самых обычных мужиков, не отягощенных властными полномочиями и государственной ответственностью. Вместо петлиц с золотыми дубовыми листьями некоторых украшали оторвавшиеся от веников листы, но располагались они совсем не в тех местах, где положено. И вели голые мужики себя соответственно: смеялись, рассказывали анекдоты, шутили. Кто-то пил водку, кто-то коньяк, кто-то пиво. Евгеньич, как всегда, прихлебывал чай.

— Ааа! — раздался дикий крик: задержавшийся в парилке Валидыч прыгнул в холодный бассейн, подняв фонтаны брызг, которые долетели до стола.

Больше всего досталось Голикову, он брезгливо отряхивался.

— Фрр, — полицейский вынырнул, выплёвывая воду.

— Валидыч, ты прям как американский «морской котик»! — крикнул Евгеньич.

— Я морской лев! — гордо возразил тот.

— Видали мы зверей почище львов, и то от них летели клочья! — продекламировал Голиков.

Все весело засмеялись.

— Отличные раки, — похвалил Балаганский, отрывая и высасывая очередную клешню. — Крупные все, как на подбор.

— Это МЧС нас выручает, — сказал Евгеньич.

Эмчеэсники с довольным видом переглянулись.

— Работа у нас такая — выручать, — улыбнулся один из них.

— Донской рак, — деловито сказал другой. — Раньше такого во Францию экспортировали. Только теперь мало его осталось.

— Раки — это хорошо, — брюзгливо сказал Голиков, который их не ел. — А вот почему в армии на одного генерала приходится тысяча сто военнослужащих, а в МЧС — сто пятьдесят девять?

— Потому что задачи у нас сложнее!

Из бассейна, отдуваясь, вылез Валидыч и, расставив руки, пошел на Голикова.

— Что ты там про львов говорил? А ну, давай бороться! Посмотрим, от кого клочья полетят!

— Ты хоть простыней прикройся, — невозмутимо ответил Голиков. — А бороться я отказываюсь — задавишь! У меня не мускулы роль играют, а голова. Мои мускулы — это армии и дивизии. Знаете, что территория противника не считается освобожденной, пока на нее не ступил сапог солдата?

— Прям-таки, — возразил Балаганский, отпивая пиво. — Пока вы там своими котелками бренчать будете, ракетные войска уже свою задачу выполнят, и вам заходить на вражескую территорию даже не понадобится. Тем более, и для здоровья это не полезно!

— Да, засирать территорию вы умеете! — кивнул Голиков. — Рассказываю анекдот про генерала-ракетчика...

— Давай, давай, — оживились все остальные, кроме Балаганского, который, наоборот, — насторожился.

— Так вот, приезжает генерал в часть с проверкой. Заходит в казарму, кричит: «Почему не убрано? Пол должен блестеть!» Ведут его на позицию, он опять: «Почему ракета не блестит? Она должна блестеть!» Ну, тогда ему баньку истопили, телеграфисточку симпатичную послали в компанию. Только она как ни старается — все напрасно. Девчонка так осторожненько и говорит: «Товарищ генерал, у вас не стоит!»

А он как рявкнет: «Он и не должен стоять! Он должен блестеть!»

Генералы захохотали.

— Слышь, Петрович, а у тебя как, блестит? — совершенно серьезно спросил Полибин, когда все успокоились.

Последовал новый взрыв смеха, Валидыч даже с дивана сполз, эмчеэсники держались за животы и вытирали слезы. Шум поднялся такой, будто за столом собрались не семь мужиков, а двадцать семь!

Балаганский с невозмутимым видом встал, взял нетронутую рюмку с водкой, поднял, отставив локоть.

— За ракетные войска! — сказал он и выпил.

Все были вынуждены последовать его примеру, шум понемногу стих.

Потом солдат из взвода охраны принес блюдо с дымящимся шашлыком, и внимание собравшихся переключилось на еду. Тосты следовали один за другим, запасы водки и коньяка быстро убывали. Наконец, все насытились и захмелели, все пребывали в хорошем настроении.

— Ну что, может, в бильярд партеечку?! — предложил Евгеньич.

— А давай! — поддержал Валидыч. Голиков и эмчеэсники пошли с ними в биллиардную.

Полибин и Балаганский остались наедине.

— Выйдем, подышим, — сказал Георгий.

— Пойдем.

Генералы надели отглаженные махровые халаты и вышли на крыльцо. Было тепло, пахло цветами, недавно политой зеленью и свежескошенной травой. Охранник, маячивший метрах в десяти, на всякий случай отошел подальше, чтобы не мозолить глаза начальству. По гладкой асфальтированной дорожке, между зе-

леных газонов и разноцветных клумб, они подошли к
работающему фонтану.

— Я знал, что ты на меня выйдешь, — глядя в фон-
тан, сказал Полибин. — Только в этом деле я тебе ничем не помогу. Утечка и последствия слишком серьез-
ные, уже самому доложили!

Полибин поднял руку и указал на небо.

— Расследованием будет руководить кто-то из руководства Военно-следственного комитета, так что
сам понимаешь...

— Да все я понимаю, — прервал его Балаганский. — Пусть проводят расследование, пусть делают
выводы, тут ничего не поделаешь. Я уже послал туда
группу поиска, поднял антидиверсантов — если четко
сработают, то и проблем не будет. А я по-другому вопросу.

— По какому? — удивился Полибин и перевел
взгляд с водяных струй на приятеля.

— В восемьдесят втором году моего товарища, Се-
режку Веселова, отчислили из академии за анекдот.
Я думал, его наш общий друг сдал, Мишка Дыгай.
А недавно наш бывший особист у меня на приеме был
и сказал, что Мишка ни при чем: якобы информация
от территориалов пришла...

— И что ты от меня хочешь?

— Хочу узнать, правда ли это? Дело в том, что кроме нас троих там не было никого похожего на «коми-
тетских» агентов!

— Хороший агент и не должен быть похож на агента! — усмехнулся Полибин. Подул легкий ветерок, и он
плотнее запахнул халат. — Зачем прошлое ворошить?
Тридцать лет прошло, всё в воду кануло! У тебя сегодня реальные проблемы, а ты в восемьдесят второй год
возвращаешься...

— Знаешь, Виктор Эдуардович, с моими проблемами я тебя разбираться не прошу, — холодно сказал Балаганский. — А прошу старую занозу из сердца вынуть! И это вполне в твоих возможностях!

— В моих-то моих. — Тон Полибина тоже изменился, стал мягче, что ли. — Только это же секретная информация. Все равно что я тебя попрошу раскрыть дислокацию ракет и коды запуска!

— Не все равно! — возразил Балаганский. — Мои секреты безопасности страны касаются и вражеские разведки очень интересуют! А кого интересуют твои дохлые секретики про агентуру, работавшую тридцать лет назад? ЦРУ? Или «Моссад»? Никого! Все дела уже давно в архивах пылятся! Или я им мстить пойду?!

Дело шло к ссоре. Полибин откашлялся. В чем-то Балаганский был прав. К тому же среди большого начальства действуют свои законы и правила. Ссориться из-за подобных пустяков тут не принято.

— Не лезь в бутылку, Петрович! — Он дружески похлопал Георгия по плечу. — Уговорил! Завтра подниму архивные материалы, поговорю с опером и позвоню...

— Спасибо, Витя, — успокаиваясь, произнес Георгий. — А я уж подумал...

— Вот чтобы глупостей не думал, пойдем выпьем!

Москва — Западная Сибирь

Серый проснулся уже утром, проспав почти сутки. Такого с ним никогда прежде не случалось. Оглядевшись, он обнаружил себя в квартире нежилого вида — голые стены с неровно наклеенными дешевыми обоями, почти полное отсутствие мебели: не считая дивана, на котором он спал, здесь стояла пара стульев да забрызганные известкой малярные козлы, выполняющие, скорей всего, роль стола... Как он сюда попал?! Серый напрягал память, но, как обычно, ничего не вспомнил. Голова болела, в горле пересохло, язык был большой и жесткий, как наждачная бумага. Надо было срочно опохмелиться.

Вместо его грязной, ветхой одежды на одном из стульев висели рубашка, пиджак и брюки — все новое, неношеное. Серый быстро проверил карманы. Они были пусты, и это его обеспокоило. Конечно, ничего ценного, да и не ценного тоже, там никогда не водилось, но во внутреннем кармане пиджака, для верности застегнутом булавкой, хранился завернутый в обрывок газеты мятый-перемятый паспорт, который был последним билетом из мира бомжей в нормальную человеческую жизнь. Ни у Вонючки, ни у Толяна, ни даже у Рахима паспортов не было, поэтому они завидовали Серому, а он, наоборот, — чувствовал свое превосходство. И вот какие-то гады этот драгоценный паспорт сп...ли!

На кухне слышался гортанный говор, слов разобрать было нельзя. Решительно настроенный Серый вышел туда и увидел сидящих за столом у включенного ноутбука двух мужчин восточного вида — одному на вид лет тридцать пять, второму — под шестьдесят. У них были одинаковые орлиные носы и одинаково заросшие лица, можно было подумать, что это родственники. Серый вспомнил, что младшего зовут Руслан, это он по-царски угостил его вчера и привез сюда. А второй, наверное, его отец или старший брат... Хотя нет, Руслан держался с ним так же почтительно, как Рахим с Русланом, и дело не в восточном уважении к старшим, а в отношениях зависимости или подчиненности...

Паспорт лежал на клеенке рядом с ними, Серый беспрепятственно забрал документ и сразу успокоился. Сагид — так звали старшего — расспросил его о жизни, о службе, поцокав языком, выразил сочувствие... Обнадеженный Серый попросил опохмелиться, но вместо водки получил какую-то таблетку, которая растворилась в стакане воды и действительно принесла некоторое облегчение. В качестве аванса за будущую помощь Сагид вручил ему пачку тысячных купюр — в том мире, в котором последние годы обитал Серый, это были фантастические, запредельные деньги!

Наконец, Сагид ушел, а Руслан сопроводил Серого в кафе-стекляшку рядом с домом и накормил завтраком, потом отвел в парикмахерскую, где его побрили и постригли. Глядя в зеркало, он не узнавал себя, но испытал чувство облегчения — будто содрал с себя гнойную коросту. Затем они пошли в универсам, Руслан приобрел несколько свитеров, зеленые туристские куртки для себя и Сергея, накупил целый рюкзак консервов, а Серый незаметно купил складной нож с выкидным клинком — он привык не доверять незнакомым людям. Да и знакомым тоже. В продуктовом отделе взял бутылку водки. Но Руслан водку заметил и разбил об асфальт прямо возле магазина.

Вскоре на такси они приехали в Шереметьево, где встретились с Сагидом и гладко выбритым мужчиной европейской внешности, лет сорока, который представился Васей, но почему-то говорил с едва заметным акцентом. Он не расставался с ноутбуком в специальном мягком футляре на ремне. Сагид был в просторной длинной куртке из толстой темно-серой фланели с большими накладными карманами, брюки он заправил в высокие шнурованные ботинки. На Васе было обычное гражданское черное пальто, которое нелепо выглядело на фоне легкой одежды находящихся в аэровокзале пассажиров. Впрочем, это его нисколько не смущало. Вел он себя замкнуто и все время молчал. Через час все четверо вылетели в Омск.

В аэропорту в зале прибытия их встретили двое кавказцев — солидный пожилой мужчина и молодой парень. Серый надеялся, что встреча будет сопровождаться застольем и обязательно дадут выпить, но дело обернулось совсем по-другому. Солидный обнялся с Сагидом, соприкоснулся с ним щеками.

— Рад снова видеть тебя, Алмаз, — сказал он, но Сагид сурово свел брови, и тот осекся. — Пойдем, машина ждет!

Они погрузились в «Газель». Молодой парень сел за руль, Руслан рядом с ним, Сагид и пожилой устроились сзади и всю дорогу шептались. Серый попытался завязать разговор с Васей, но тот отвечал односложно и неохотно, так что беседы не получилось. Ехали около часа, потом «Газель» остановилась, приезжих высадили, и не в городе у гостиницы, а в пустынном поле. Попрощавшись с Сагидом, встречающие уехали, оставив четверых гостей в широкой, но редкой лесополосе. Серый понял, что ни угощения, ни тем более выпивки не предвидится. Смеркалось, дул холодный ветер, Серый достал из рюкзака свитер.

— Ну, долго мы будем ждать у моря погоды?

Спутники спокойно сидели на рюкзаках и, казалось, его не услышали, только Руслан глянул так, что задавать дальнейшие вопросы расхотелось. Когда стемнело, откуда-то сверху послышался приближающийся шум двигателя и сигнальные огни вертолета. Руслан включил фонарь, световой луч поднялся в небо, обозначая их местоположение. Вертолет сел метрах в пятидесяти, прямо в поле. Серый таких никогда не видел: небольшой, с кабиной, похожей на голову стрекозы с огромными «глазами» остекления и двумя двигателями по бокам фюзеляжа — как у самолета. Двигатели продолжали гудеть, а два расположенных один над другим винта — вращаться.

Все вскочили.

— Давайте быстро! — приказал Сагид и побежал.

Руслан и Вася бросились за ним. Серый был вынужден последовать их примеру. Тяжелый рюкзак давил на плечи, ноги вязли в рыхлой почве, и он подбежал к вертолету последним, подивившись выносливости спутников. Чувствовалось, что они неплохо тренированы. В тускло освещенном салоне сидели три человека в камуфляже. Не проявляя никаких эмоций, они гортанно поздоровались с Сагидом и Русланом. На Серого и Васю внимания не обратили, как будто их и не было.

— Пойду к пилоту, — сказал Сагид, ни к кому не обращаясь, и снова выпрыгнул наружу.

Руслан закрыл широкий двустворчатый люк, вертолет вновь оторвался от земли и быстро начал набор высоты.

Сердце у Серого колотилось, он тяжело дышал. Сидящие напротив незнакомцы рассматривали его с презрительными улыбками. Глаза постепенно привыкли к полумраку, и он смог рассмотреть своих новых попутчиков. Они были в камуфляже и таких же ботинках, как у Сагида. Сухие, поджарые, со впалыми щеками и развитыми надбровьями. Старшему лет под сорок, двум другим по двадцать — двадцать пять, причем один рыжеволосый, что удивило Серого: он никогда не видел рыжих кавказцев. Обычная для горцев небритость, у старшего — окладистая борода, уверенные позы и хищные повадки. Видно, привыкли по горам бегать...

«Волчары натуральные, — подумал Серый. — Такие кишки на кулак намотают и не поморщатся... Какие, на фуй, экологи! Видать, вписался я в стремную тему...»

Действительно, ни экологией, ни журналистикой здесь не пахло. Все происходящее напоминало хорошо подготовленную военную операцию. Серый уже пожалел, что подписался на предложение Руслана. Хотя выбора не было: за спиной оставался труп Людки, и из Москвы надо было валить по-любому... Ладно, разберемся... То ли от обилия событий, то ли от смены часовых поясов, полетов и перепадов давлений, но Серый почувствовал сильную усталость и, откинувшись на спинку сиденья, мгновенно заснул.

Проснулся он через два часа, когда вертолет, в полной темноте, косо шел на посадку. Луч бортового прожектора высветил внизу большую поляну среди деревьев.

— Вояки постарались, специально для нас площадку сделали! — хрипло сказал бородач. — Они тут самолет какой-то нашли. Палатки поставили. Жалко, потом убрали...

Руслан цыкнул зубом.

— Палатки вообще не вопрос, — растягивая слова, холодно сказал он. — Надо будет, на землю ляжем! Надо — вообще спать не будем, хоть неделю, хоть месяц!

— Не пугай! — огрызнулся бородач. — Мы в горах, думаешь, на перинах спим?

— Успокойся, Ахмед! — повысил голос Руслан. — У нас есть палатка на четверых, остальные в вертолете заночуют...

Колеса шасси мягко коснулись земли, двигатели смолкли, в открытый люк пахнуло пьянящим запахом леса и откровенным ночным холодом. Пассажиры выпрыгнули, выгрузили багаж. Серый принимал рюкзаки с вещами, канистры с водой и большие тяжелые сумки, в которых позвякивало железо. Похоже, «экологическая» экспедиция хорошо вооружена...

Последним из вертолета вылез пилот — круглолицый, добродушного вида увалень в летном комбинезоне. Увидев Серого и Васю, он обрадовался и протянул руку:

— Здорово, мужики! Меня Валентином зовут! Хорошо, что славяне объявились, а то одна «чернота» кругом, — он опасливо оглянулся. — Правда, платят хорошо! Сейчас колодки под колеса поставлю и поболтаем...

Пока пилот занимался своей машиной, Серый попытался разговорить Васю.

— Так что мы делать будем? — по-простецки расспрашивал он. — Вот твоя какая задача?

— Денег заработать, — скупо ответил тот. — Что скажут, то и буду делать. И тебе так же советую!

— Слышь, ты и ты, — подошел сзади Ахмед и ткнул пальцем в каждого. — Живо ставьте палатку, разводите костер, готовьте ужин!

— Я? — изумленно спросил Вася.

— Конечно, ты! Не я же, — ощерился бородач.

— Но я... Я не прислуга...

Серый ничего не говорил: он раскачивался с носков на пятки и с легкой улыбкой рассматривал самозванного командира.

— Объясни им, Шамиль! — небрежно бросил бородач рыжему.

Тот подошел с угрожающим видом.

Сагид и Руслан, подсвечивая фонариками, увлеченно заглядывали в тяжелые сумки и не видели, что происходит вокруг. Точнее, делали вид, что не видят. Что ж, значит, каждый за себя...

— Пошел дрова собирать! — рявкнул Шамиль на Васю и, толкнув его в грудь, повернулся к Серому. — А ты палатку ставь! А то головы отрежу!

— Слышь, брателла, а ты рамсы не попутал?! — презрительно усмехнулся Серый. В той среде, в которой он последние годы вращался, было легко научиться блатному жаргону и повадкам.

— Чё, чё? — Шамиль подошел вплотную и хотел еще что-то сказать, но не успел.

«Бац!» Хук снизу пришелся в солнечное сплетение, рыжий перегнулся вдвое, будто сломался, и тяжело повалился на траву.

— Эй, ты что?! Жить надоело?! — В руках у его сотоварищей появились пистолеты.

Но тут раздался грозный окрик Сагида. И хотя Серый не понял ни слова из того, что тот сказал, но смысл был предельно ясен: оружие мгновенно исчезло, а его обладатели спрятали клыки и принялись оказывать помощь поверженному Шамилю.

— Не обращайте внимания, друзья! — Руслан успокаивающе обнял Сергея и Васю за плечи. — Это горячие, плохо воспитанные сельские парни. Они не поняли, что вы важные и почетные гости. Зато на них можно положиться: всю свою жизнь они воюют за свободу Кавказа. Слышали про «Волков джихада»?

— Плевать мне, кто они! — Серый сбросил чужую руку, сделал шаг в сторону и нащупал в кармане нож. — Только пусть ко мне не суются, да и к Ваське тоже! Не одни они умеют головы отрезать!

Шамиль постепенно пришел в себя. По команде Сагида все принялись за работу: «волки» быстро и привычно развели костер, Руслан с Серым и Васей поставили палатку, Сагид, явно демонстративно, лично почистил картошку, вскрыл банки с тушенкой и вместе с пилотом варил в котелке мясной суп. Потом все уселись вокруг костра и жадно набросились на еду. Вопреки надеждам Серого водки на расстеленном брезенте не было, хотя густое варево, как ни странно, оказалось довольно вкусным и сытным. Казалось, в лагере воцарились мир и спокойствие, но Серый то и дело ловил на себе косые, ненавидящие взгляды «волков» и понимал, что так просто конфликт не закончится. И действительно, когда перед сном он отошел подальше за деревья помочиться, то случайно подслушал разговор подошедших Сагида и Ахмеда.

Вначале они говорили на непонятном языке, потом Ахмед перешел на русский:

— Я плохо понимаю арабский, Сагид. Мы не знаем ни тебя, ни твоих людей. Но наши старшие сказали, что ты очень уважаемый и почитаемый человек, поэтому мы здесь. Но я не понимаю, почему ты позволяешь презренным кяфирам[1] вести себя так, как будто они здесь главные?! Шамиль перерезал глотки нескольким десяткам врагов, а сейчас грязный ишак ударил его совершенно безнаказанно! Как мне объяснить моим людям — почему так случилось?! Или ты хочешь, чтобы я потерял лицо?!

— Успокойся, Ахмед! Я и мои друзья очень ценим тебя и всех «Волков джихада», — успокаивающе про-

---

[1] Кяфир — неверный.

изнес Сагид. — Но эти люди пока нам нужны. Они специалисты и помогут нам совершить великий подвиг. А потом можешь порезать их на куски — ты в своем праве!

«Какой «великий подвиг» они собираются совершить с моей помощью? — ломал голову Серый. — Если они экологи, то тут все ясно: показать места заброшенных стартовых позиций, рассказать о вреде гептила для окружающей среды, научить специфическим терминам, которые придадут статье большую достоверность... Но если это боевики, а это боевики, то что я могу для них сделать? Запустить ракету? Только идиот может составить такой план даже для боевых шахт! А тут они пустые... Ладно, хрен с тем, какие бредни они придумали. Но вот насчет «порезать на куски»... Это мне совсем не нравится! Тем более что это не ракету запустить — это они вполне могут сделать! Причем именно «на куски», тут все очень реально и без всяких преувеличений!»

Немного позже, когда они укладывались спать в палатке, а все остальные устроили совещание у вертолета, Вася внезапно прошептал:

— Спасибо, Сергей! Этот бандит так на меня напал, что я растерялся! А ты его нокаутировал без лишних разговоров!

— «Спасибо» не булькает, — так же тихо ответил Серый расхожей фразой. — Лучше налей хотя бы сто грамм! А то меня уже крутит всего, а они только таблетками пичкают!

— Я не пью, — с сожалением ответил Вася. — А то бы обязательно налил. Когда вернемся, поведу тебя в лучший ресторан...

— Зачем? В ресторан меня и не пустят... — Серый осекся.

— Почему? — удивился Вася.

— Да потому, что в ресторан по частям не пускают, — нашелся Ракетчик. — А нас с тобой эти звери завтра на куски собираются порезать. После того, как мы с тобой свое дело сделаем...

— Не может быть! — ужаснулся Вася. И тут же, без всякой последовательности, продолжил:

— То-то у Сагида глаза убийцы... И деньги обещал отдать после работы — мне это сразу не понравилось...

— А в чем твоя работа?

— В том же, в чем и твоя... Ты же ракетчик?

— Да, на «Р 36М» работал. А что, ты тоже?

Вася кивнул:

— И я.

— На каких системах?

— «LGM-30».

— Подожди, это что такое? — не понял Серый.

— «Минитмен-3».

— Как так?! — изумился Ракетчик. — Это же американские!

Второй ракетчик усмехнулся:

— Так я в американских войсках служил.

— Ничего себе! — присвистнул Серый. — Как тебя угораздило туда попасть?

Вася вздохнул:

— Туда очень просто — родители в семьдесят пятом эмигрировали в США, а в семьдесят седьмом родился я. Кстати, мое настоящее имя Джонатан. Ты лучше спроси, как Джонатана сюда угораздило?

— И как же?

— Тоже просто. Возникли проблемы с деньгами, долги... Из армии уволили, а тут случай подвернулся: познакомился с одним арабом — очень приличный человек, мы даже подружились... Он предложил хороший заработок, вот я и поехал...

— Да-а-а, как в кино, — покрутил головой Серый. — Ну, а дело-то у тебя тут какое?

— По специальности. Ракету запустить. Как раз «Р 36М». Хотя ты в этом деле играешь первую скрипку...

— Да ты что?! Как можно вот так просто ракету запустить?! Знаешь, какая там охрана?! Это все равно что всемером взять крепость!

— Говорят, нет никакой охраны. Заброшенная она. Вроде забытая.

— Только сумасшедший может такое придумать!

Серый даже забыл про конспирацию и повысил голос. Но снаружи послышались шаги, и они замолчали, притворившись спящими.

Сагид и Руслан влезли в палатку, распространяя вокруг горькие запахи костра и смертельной опасности. Они молча устроились на своих местах и вскоре захрапели.

А Серый долго лежал без сна. Может, оттого, что выспался в вертолете, но скорей — от навалившихся мыслей, столь же горьких, сколь наполнившие палатку запахи. Последние годы он находился в постоянном пьяном дурмане, а сейчас вынужденная трезвость хотя и доставляла физические страдания, но позволяла задуматься над своей жизнью и оценить ее перспективы. А перспективы, мягко говоря, не радовали.

Труп Людки уже наверняка нашли, и его, конечно же, объявили в розыск, тем более что, скрывшись из постоянного места обитания, он подтвердил свою вину... Но что такое обвинение в убийстве по сравнению с террористической деятельностью?! За время обучения в академии и потом, за годы службы, он тысячи раз слышал об опасности диверсионно-разведывательных групп противника, которые так и кружат вокруг ракетных стартов, надеясь отыскать щелочку в системе антидиверсионной обороны и выполнить свое черное дело... В реальность такой опасности мало кто верил, думая, что особисты сгущают краски для повышения бдительности и дисциплины... И вот он лично входит в самую настоящую ДРГ, заданием которой является пуск боевой ракеты! Что хуже: попасть под суд за убийство, которого не совершал, или за терроризм, в котором участвовал? Впрочем, до суда дело не дойдет: окружающие его бандиты не дадут соучастнику вернуться в большой мир...

Подавленный тяжелыми и тягостными мыслями, Сергей Веселов по прозвищу Ракетчик незаметно провалился в столь же тяжелый и тягостный сон.

Разбудил его холод и громкий разговор. Сагид и Руслан сидели на корточках у входа в палатку и что-то объясняли держащему на коленях ноутбук «Васе», а тот то ли не понимал, то ли возражал и доказывал обратное. Когда Серый вылез, они на миг смолкли.

— Слушай меня внимательно, Сергей! — строго и торжественно начал Руслан. — Мы никакие не экологи...

— Да? А кто?! — удивился Ракетчик. — Хотя мне все равно. Дайте выпить!

— Когда мы закончим дело, ты сможешь пить с утра до ночи! Ты получишь сто тысяч долларов, мы переправим тебя куда захочешь — хоть в Арабские Эмираты, хоть в Америку.

«Хоть бы пи...л правдоподобно!» — подумал Серый. А вслух сказал:

— Сто тысяч не надо. Дай стакан водки сейчас.

— Не веришь? — спросил Руслан и повернулся к «Васе» — Джонатану.

— Покажи ему!

Тот повернул ноутбук. На экране было нечто напоминающее приборную панель самолета: экранчики, кнопки, рычажки...

— Что это?

— Боевой пульт «Минитмена» с активными кнопками, — пояснил Джонатан. — Его можно подключить к вашему? Они сопрягаются?

— Нет, конечно! — Несмотря на независность ситуации, Сергей засмеялся. — У нас пульты образца семидесятых годов. Там еще аналоговые приборы.

— Я же вам говорил! — воскликнул Джонатан, обращаясь к Руслану и Сагиду одновременно. Те переглянулись.

— Послушай, Сергей, я тоже служил в РВСН, — сказал Руслан. — Но я не управлял пуском, хотя и изучал, как это делается... А Вася знает, как производить пуск, но на совсем других пультах... Зато ты знаешь и умеешь то, что нам надо. Поэтому тебе придется сделать для нас эту работу!

— Какую работу?

— Произвести пуск «карандаша», вот какую! — Руслан впился в Веселова ледяным взглядом. Наверное, так смотрит удав на жертву.

— Это невозможно, потому...

— Тебя это не касается! — грубо перебил Сагид. — Ты ударил нашего парня! Они бы зарезали тебя сразу, но я им запретил, сказал, что ты нам нужен... Поэтому работай и получишь хорошие деньги... Или...

— Да поймите, к ракете невозможно подобраться! Она охраняется, как крепость, готовая к осаде!

— Это не твой вопрос! — вмешался Руслан. — Мы приведем тебя к пульту, и тебе надо будет только выполнить ту работу, которую ты много раз выполнял, производя условные пуски...

«Психи, натуральные психи! — подумал Сергей. — Надо валить их всех! И я их завалю! Или они меня... Плевать, все равно обратного хода нет! Эх, жалко, Дыгая я не достал... Если бы его захватить...»

— Ну, а куда она полетит, эта ракета? — прикидываясь простачком, спросил он. — И что потом будет?

— И это не твой вопрос! — отрезал Руслан.

А Сагид добавил:

— Тебе не надо думать о мировых проблемах! Ты же убил свою сожительницу, тебя ищут. Вот о чем тебе надо думать! А в Америке тебя не найдут!

«И на том свете никого не находят!» — подумал Сергей.

У Сагида прозвонил спутниковый телефон, и он отошел в сторону, но быстро вернулся в очень хорошем настроении.

— Нам теперь не надо облетать все брошенные шахты, — бодро сообщил он. — Всего три точки! Думаю, за день управимся!

Западная Сибирь
Н-ская дивизия РВСН

Вернувшись домой, оголодавший Дыгай, не снимая формы, сразу прошел на задний двор.

Традиция ужинать на воздухе зародилась в их семье пять лет назад, сразу после переезда в новый коттеджный посёлок, неподалёку от штаба дивизии. Тогда он был ещё подполковником, заместителем командира отдельного батальона охраны и разведки дивизии, сын Николай учился на предпоследнем курсе военно-морского института, а дома, как всегда, командовала жена. Несмотря на внешнюю хрупкость, Надежда держала тыл ракетчика не хуже, чем её муж охранял рубежи стартовых комплексов. В её компетенцию входило практически всё, что касалось семейного очага: от планирования семейного бюджета и приготовления пищи до расстановки мебели и собственноручного закручивания шурупов.

Придя как-то со службы, Михаил обнаружил, что на кухне нет тяжеленного стола квадратной формы, с толстыми, квадратными же ножками и вставной плитой под раздвижной столешницей. Ему было лет пятьдесят, он остался от какого-то предшественника в квартире в доме офицерского состава и был обречен оказаться на свалке, а потом в топке котельной. Но рачительная Надежда прибрала по-прежнему прочный антикварный раритет к рукам, ошкурила покорябанную поверхность, покрыла лаком и возила за собой с квартиры на квартиру.

— Надо купить новый! — загадочно улыбаясь, ответила на вопрос Надежда.

— А старый где, выбросила, что ли? — удивился он. — На тебя не похоже!

— Прям-таки!

— Продала, что ли?

— Кому он нужен, — вздохнула жена. — Пойдём!

Она взяла подполковника за руку и как маленького повела за коттедж. Там, на ровной площадке, среди недавно посаженных саженцев плодовых деревьев, обнаружился пропавший стол. И был он не пуст. Посередине стояла вспотевшая, видимо, только что из холодильника, бутылка. И был это не лимонад. Рядом с главным украшением стола дожидались соленые грибы в глиняной миске и большая сковорода, накрытая крышкой. Надя подняла крышку, и воздух наполнился аппетитным духом жареной картошки и свежих котлет...

Много с тех пор прошло теплых семейных застолий, много произошло событий: Коля окончил институт и уехал служить, лишь изредка радуя родителей короткими приездами, Михаил принял командование от ушедшего в отставку комбата, над столом появился навес, обвитый зимостойким виноградом... Но сейчас он вспомнил именно тот, первый вечер. И всё было как тогда — без изысков, но с душой: и стол, и жареная картошка, и котлеты из лосятины, и соленые грибы, и свежие огурцы, и вспотевшая бутылка, и всё такая же привлекательная жена.

— Ау, о чём задумался, полковник? — окликнула сидевшая напротив Надя. — Учения уже закончились, ты дома.

— А я и не о службе думаю, — улыбнулся Михаил.

— Неужели?! — игриво всплеснула руками жена. — Неужто влюбился в кого на старости лет?

— Чего это «на старости»? — также наигранно возмутился Дыгай. — А влюбился — да. В тебя!

— И во многих ты влюблялся?

Дыгай почему-то вспомнил Маринку и тот злополучный Новый год...

— Ты знаешь, никого не могу вспомнить! Значит, ты единственная...

Надя встала, обошла стол, села рядом, провела рукой по седым волосам на висках, прижалась на миг, потом взяла бутылку и сама разлила водку по стопкам.

— За успешные учения?

— Какие они успешные? Условные террористы расстреляли антитеррористическую группу! Эти олухи затеялись сушить одежду!

Дыгай чокнулся с женой, выпил и жадно набросился на еду. Надежда пригубила и вернулась на свое место.

— Ты же знаешь — наши люди мобилизуются только в минуты реальной опасности, и тогда демонстрируют чудеса храбрости, — успокаивающим тоном сказала она. — А к учениям никогда не относятся серьезно и не работают в полную силу...

— Тебе бы надо быть замполитом!

— Я бы справилась!

— Не сомневаюсь. — Дыгай налил и опрокинул вторую стопку.

Надежда положила подбородок на сплетенные ладони и с удовольствием смотрела, как муж ест и пьет.

— Хорошо, что ты сменил службу! Нет этих изматывающих дежурств, и под землей теперь не сидишь! Ведь это противоестественно, люди должны жить под солнцем, дышать свежим воздухом...

Дыгай вздохнул и выпил две стопки подряд.

— Среди наших это считается слабостью... Мол, не выдержал, сломался!

— Мало ли кто что считает! Теперь ты сразу засыпаешь и перестал кричать во сне... И вообще, это пошло на пользу, ты стал совсем другим — спокойней, веселей! Вроде как раньше болел, а потом вдруг выздоровел!

— Годы лечат...

— Тебе же еще надо внуков вырастить!

— А что, Колян жениться собирается? — встрепенулся Дыгай. — Он тебе что-то говорил?

— Не больше, чем тебе. Но женится ведь когда-нибудь!

Михаил кивнул:

— Это точно! Давай тогда за Николая! Пусть в этот поход, и во все остальные, будет ему семь футов под килем!

— И за всех моряков! — добавила Надя.

Супруги чокнулись и выпили. На этот раз Надежда тоже опустошила стопку.

— Знаешь, а я ведь курсантом с моряками дрался, — сказал Михаил, поддевая вилкой поджаренную котлету.

— Из-за чего? — Надя даже жевать перестала. — И почему ты мне раньше не рассказывал?

— Да как-то повода не было: не такое уж великое событие... Из-за девчонки все вышло... Были в увольнении с друзьями, моряки к девчонке приставали, Жорка заступился, ну и мы с Серегой вписались. Вот и пришлось махаться. Милицию кто-то вызвал, еле смылись...

— Жорка — это тот, что генералом стал?

— Ну да... Главный начальник. Когда-то слух прошёл, что к нам в дивизию нагрянет, так три дня все на ушах стояли — готовились. А он не приехал.

— Я у тебя раньше не спрашивала... Вы поссорились, что ли, раз ты с ним не общаешься?

Михаил взял бутылку.

— Мне хватит! — накрыла ладошкой рюмку Надя.

Дыгай налил себе, молча выпил, закусил... Жена терпеливо ждала, даже вилку положила.

— Нас было трое, — наконец сказал он. — Жорка Балаганский, Серёга Веселов и я. С первого курса всегда вместе. А на последнем Серёгу за политический анекдот отчислили. Они решили, что я сдал. Ну, и всё.

— А кто на самом деле сдал? Неужели они до сих пор на тебя думают?

— Не знаю. Это их проблемы!

— Нехорошо это, — покачала головой Надя. — Что же это за друзья, если тебе не поверили?!

— Да они меня и не спрашивали.

— А ты сам не пытался объяснить?

Михаил снова налил себе и залпом выпил.

— Нет больше этих друзей! — сказал он. — Были, да сплыли.

— И ты даже не знаешь, что с тем, которого отчислили? С Сергеем?

— Через год восстановился, получил диплом. Только, я слышал, не пошло ему это на пользу — всё равно из войск вылетел. За пьянку. И в бомжа превратился.

— Да уж, — вздохнула Надя, вставая. — Вот до чего водка доводит. И тебе хватит! Пойдём-ка в дом, пораньше спать ляжем?! Я соскучилась, пока ты на своих учениях был...

Михаил отставил бутылку.

— Пойдём, конечно! А насчёт водки ты зря переживаешь.

— Я всегда за тебя переживаю.

— Я знаю.

Заходя в дом, он обнял жену за талию, поцеловал в щеку. Романтический вечер плавно перешёл в романтическую ночь. Несмотря на то, что легли супруги пораньше, уснули они лишь за полночь. А через час зазвонил телефон.

— Слушаю! — снял трубку Михаил.

— Дежурный по части капитан Карабанов! Из Москвы поступила оперативная информация, что в расположение заброшенных стартов сорок первой ракетной армии выдвигается группа террористов!

— Это что, такая легенда очередных учений? — не понял спросонья Дыгай.

— Никак нет, товарищ подполковник, это не учения! Приказано получить боевые патроны и гранаты!

— А что делать диверсантам на заброшенных стартах? — с недоумением спросил Дыгай.

— Не могу знать, товарищ подполковник!

— Ладно, принял, высылай машину! Батальону — сбор по тревоге!

— Есть сбор по тревоге!

Дыгай положил трубку.

— Они что там, с ума посходили? — сонно возмутилась Надежда. — Учения за учениями...

— Спи, я ненадолго...

ГЛАВА 4

Тяжкие последствия

Москва
УФСБ

Как и обещал, Полибин позвонил на следующий день, в воскресенье, чем поставил Балаганского в тупик.

— Добрый день, Петрович! Я пробил твой вопрос...

— Здравствуй, Виктор! Я думал, что у тебя «завтра» — это рабочий день, понедельник...

— У нас все дни рабочие!

Балаганский знал, что он так и скажет, будто мысли прочел.

— Ты был прав. Сообщение принял наш оперативник, а потом его переправили к военным.

— Тогда я беру коньяк и еду к тебе!

— Подъезжай, — после некоторой паузы сказал Полибин. — Раз так, я не буду отпускать нашего сотрудника, и он расскажет тебе все подробно.

— Еду! Через полчаса буду!

— Хорошо, Виталик тебя встретит.

Машину он вызывать не стал, решив воспользоваться такси. Оделся, сунул в «дипломат» бутылку «Хеннесси».

— Что случилось, Жора? — сонно спросила Инесса. — Опять уходишь? Ты же обещал сегодня сводить меня куда-нибудь!

— Извини, дела...

— Какие дела по выходным? Да еще с коньяком... Куда ты ходишь?

В голосе звучала тревога, как будто ее мучили дурные предчувствия.

— Дела, — повторил Георгий и захлопнул за собой дверь.

Уже спускаясь по лестнице, он вспомнил, что первый раз за всю семейную жизнь не поцеловал Инессу на прощанье. У него тоже были дурные предчувствия. В тот Новый год их было не трое — шестеро! И если агент не Дыгай, то кто-то из девчонок... Других вариантов нет — чудес не бывает! Но кто из троих?! Марина? Вряд ли... Алла? Более вероятно. Инесса? Исключено!

У входа в Управление ФСБ Балаганского ожидал капитан в форме — порученец Полибина, знавший его в лицо. Поэтому в «дипломат» к генералу не заглядывали и коньяк не обнаружили. По широкой мраморной лестнице они поднялись на второй этаж. Коридоры были пустыми, Виталик пропустил его в приемную и прикрыл дверь снаружи. В приемной тоже не было ни секретаря, ни референта, только на выстроенных у стены стульях сидел, закинув ногу за ногу, пожилой мужчина в отглаженной белой рубашке. На брюках тоже имелась острая стрелка, рядом лежала шляпа. Кивнув ему, Балаганский прошел в кабинет.

— Ну, здравствуй поближе! — протянул он руку вставшему навстречу Полибину. — Как я понимаю, там ждет ваш бывший опер?

— Так точно, — раздался сзади низкий голос.

Человек из приемной зашел следом, в руке он держал шляпу, из кармана рубашки торчали темные очки. У него было волевое лицо с крупными чертами, на вид ему можно было дать лет шестьдесят — шестьдесят пять. Георгию показалось, что он его где-то видел. Но такого не могло быть — в слишком разных кругах они общались.

— Это генерал Балаганский, — сказал Полибин. — Можете рассказать ему все, что его интересует.

— Иван Иванович, — представился бывший оперативник, но руку не протянул.

— А фамилия, наверное, Иванов? — спросил Балаганский. Он знал, что оперативники Комитета представлялись безликими именами и фамилиями.

— Точно так, товарищ генерал!

— Кончай, Григорий Павлович, — покачал головой Полибин. И пояснил: — Старая школа, что ты хочешь?

— Что конкретно вас интересует, товарищ генерал? — спросил «Иван Иванович».

В голосе его чувствовалась неприязнь, и Балаганский знал, чем она вызвана: старый сотрудник не привык говорить об оперативной работе с посторонними. Даже с генералом. И даже если его попросил об этом другой генерал.

— От кого вы приняли информацию о курсанте-анекдотчике?

— От агента. Псевдоним Лиса.

— Женщина?! — Дурное предчувствие оправдывалось. Сердце генерала заколотилось, как у мальчишки. «Неужели?! Да нет, совпадение, не может быть!» — Точнее, девушка?

«Иван Иванович» пропустил вопрос мимо ушей.

— Она работала по ресторанам, среди иностранцев. В паре с подругой, но та не при делах... В очередном сообщении написала, что познакомилась с курсантами Академии ракетных войск, встречала с ними Новый год, один из них рассказал несколько политических анекдотов. Мы направили копию сообщения по принадлежности. Больше ничего сказать не могу. Если Виктор Эдуардович найдет нужным, он может рассказать вам все более подробно. И даже показать личное дело! — В голосе старого опера прорезалось откровенное осуждение, до сих пор не очень тщательно скрываемое.

Наступила тишина. Полибин сидел за столом с нейтральным лицом и делал вид, будто что-то пишет.

— Я свободен, Виктор Эдуардович? — «Иван Иванович» надел шляпу и нацепил на нос солнцезащитные очки.

И тут Георгий вспомнил, где они встречались: в кафе «Космос», летом семьдесят девятого, когда он с рыжей Женькой ел там мороженое! Но сейчас ему было не до этого. Кровь прилила к лицу, молоточками стучала в висках.

«Да нет, это Алка! — внезапно пришла спасительная мысль. — Ее фамилия Лисина, вот и «Лиса»! Инесса не при делах, а эта сука погубила Сергея!»

Старый оперативник ушел.

— Ну, пойдем, расслабимся, — сочувственно сказал Полибин. — Не нервничай. Ты ведь сам захотел разворошить прошлое...

Комната отдыха оказалась чуть больше той, что была у главкома РВСН. Стандартный набор: холодильник, встроенный в шкаф телевизор, диван, пара кресел, журнальный столик... На столике приготовлены два бокала для коньяка, нарезанный лимон, ломтики твёрдого сыра в фарфоровом блюдце, копченая колбаса...

Балаганский сел в кресло, положил на колени дипломат и, щёлкнув замками, извлёк «Хеннеси». Привычно открыл, плеснул на донышко каждого бокала.

— За дружбу! — предложил Полибин.

Они выпили. Теперь хозяин стал разливать.

— Я хочу посмотреть личное дело Лисы! — сказал Георгий.

Рука Полибина дрогнула, коньяк пролился мимо.

— Чёрт! Ну что ты под руку? — Он взял салфетку, протёр столик и поднял бокал: — Давай! За верность долгу!

Но Георгий не притронулся к бокалу.

— Ты покажешь мне дело? — спросил он, глядя в глаза Полибину.

— Зря не захотел за верность долгу пить, — ответил тот. — Лиса, завербована на компрматериалах о связях с иностранцами, работала шесть лет, мы помогли ей изменить имя, в институте поддерживали... Потом пришлось исключить ее из списков за несанкционированные контакты с одним арабом, связанным с экстремистскими группировками в Катаре... Вначале она его разрабатывала, ну а потом... Так бывает.

— Покажи дело!

— Зачем? Я тебе уже все рассказал!

— Тем более!

Полибин внимательно посмотрел в глаза гостя. Тот был настроен серьезно. Даже очень. И Полибин знал — почему. Ну, что ж... Ссориться с главкомом РВСН Полибину не хотелось. Он в одиночку пригубил коньяк, посмаковал вкус, поставил бокал на стол. Балаганский ждал. Ну, что ж, это его выбор!

Вздохнув, Полибин вышел в кабинет, раздались щелчки открывающегося замка сейфа... Вернувшись, он молча положил на плохо протёртый стол серую папку с не поддающимися времени черными буквами в углу: «Совершенно секретно». По центру — наклейка из белого листа с выцветшей синей надписью обычной шариковой ручкой: «Лиса».

Некоторое время Балаганский сидел неподвижно. Потом, размазав по столу остатки коньяка, придвинул папку, потянул завязки, заглянул... С фотографии на первой странице на него смотрела Инесса.

Западная Сибирь
Район позиционирования
сорок первой ракетной армии

Такого наплыва воздушных судов в этом районе тайги не было со времён ликвидации стартовых позиций. Два вертолёта Ми-8 и один Ка-26, взлетевшие из разных мест, вошли в сектор над бывшим третьим полком сорок первой ракетной армии с разницей в несколько часов. Радар передал информацию об их вторжении в зону контроля на главный компьютер системы «Периметр», где она успешно растворилась в череде других ноликов и единиц — никакой угрозы атомной атаки эти события не отражали.

> *Люди гибнут за металл,*
> *Люди гибнут за металл!*
> *Сатана там правит бал,*
> *Там правит бал!*

Знаменитая ария неслась в эфир на частоте 549 кГц. Но и к опере система обеспечения «Р 36М» была равнодушна: сопоставлять ее содержание со своим названием в ракетных каталогах западных армий она не могла, да в этом и не было необходимости. Тем более, техника не умела оценивать аллегории и не связывала бал Сатаны из «Фауста» с тем ужасным «балом», который может начать дремлющая «Сатана» в реальной жизни. Для боевой системы значение имели лишь безликие радиоволны «Маяка», вещавшего на данной частоте все годы контроля и подтверждающего отсутствие глобальной катастрофы. Словом, ничего необычного вроде бы не происходило.

Но это по действовавшим прежде критериям. Новая, неизвестная ранее программа, которая включилась совсем недавно, заставляла по-иному оценивать ситуацию. И оказалось, что тревожные факторы в окружающем мире все же имеются.

За 30 лет дежурства в автономном режиме системе «Периметр» не поступило ни одной команды из Центра, ни один человек не пришёл проверить её работу. Это могло означать, что отдавать команды и контролировать просто некому — все уничтожены! Если бы аппаратура была способна переживать, то уже начала бы волноваться и анализировать, как она смогла пропустить нанесение врагом ядерного удара — в 1988-м, когда было землетрясение, либо в 1993-м, когда на время замолк «Маяк», а радиообмен между частями ракетных войск и Центром был гораздо выше обычной нормы... А может быть, вины системы нет и командование уничтожено без нанесения ядерного удара, другим видом оружия массового поражения: биологическим, химическим, нейтронным... Но параметры размышлений и переживаний системе не были заданы. Аппаратура бесстрастно сделала единственный вывод, на который была запрограммирована: «Командование уничтожено. Произвести тестирование полётных систем, подготовить ракету к пуску»...

«Система надува баков и генератор низкотемпературного типа — в норме, — начала тестирование цифровая вычислительная машина на борту. — Отсечные клапаны — норма, датчики расхода и корректирующие устройства — норма, гироскопические системы — норма»...

Первый из Ми-8, вошедших в зону, зашёл на посадку... Ми-8 ещё покачивался на амортизаторах, а «Скрипач» и «Гений» уже спрыгнули на землю, привычно разбежались в разные стороны и присели для стрельбы с колена. Возможно, это было лишним, но задачей спецназа являлось прикрытие основной группы — вот они ее и прикрывали. Не обнаружив противника, они перебежками двинулись вперед — один бежит, второй настороженно водит по сторонам стволом автомата. Остальные участники экспедиции неспешно спустились по небольшому трапу. Двигатель смолк, и над полем воцарилась тишина, нарушаемая лишь жужжанием гнуса. Пахло разнотравьем, цветами и дикой природой. Между бывшей боевой стартовой позицией и жилой зоной полка, словно огромный одуванчик на металлической ножке, торчал серый шар, местами покрытый островками не до конца облупившейся красной краски.

— Похоже, старая метео-РЛС, — показал рукой в сторону «одуванчика» подполковник Цепаев.

— Она и есть, — подтвердил Юрий Захарович. — Шар — защитный корпус от ветра и других внешних воздействий, а внутри — обычная вращающаяся тарелка...

— Клещей здесь, наверное, полно... — заметил капитан Рощин, напряженно вглядываясь под ноги, в высокую траву, будто надеясь рассмотреть опасных кровососов.

— Да уж, — буркнул майор Сизенко. — Ну, клещи ладно, на них сыворотка имеется. А вот охрана... Не шарахнет нас тут ничем?

— Нет, — успокоил Цепаев. — Если бы система была в рабочем состоянии — уже шарахнуло бы... И вон тем ребятам первым бы досталось!

Он кивнул в сторону зеленых фигурок, которые стояли на возвышающемся вдали небольшом холме. Одна несколько раз скрестила над головой руки — мол, опасности нет! Кто подавал знак, «Скрипач» или «Гений», определить на таком расстоянии было нельзя.

— Почему же вы их сразу не предупредили? — недовольно спросил Сизенко.

— Грушники и так все знают, — ответил майор Наметышев. — Да и вообще, сразу видно, что сломано всё... — Майор широким жестом обвёл рукой вокруг. — Вон остатки «Сетки-100», — кивнул он на наклонный забор из тонкой стальной сетки с болтающимися порванными концами. — Вон бывшее караульное помещение без крыши... А раз охрана деактивирована, значит, и стартовая позиция без начинки.

— Но мы должны в этом убедиться, — строго сказал Сизенко. — Пойдем, осмотрим шахту...

И они двинулись к поросшему чертополохом холму.

* * *

В это время, пятнадцатью километрами северо-западнее, небольшой вертолёт Ка-26 с семью пассажирами на борту снизился и зашёл на круг над расступившейся тайгой. Внизу лежала вроде бы заброшенная стартовая позиция с антенной РЛС на бетонированной площадке. Через иллюминатор Сергей увидел одноэтажное строение с башенкой на крыше — пост охраны с входом в подземный командный пункт. Вокруг проволочное ограждение. Чуть в стороне — кирпичное здание генераторной станции и похожий на гараж пункт холодильной установки: аппаратура УКП выделяет много тепла, и его требуется постоянно охлаждать. А вот и и крышка ракетной шахты...

Выбрав свободный от высокой травы и ровный пятачок, пилот пошел на посадку. Ахмед и Шамиль оживились. Они окончательно сбросили не слишком маскирующие их овечьи шкуры: открыто держали между коленями автоматы, на шее у Ахмеда висел на ремне одноразовый гранатомёт «Муха». На этот раз третий «волк» летел в кабине пилота, а Сагид, с излюбленным на Кавказе двадцатизарядным «стечкиным» в пластмассовой кобуре, сидел напротив Сергея и Джонатана. Между коленями он зажимал зловещую трубу реактивного огнемета «Шмель».

«Хорошо подготовились, суки! — подумал Сергей. Он вспомнил три толстенные бронированные гермодвери, закрывающие доступ к командному пункту. — Только все это хрен вам поможет! Тем более что никакой ракеты тут нет и быть не может!»

Поймав взгляд Ракетчика, Сагид усмехнулся и распахнул куртку. Под ней оказался широкий чёрный нагрудник, с двумя рядами небольших газырей, из которых торчали провода.

«Тротиловые шашки, десять штук! — ужаснулся Веселов. — Семьсот пятьдесят граммов тротила!» Наверное, чувства отразились у него на лице — Сагид подмигнул, погрозил пальцем, потом вытащил из рукавов провода с оголенными концами и сделал вид, что собирается их соединить. Тесно прижатый к Сергею Джонатан содрогнулся всем телом, а сидящий с другой стороны Руслан засмеялся, покровительственно похлопал Ракетчика по колену и крикнул ему в ухо:

— Не бойся, еще не время!

Он тоже был вооружен автоматом и «стечкиным».

— Да я и не боюсь, — преувеличенно бодро ответил Веселов, хотя на самом деле чувствовал себя как ягненок, которого везут на шашлык...

Колёса четырёхопорного шасси коснулись земли.

«Ту-ду-ду-хх!» — лязгнула короткая очередь, и окровавленные ошмётки влетели в пассажирский отсек вместе со свистнувшими мимо лиц крупнокалиберными пулями, оставившими в дюралюминиевой стене рваные дыры с острыми загнутыми краями.

Реакция Сагида была мгновенной: он упал на пол, рывком открыл нижний люк и вывалился наружу. Остальные, не задумываясь, последовали за ним.

«Ту-ду-ду-хх!» — вторая очередь насквозь прошила пассажирский салон, вертолет задрожал. «Ту-ду-ду-хх! Ту-ду-ду-хх!»

Короткими очередями автоматический пулемет с крыши поста охраны методично расстреливал неосторожную «стрекозу». Сагид, как змея, отполз в сторону, прячась за фюзеляж, приподнялся на колено, вскинул «Шмеля» на плечо, прицелился в кирпичный домик с похожей на железную бочку БПУ[1] на крыше...

«Гу-ух!» Огненная реактивная струя выжгла сзади длинную полосу в траве, а снаряд объемного взрыва с

[1] БПУ — башенная пулеметная установка.

гулом пошел вперед и через секунду врезался в башенку пулеметной установки, окутав ее облаком клубящегося огня и взметнув столб черного дыма. Пулемет смолк.

* * *

«Щёлк!» — хлопнул себя по щеке капитан Рощин, стоя у жерла развороченной тридцать лет назад ракетной шахты.

— Достал этот гнус! — выругался он, стирая кровяное пятно платком.

— Тише! — поднял палец Сизенко. — Слышали?

— Что?

— Взрыв вроде... Где-то далеко...

Цепаев, а за ним и остальные, покачали головой. Взрыва никто не слышал.

— Ну, ладно! — махнул рукой Сизенко. — Убедились, нечего здесь делать...

Делать было действительно нечего: холм оказался состоящим из смеси земли и железобетона с торчавшими искореженными кусками арматуры. В середине, как в кратере вулкана, зияло жерло наполовину засыпанной такой же смесью шахты. Неподалёку валялись большие куски порезанной ракеты. Спящей «Сатаной» здесь и не пахло!

* * *

Вертолёт Ми-8 с антидиверсионной группой облетал заброшенные стартовые позиции третьего полка сорок первой ракетной армии. Внизу один за другим открывались апокалипсические пейзажи: заброшенные военные городки, колючая проволока с плакатами «Стой! Высокое напряжение!» или «Стой! Огонь открывается без предупреждения!». Пустые аллеи и плацы с деревьями, проросшими сквозь асфальт, памятники, заросшие кустарником, брошенные дома...

Выглядели городки очень похожими, если не сказать одинаковыми: несколько зданий, поросшие травой холмики над заглубленными спецобъектами, открытые люки опустевших ракетных шахт, поваленные столбики с провисшей на изоляторах сеткой вокруг небольших обшарпанных домиков с пулемётной башенкой на крыше... Несмотря на невзрачный вид, они скрывали вход в нашпигованные сложным оборудованием подземелья. И недаром их окружали минные поля, мотки колючей проволоки «Егоза», проволочные ловушки «сетки Карбышева» и автоматические пулеметы: там, внизу, в висящих на мощных амортизаторах капсулах командных пунктов, когда-то дежурная «стреляющая смена» держала мир на кончиках указательных пальцев... Правда, некоторые из старослужащих выражались более красноречиво: «Я Землю крутил на...»

Сейчас все это было в прошлом, на бывших стартах царили разор и запустение. Валялись разбросанные взрывами куски бетона, из земли торчали изогнутые швеллеры и проржавевшая арматура... Только дома офицерского состава сохранились в целости и сохранности: в этой глуши некому было бить стекла или разбирать стены на кирпичи... Но теперь вокруг них, вплотную, росли деревья — тайга сама пришла сюда, и нынче в пустующие квартиры могли заселяться медведи, волки и зайцы... Но они не имеют офицерских званий, а главное, у лесного зверья нет тяги к человеческому жилью...

— Вижу радар, товарищ подполковник! — доложил капитан Полосин на очередном облете, сквозь толстое стекло указывая пальцем на решетчатую антенну.

Бойцы, затомившиеся сидеть в полном боевом снаряжении, оживились, надеясь, что сейчас последует высадка и можно будет размять ноги.

— А ну-ка, сделай пару кругов! — сказал в ларингофон Дыгай и приник к иллюминатору.

Внизу царила такая же унылая картина, как и на других площадках. И, конечно же, не было никаких следов предполагаемых диверсантов. Да, по его разумению, и быть не могло. Скорее всего, готовятся какие-то важные учения по антитеррору, вот их и натаскивают. Может, высшее руководство прибудет, не исключено — и иностранцы будут...

— Полетели дальше, — скомандовал он пилоту. А Полосину сказал: — Ерунда это все! Что делать диверсантам на заброшенной точке? Видно, Центр придумал новую вводную... Причем неубедительную. Если бы сказали, что надо пресечь деятельность мародеров, — еще куда ни шло... Хотя что им тут разграблять? Металлолом вывозить? Так невыгодно, если только этот металл не золото...

— Откуда здесь золото? — резонно возразил капитан. — Серебро с контактов и то сдавали.

— О тож, — подвел итог Дыгай. — Ладно, наша задача отработать три старта с антеннами РЛС. Вот и будем ее выполнять!

Следующую антенну обнаружили через двадцать пять минут. Она напоминала одуванчик на длинной ножке. Позиция тоже была разорена, но зато на ней, повесив лопасти, стоял камуфлированный Ми-8, точно такой же, как тот, на котором летела антидиверсионная группа. В него грузились люди в военной форме и с оружием.

— Это еще что?! — Дыгай настороженно всмотрелся. Номер машины казался знакомым: «240» — похоже, он был из их дивизии. Да и слишком спокойны эти парни для диверсантов. — Пусть объявятся! — приказал он пилоту.

Тот взялся за микрофон громкоговорящей установки:

— Кто такие?! — гулко разнеслось по окрестностям.

Снизу взлетели две ракеты: зеленая, за ней красная.

— Свои. — Дыгай с некоторым облегчением вздохнул. — Следуем дальше по маршруту!

А про себя подумал: «Неспроста это все! Видно, Главный штаб серьезную кашу заваривает... Может, сам президент приедет!»

* * *

Сагид встал, отбросил пустой тубус «Шмеля» и осмотрелся. Дым рассеялся, и было видно, что башенка на крыше поста охраны исчезла, а опаленные взрывом верхние ряды кирпичей почернели. И сзади метров на двадцать тлела выгоревшая трава.

— Хорошо работает «шайтан-труба»! — довольно протянул он и осекся, наткнувшись взглядом на расстрелянный вертолет.

Огромные глаза «стрекозы» были разбиты и забрызганы кровью, но не настолько, чтобы нельзя было рассмотреть трупы пилота и пассажира. Они склонились друг к другу, как будто хотели посекретничать, хотя вряд ли у Валентина могли быть какие-нибудь дела или общие интересы с отмороженным «волком». Пилот просто хотел заработать денег. Вот и заработал...

Все остальные были невредимы и медленно поднимались с земли.

— Ты почему не предупредил?! — заорал Сагид на Веселова и, выдернув пистолет из кобуры, прижал ему к горлу.

— Кто меня спрашивал? — выдавил из себя Ракетчик. — И потом, когда ракету убирают, вся система охраны деактивируется!

— А кто тебе сказал, что ракету убрали?! — оскалился Сагид и опустил АПС. — Сейчас ты сделаешь свою работу и разбогатеешь! А если нет...

«Никакие они не идиоты и не психи! — думал Сергей. — Они знают, что делают! Но как они думают войти в командный пункт?! Хотя пока слова у них с делом не расходились...»

— Послушай, Сагид, а как мы назад полетим? — взволнованно спросил Джонатан. Он прижимал к груди свой ноутбук, с ужасом рассматривая изрешеченный вертолет и трупы в кабине.

— Какой «назад»?! — рявкнул Руслан. — В кавказском «Мерседесе» нет задней передачи! Вперед пошел!

Они двинулись вперед — к окруженному проволочными ограждениями, обгоревшему посту охраны. Точнее, ко входу в туннель, ведущему к нему под ограждением из колючей проволоки и минным полем. Вход представлял из себя заросший травой и сорняками холм, с одной стороны которого имелась железобетонная стена с заглубленной наполовину, прожавевшей стальной дверью, к которой вели несколько ступеней.

Сагид шел впереди, настороженно зыркая по сторонам волчьими глазами. За ним — Руслан с Джонатаном, потом Сергей, которому упирался в спину автомат замыкавшего шествие Шамиля.

«А может, пусть все идет как идет? — вдруг подумал Ракетчик. — Хлопну на прощанье дверью, чтобы весь мир вздрогнул... Пусть запомнят Серегу Веселова, которому всю жизнь искалечили... Хотя жизнь ему искалечил этот пидор Дыгай, а он, как раз, может отсидеться в шахте во время всей этой заварухи...»

Они уже почти подошли к входу в туннель. Сергей рассматривал провисшее проволочное ограждение. Судя по белым костям мелких зверей вдоль периметра, оно долгое время было под напряжением. Может, и сейчас тоже...

И тут раздался приближающийся стрекот вертолета...

* * *

Антидиверсионная группа подлетала к очередной стартовой позиции. Откинувшись на спинку сиденья, Дыгай умудрился задремать и даже увидел короткий, но яркий сон: режущий волну серый эсминец и стоящий на капитанском мостике Николай в белой морской форме. Неужели он уже командир?

— Товарищ подполковник! — ворвался в сон тревожный оклик Полосина. — Смотрите, чужие!

Море, эсминец и Николай исчезли, Дыгай мгновенно пришел в себя и припал к иллюминатору. Внизу, уныло опустив лопасти, стоял, накренившись, Ка-26 с разбитой кабиной. Над постом охраны клубился легкий дымок, башенная пулеметная установка исчезла, вместо нее в крыше зияла дыра. А главное — шесть человек в разномастной одежде и с оружием шли к туннельному входу в боевую зону! Похоже, это и есть те, кого они ищут!

— Заходи на второй круг! — приказал подполковник пилоту.

* * *

Камуфлированный Ми-8 описал круг совсем низко над их головами.

— Быстрей, быстрей! — торопил Сагид.

Руслан, заглядывая в бумажку, нажимал кнопки на пульте входного устройства. Джонатан стоял рядом, как каменная статуя, — он был в ступоре. Ахмед сорвал с плеча «Муху» и поспешно раздвигал тубус, приводя его в боевое положение. Шамиль перевел предохранитель автомата на стрельбу очередями.

Входное устройство щелкнуло, на панели мигнула зеленая лампочка, загудел мотор, и толстая дверь медленно отворилась.

— Заходим, там они нас не достанут! — приказал Сагид.

«Пойду с ними, а там посмотрим! — решил Серый. — А то сейчас мои дружбаны меня и прикончат!»

— Внимание, говорит командир антидиверсионной группы подполковник Дыгай! — прогремел металлический голос с неба. — Приказываю всем бросить оружие и поднять руки! Кто этого не сделает, будет убит!

Планы Ракетчика мгновенно изменились. Щелчок выбрасываемого клинка показался громче, чем звук входного замка. Ахмед вскинул гранатомет и прицелился в вертолет. Шамиль поднял автомат и сделал то же самое.

Раз! — острое, еще ни разу не используемое лезвие пересекло открытую шею под вздернутым подбородком, кровь хлынула на бороду, Ахмед захрипел, выронил «Муху» и кулем повалился на жесткую траву. Два! — нож косо вошел в основание шеи Шамиля, и выпущенные им пули ушли в равнодушное голубое небо. Руслан втолкнул Джонатана в черный зев открывшегося прохода и сам прыгнул следом. Сагид бросился было за ними, но не успел: автоматная очередь перебила ему ноги. Вожак «волков» потерял сознание и скатился по ступеням, так и не увидев, как Ракетчик подошел вплотную, приставил ствол к голове и выстрелил ему в середину лба.

$$* * *$$

— Черт, я думал, нам звиздец! — выругался Полосин, отрываясь от иллюминатора и вытирая пот со лба. — Извините, товарищ подполковник... Что это было?

— Ты же видел. — Дыгай тоже с облегчением перевел дух. — Двое хотели нас сбить, а тот парень их уложил... И застрелил третьего...

— С чего бы это?

Бойцы, тоже смотревшие в иллюминаторы, бурно обсуждали то, что произошло у них на глазах. Их возбужденные выкрики перекрывали гул двигателя.

— Это наш парень, сто процентов наш!

— А может, между собой что-то не поделили...

— Да нет, он же начал, когда они в нас целились... Если бы не он, уже бы на земле горели!

— Сейчас разберемся, — уверенно сказал Дыгай и скомандовал в ларингофон:

— Выберите место и садитесь!

— Есть, — угрюмо отозвался пилот.

Через остекление кабины открывается гораздо лучший обзор, и панорамный вид наведенного на вертолет гранатомета выбил его из колеи.

* * *

— Быстрей, американец, быстрей! — Руслан с силой толкал Джонатана в спину, как будто бы не подталкивал, а бил. Может, так оно и было.

Они то ли быстро шли, то ли бежали трусцой по узкому, обложенному кирпичом туннелю, пригибая головы, чтобы не задеть низкий, с мокрыми потеками, полукруглый свод, на котором автоматически включилась редкая гирлянда тусклых лампочек. Джонатан подвернул ногу, к тому же запыхался и вспотел. На ходу он снял пальто и бросил его на пол, но легче не стало и боль в ноге не уменьшилась. Руслан то и дело оглядывался, ожидая погони. Но их никто не преследовал. Так они преодолели метров пятьдесят — под колючей проволокой, высоковольтной сеткой, минным полем... Потом поднялись по лестнице и оказались в тесноватом помещении поста охраны, которое, правда, зрительно значительно расширилось за счет огромной дыры в потолке, сквозь которую врывался свежий таежный воздух, проглядывало голубое, в легких облаках небо и доносился нарастающий гул вертолетного двигателя.

Пульт контроля с темными экранами, пол и подоконник небольшого зарешеченного окошка были засыпаны толстым слоем штукатурки, кусками кирпичей и кирпичной крошкой. Руслан посмотрел сквозь мутное от пыли и паутины стекло. Рядом с расстрелянным Ка-26 садился вертолет в камуфляжной раскраске.

— Пошли, чего стоишь!

Он в очередной раз то ли толкнул, то ли ударил застывшего в ступоре Джонатана и погнал его к очередной ведущей вниз лестнице, которая уперлась в бронированную дверь полуметровой толщины. Ее нельзя было ни пробить из гранатомета, ни взорвать тротилом. Открыть ее можно было только с помощью предательства.

Заглядывая в свою шпаргалку, Руслан набрал код. Бронированная преграда медленно, с мучительным скрипом отворилась, впуская диверсантов в очередной длинный коридор с такой же цепочкой тусклых лампочек под низким потолком. На этот раз они прошли метров сто и снова уперлись в бронированную дверь, которую тоже открыла отмычка предательства, хотя она была еще толще предыдущей. Через несколько метров имелась еще одна такая же дверь. Первая дверь закрылась за их спинами, и наступила мертвая тишина, в которой отчетливо слышалось, как стучат зубы Джонатана и попискивают нажимаемые Русланом кнопки.

Через несколько минут, преодолев все непреодолимые преграды и спустившись в медленном, астматически хрипящем лифте, диверсанты оказались в командном пункте ракетного полка...

Москва

«Ольга Кузьминична Каргаполова, оперативный псевдоним Лиса, — гласила подпись синей шариковой ручкой под чёрно-белой фотографией девять на двенадцать, наклеенной на пожелтевший лист бумаги с отпечатанным на пишущей машинке текстом. В углу синела расплывчатая печать «КГБ СССР»...

«Совсем молоденькая, — подумал Балаганский, всматриваясь в снимок. — Рано тебя захомутали...»

Он видел все в цвете: зеленые глаза, тонкий, чуть длинноватый нос, крепко сжатые губы, округлый подбородок... Миловидная, но еще лишенная лоска девушка из провинции: широкие брови, короткие, не очень ухоженные волосы, — таких десяток в каждом вагоне метро, в маршрутках и автобусах... Когда прошло два года и они встретились, Инесса выглядела совсем по-другому, да и манеры у нее были уже столичные...

Балаганский попытался представить, какие изменения произвели в ее облике неизвестные стилисты: выщипали брови и придали им артистический изгиб, научили помадой придавать губам чувственность, заставили отрастить волосы до середины спины, выкрасить в цвет воронова крыла, ежедневно мыть, регулярно подрезать кончики, подсказали поменять имя.

Несколько секунд Георгий видел в старой фотографии современный облик Инессы, но потом черты ее хорошо знакомого лица стали трансформироваться: волосы исчезли, нос и подбородок вытянулись вперед, кожу сменила то ли змеиная, то ли крокодилья шкура, рот превратился в оскаленную пасть... Перед ним было чудовище из голливудского фантастического блокбастера «Чужие». Чудовище, которое до поры пряталось в теле человека, а вырвавшись, начинало пожирать своих друзей и всех, кто оказался рядом...

Вздрогнув, он захлопнул досье, взял бутылку с коньяком, долил бокал до краев, поднёс ко рту... Но Полибин задержал его руку.

— Тебе не стоит пить!

— Почему? — скрывая раздражение, поинтересовался Балаганский и поставил бокал обратно на журнальный столик.

— Я выполнил твою просьбу? — вместо ответа спросил Полибин.

— Да. Думаешь, это дает тебе право запрещать мне пить?

— Я думаю, что тебе это не пошло на пользу, — начальник управления снова проигнорировал вопрос. — Но, во всяком случае, товарищеский долг я исполнил?

— Да, спасибо! — с сарказмом сказал Балаганский. — Вы заагентурили мою жену молодой девчонкой, подставляли ее иностранцам, сдаивали информацию, искорежили ей душу, насмерть рассорили трех друзей, а потом выкинули, как пустую консервную банку! Так что, Виктор Эдуардович, большое тебе человеческое спасибо!

Некоторое время генералы смотрели друг другу в глаза, словно играли в «гляделки». Наконец, Полибин вздохнул и отвел взгляд.

— Итак, если отбросить лирику, ты признаешь, что товарищеский долг я выполнил, — сказал он и допил остатки коньяка. — Так?

— Ну? — кивнул Балаганский, чувствуя, что вопрос повторен не просто так.

— Но и служебный долг никто не отменял...

— Что это значит? — спросил главком, взглянув на хозяина кабинета.

Но на этот раз тот не стал скрещивать взгляды — он сосредоточенно выбирал кусочек копченой колбасы, как будто между ними имелась существенная разница. Наконец, выбор состоялся, генерал положил колбасу в рот, неспешно разжевал.

— Ты ускорил события. В соседнем кабинете ждёт начальник отдела Военно-следственного управления. Он хочет тебя допросить.

Главком криво усмехнулся.

— Это ты его вызвал?

— Не совсем «вызвал»... Просто, когда ты стал настаивать, что приедешь, я послал порученца за закуской и одновременно позвонил ему.

— Спасибо, ты настоящий друг! — с сарказмом сказал Балаганский.

— Я ещё и начальник управления! — холодно парировал Полибин и поднялся, давая понять, что дружеская часть встречи закончена.

Балаганский неспешно взял свой бокал и медленно выпил до дна. Но закусывать не стал — встал и вслед за хозяином вышел из кабинета.

Западная Сибирь

Веселов пришел в себя — будто из алкогольного забытья вынырнул. Но все происходящее оказалось не пьяным бредом, а реальностью. Он действительно находился на заброшенном ракетном старте, у открытой двери в ведущий к УКП тоннель, камуфлированный вертолет антидиверсионной группы шел на посадку, вокруг лежали трупы. В шее Шамиля торчал его нож, в окровавленной руке зажат автомат рыжего «волка».

«Как-то уж слишком ловко у меня получилось, — отстраненно подумал Ракетчик. — Неужели уроки «рукопашки» вспомнились? Так, может, я и Людку...»

Из темного проема тянуло затхлым духом и сыростью, бетонные ступени запачканы красными пятнами и потеками, у его ног, раскинувшись в луже крови лежал Сагид. «И здесь грамотно сработал: по ногам и в лоб, чтобы взрывчатку не зацепить, — отметил Серый. — И откуда только это у меня взялось?» Он бросил автомат, нагнулся, расстегнул фланелевую куртку, с треском отлепив «липучки», освободил «пояс шахида» и осторожно снял его с остывающего тела. С особой аккуратностью вытащил провода, стараясь, чтобы оголенные концы находились подальше друг от друга. Потом скинул куртку, закрепил пояс на талии, продел провода в рукава и снова надел зеленую робу. Она была просторной и легко застегнулась, скрыв страшную начинку.

— Ну что, Мишаня, обнимемся? — спросил Ракетчик, криво улыбаясь. — Мне все равно обратного хода нет...

* * *

Ми-8 коснулся земли, шестнадцать бойцов — в касках, бронежилетах и с автоматами наперевес — мгновенно выскочили наружу и короткими перебежками бросились вперед, хотя, по идее, опасаться было некого: неизвестный защитник ликвидировал тех, кто представлял опасность. Двигатель вертолета смолк, наступила тишина — только свист порывов ветра и топот тяжелых ботинок...

— Так кто это может быть, товарищ подполковник? — спросил капитан Полосин. — Я думаю, может, внедренный сотрудник ФСБ? В кино часто такое показывают.

Дыгай пожал плечами.

— Вполне возможно. Хотя жизнь — не кино! Не исключено, что это тоже диверсант, у которого «крыша съехала».

Они двигались сзади, наблюдая, как антидиверсионная группа полукольцом окружила заросший травой и сорняками искусственный холм, до которого оставалось около сорока метров. Бойцы залегли, взяв на прицел объект атаки. У ведущей ко входу в тоннель лестницы, прикрытой бетонным парапетом, с которого давно смылась обязательная белая краска, лежали два трупа. Остальных видно не было.

Дыгай стал на колено среди высокой травы, приложил рупором ладони ко рту.

— Внимание, выходите по одному, с поднятыми руками и без оружия! — крикнул он.

— Мишка, я здесь один! — раздалось из-за парапета.

Дыгай остолбенел. Полосин изумленно взглянул на командира. Да и бойцы удивленно зашевелились.

— Кто это?! — спросил Дыгай.

— Серега Веселов!

— Ничего себе. — Подполковник повернулся к Полосину и растерянно сказал:

— Это мой сокурсник по академии... Ходили слухи, что его уволили и он спился...

— Значит, точно — офицер под прикрытием, — воскликнул капитан. — Его под легендой вывели в тень... Как в кино, так и в жизни!

Дыгай выпрямился в полный рост, вышел на рубеж цепи и прошел дальше, подав знак сержанту Нигматову и прапорщику Волкову.

— За мной, прикрывайте!

Пройдя метров двадцать, он расстегнул кобуру, остановился и обернулся, чтобы проверить, как выполнено его указание. Бойцы разошлись в стороны, чтобы командир не перекрывал сектор ведения огня, и вскинули автоматы к плечу. Все правильно.

— Выходи с поднятыми руками! — крикнул подполковник. — И без резких движений!

— Да ты что, Мишка! Я же свой!

— С поднятыми руками и без резких движений! — повторил Дыгай.

— Понял, выхожу...

Из-за бетонного парапета показалась голова с руками на затылке, потом туловище в зеленой куртке, а потом и весь Сергей Веселов. Он направился к Дыгаю со странной, будто приклеенной улыбкой.

— Смотри, не пальни в старого друга!

— Как ты здесь оказался? — не обращая внимания на реплику, спросил Дыгай.

— Пути Господни неисповедимы...

Расстояние между ними сократилось до пяти метров и можно было говорить так, чтобы не слышали солдаты.

— Так ты что, действительно работаешь под прикрытием? — понизив голос, спросил Дыгай. — На ФСБ?

— На военных контриков, — мгновенно сориентировавшись, уточнил Веселов.

В принципе, такое объяснение было логичным и расставляло все на свои места. Только некоторые странности цепляли струны настороженности в сознании подполковника: неестественная улыбка, застегнутая наглухо, при основательно припекающем солнце, куртка... На многочисленных занятиях антидиверсантам внушали, что надо уделять внимание любым мелочам. Но сейчас обостренная бдительность заглушалась чувством вины, которое преследовало Дыгая всю жизнь. Несуществующей, но возложенной на него вины, из-за чего рухнула самая чистая и самая искренняя дружба, которая бывает только в юности.

И отвернулись лучшие друзья... Может, теперь Серега поймет, что ошибочно возложил на него тяжкое бремя стукача...

— Нам надо будет получить подтверждение, — строго сказал командир антидиверсионной группы.

— Сам понимаешь: это стратегический объект, хотя и бывший... А тут разбитый вертолет, стрельба, убитые, — как бы извиняясь, продолжил бывший друг.

— Да, конечно, Мишаня! — Улыбка стала шире и естественнее. — Сейчас наши прилетят, тут такое закрутится! «Карандаш»-то, оказывается, в шахте! Стоит на боевом дежурстве в автономном режиме! А двое гадов проскочили в УКП с целью несанкционированного пуска!

— Да ты что?! — ужаснулся Дыгай. — Не может такого быть!

Но тут тишину заброшенной стартовой позиции разорвал протяжный пронзительный скрип, как будто закрутились старые, схваченные ржавчиной шестеренки. На небольшом возвышении, метрах в ста пятидесяти справа, из слегка колышущейся под ветром травы, медленно поднималась толстенная крышка ракетной шахты, открывая выход для находящейся в ней ракеты. Дыгая бросило в жар. Невероятное сообщение Веселова подтверждалось самым наглядным образом!

— Ничего, я тебе расскажу, как их выкурить, — спокойно, будто ничего чрезвычайного не происходило, сказал Сергей, расставляя руки в стороны.

— Давай обнимемся, дружище! — Он шагнул вперед. — Столько лет ведь не виделись!

Ракетчик сделал еще шаг, сам удивляясь тому, как ловко он врет, изворачивается и втирается в доверие —

как настоящий диверсант. Этому он научился за время жизни с бомжами и уголовниками, но в большей мере — за короткое общение с настоящими диверсантами. Впрочем, разве он сам не настоящий диверсант?!

Он шагнул еще, приблизившись вплотную к бывшему другу. Прикрывающие подполковника бойцы настороженно переглянулись, но ничего предпринимать не стали: ни оснований для этого, ни команды не было. Дыгай действительно стоял, словно загипнотизированный. Вынырнувший из небытия бывший друг вроде бы говорил правильные вещи, его объяснения были убедительными, и открывшаяся крышка ШПУ их подтверждала. Но рано постаревшее, отекшее, с мешками под глазами лицо и бегающий взгляд никак не подходили офицеру военной контрразведки, внедренному в банду диверсантов под тщательно разработанной «легендой». И его неадекватное спокойствие перед лицом неминуемой атомной войны, и желание в самый неподходящий момент обняться с бывшим другом, которого ненавидел более тридцати лет, и сложенные щепотками пальцы на распахнутых для объятий руках — все это перечеркивало и правильные слова, и подтверждающие их факты. «Тревога!» — подал сигнал аналитический ум, но тело на него никак не отреагировало. Может, оттого, что просто не успело.

Веселов крепко обхватил своего заклятого друга длинными руками боксера.

— За моих родителей, сука! — шепнул он и соединил провода.

«Ба-бах!»

Грохот взрыва больно ударил по барабанным перепонкам, яркая вспышка на мгновение ослепила внимательно наблюдающего за необычной встречей Полосина, взрывная волна опрокинула его на спину... Когда зрение вернулось и он с трудом поднялся на ноги, то увидел ужасную картину: на месте, где только что обнимались подполковник и его однокашник, дымилась метровая воронка, Волков и Нигматов в порванной, измазанной кровью одежде лежали без чувств в нескольких метрах от мест, на которых стояли. Неосмотрительно приподнявшиеся бойцы тоже получили травмы, некоторые были контужены.

— Трёхсотых[1] — в вертолёт! — крикнул Полосин. То есть это он думал, что крикнул, а на самом деле почти прошептал.

Но его услышали. Солдаты бросились к лежащим товарищам.

— Отставить! — взял себя в руки капитан. — Заблокировать выход из тоннеля! Никого не впускать, никого не выпускать! — Он поднес ко рту портативную рацию. — Триста двадцать шестой — семьдесят седьмому!

— На связи триста двадцать шестой! — тут же отозвался командир вертолета.

— Сообщите в штаб: имели огневой контакт с диверсантами, подполковник Дыгай погиб, двое бойцов ранены! Противник частично уничтожен, несколько диверсантов проникли в тоннель УКП!

— Вас понял, семьдесят седьмой, — ошарашенно отозвался пилот.

Москва

Они вышли в пустой коридор и подошли к соседней двери.

— Мой заместитель в отпуске, — пояснил Полибин. — Поэтому я разместил у него следователей...

---

[1] «Груз 300» — кодовое обозначение раненых.

— Большое спасибо! — в очередной раз и с неменьшим сарказмом поблагодарил Балаганский.

И в очередной раз давний товарищ не ответил. Да и товарищи ли они теперь?

Кабинет заместителя по размерам и оформлению был приблизительно такой же, как у начальника: пустой полированный стол отсутствующего хозяина, чуть повернутое мягкое кресло с подголовником, сзади зашторенная карта, сейф, дверь в комнату отдыха... С портретов на стене так же строго глядят руководители страны и товарищ Дзержинский. Лишь часы, что пониже портретов, здесь не в белом, а в бежевом корпусе. Да стучат чуть погромче. Или это Георгию показалось?

Ближе к окну — длинный стол для совещаний, стулья с высокими спинками. Во главе, тяжело опираясь локтями о столешницу, восседает немолодой грузный генерал-лейтенант с бульдожьим лицом и глазами-буравчиками. По правую руку — хорошо знакомый Балаганскому генерал-майор Петин. Они многократно встречались на ЧП с «карандашами» — Петин обычно руководил следственной группой и всегда был в костюме с галстуком, сегодня главком впервые увидел его в отутюженной, тщательно подогнанной форме. Следователь был во всеоружии: перед ним лежал какой-то бланк, ручка, блокнот, а в руках он крутил маленький цифровой диктофон.

— Проходите, Георгий Петрович, присаживайтесь. — «Бульдог» указал на стул слева от себя. Лицо его ничего не выражало.

— Я вам больше не нужен? — спросил Полибин. Держался он несколько скованно, очевидно, понимал: если что случится, привлекать его к ответственности будут именно эти люди.

— Большое спасибо, — так же безэмоционально кивнул «бульдог». — Можете быть свободным.

Полибин вышел и тихо закрыл за собой дверь. Балаганский ему позавидовал: он бы тоже хотел «быть свободным» и уйти отсюда. Часы действительно стучали громче, а может, это стучит кровь в висках... Он никак не мог сосредоточиться — слишком много информации, касающейся его лично, свалилось за короткое время: нашедший его покойный отец, обнаруженная готовая к старту «Сатана», утечка совсекретной информации, агент «Лиса» в личине его любимой Инессы, и вот допрос...

— Я начальник отдела по защите государственной тайны Главного Военно-следственного Управления Трегубов Игорь Ильич, — представился «бульдог», гипнотизируя его пронизывающим взглядом.

— Начальник военно-следственного Управления по РВСН Петин Сергей Геннадьевич, — в тон начальнику, строго официально произнес второй следователь, как будто впервые встретился с главкомом рода войск, который он обслуживал. Как будто они не напились до чертиков после осмотра места взрыва «РС-24», где валялись куски человеческих тел и невыносимо пахло горелым мясом. Как будто вместе не проклинали эксплуатационников, когда из-за нарушений техники безопасности десять солдат отравились парами гептила...

«Все это продуманная тактика, — понял Георгий. — Они дают подследственному осознать свое положение. И форму специально надели, чтобы показать, что не только я генерал»...

— Вы будете допрошены, пока в качестве свидетеля, — сказал Трегубов. — Следствие предупреждает вас об уголовной ответственности за дачу ложных показаний и отказ от дачи показаний. Распишитесь!

Сидящий напротив Петин ловко развернул к нему бланк и положил рядом авторучку. Главком расписался.

— Прошу вас отключить телефон, — то ли попросил, то ли приказал Трегубов.

Балаганский помедлил, но потом решил, что это все-таки просьба, и выполнил ее. Тем более что звание и должность «бульдога» позволяли ему отдавать и приказы.

— Допрос будет проводиться с использованием звукозаписи, — поставил его в известность генерал-лейтенант, а Петин включил диктофон.

— Папку, касающуюся операции «Подснежник», действительно принесли к вам домой?

— Да.

— Расскажите подробно: чем была обусловлена необходимость доставки домой документов особой важности, кто принял такое решение, кто доставил, кто ещё мог видеть эти документы.

— Решение принял я, но в тот момент не было известно о степени секретности документов. Речь шла о содержимом спецчемодана, обнаруженного в потерпевшем катастрофу самолете. Папку принёс капитан Ерманов по моей команде. Я тогда был болен, а дело не требовало отлагательства...

— Вы на тот момент уже знали, что дело не требует отлагательства? — ухватился за последние слова Трегубов. Хватка у него действительно была бульдожья.

— Не совсем так, — замялся Балаганский. — Просто дело касалось моего отца — командира того самолёта подполковника Балаганского Петра Семёновича. И мне было интересно все, что связано с его гибелью.

— То есть вы действовали, исходя из личных побуждений?

— Можно сказать и так, — вздохнул главком. — Хотя в этой истории очень трудно определить — где кончается личное и начинается служебное...

— Когда вы узнали, что в чемоданчике находятся документы высшей степени секретности?

— На папке было рукописно обозначено: «Особой важности», да и на каждом документе тоже. Но прошло тридцать лет, а обычно через двадцать пять даже такой гриф снимается. Тем более СССР распался, коренным образом изменилась военно-политическая обстановка. Я не думал, что секреты уже несуществующей страны окажутся столь... — Балаганский на секунду задумался, подбирая слово, — ...окажутся столь актуальными.

— Как долго папка находилась у вас дома?

— До утра следующего дня. Я лично привёз её в штаб.

Петин сделал какую-то запись в блокноте.

— Продолжайте, — сказал Трегубов.

— Да, собственно, и всё, — пожал плечами Балаганский.

— Вы не ответили на вопрос: кто, кроме вас, мог видеть документы до того момента, когда они попали в штаб.

— Никто.

— А капитан Ерманов?

— Исключено! Папка была опечатана, и я лично сорвал печать.

— А жена могла ознакомиться с документами?

— Тоже исключено! После прочтения я спрятал папку в домашний сейф, а утром отвез на службу...

Балаганский осекся, вспомнив, что не сразу спрятал дело «Подснежник»! Ослабленный болезнью и алкоголем, он уснул, и папка выпала из рук. Проснувшись через два-три часа, он обнаружил ее на полу, возле дивана, и уже тогда спрятал в сейф. Он почувствовал, что кровь прилила к лицу, и понял, что краснеет.

— Я вижу, что вы что-то вспомнили! — «Бульдог» впился в него пронизывающим взглядом.

— Нет, ничего...

— Почему же вы так разволновались?

— Да потому, что это бред какой-то! — не выдержав, повысил голос Балаганский. — Вы что, реально верите, что моя жена, кем бы там она ни была тридцать лет назад, могла сейчас передать секретную информацию террористам?!

— Отвечайте по существу! — В голосе генерал-лейтенанта лязгнул металл.

И тут Балаганский ясно ощутил, что его дела плохи! Наверняка об утечке доложено не только Стульеву, но и высшему руководству страны! И его не защитят ни генеральские погоны, ни должность, ни многолетняя безупречная служба! А самое страшное, что если Инесса и не была способна на слив секретной информации, то сидящий в ней монстр сделает это легко и привычно!

— Я думаю, что жена не видела секретных документы, — неуверенно сказал свидетель Балаганский, понимая, насколько это неубедительно.

На лице «бульдога» по-прежнему не отражалось никаких эмоций.

— С кем и о чем вы разговаривали вчера утром по закрытой связи и кто мог слышать этот разговор?

— Мне звонил заместитель министра генерал-полковник Львов. Он дал указания по организации...

Балаганский снова запнулся, вспомнив, что называл признаки предположительного местонахождения «Сатаны», а Инесса заглянула в кабинет и вполне могла это слышать. Ужасные подозрения медленно, но верно перерастали в уверенность. Может, с этой целью она и встала с постели в такую рань?

— ...по организации мероприятий, касающихся операции «Подснежник», — расплывчато окончил он фразу.

— Странные совпадения! — Трегубов пристукнул по столу сразу двумя кулаками, и стало ясно, что за его внешним спокойствием скрывается колоссальное напряжение. — После вашего ухода с мобильника вашей жены был сделан звонок на спутниковый телефон, находящийся недалеко от позиций сорок первой ракетной армии...

— Что?!

— По оперативной информации этот телефон принадлежит одному из активных участников террористического подполья по прозвищу Алмаз. Именно он возглавляет группу, которой поручено произвести пуск «Сатаны».

— Что?! — Балаганский потерял способность оправдываться, возражать, вообще что-то говорить и даже думать.

— А тридцать лет назад агент Лиса была исключена из списка агентуры именно за несанкционированные контакты с Алмазом, в разработке которого она вначале участвовала...

На этот раз Балаганский вообще ничего не сказал. Голова кружилась, уши заложило, слова «бульдога» доносились словно сквозь слой ваты.

— И сфотографировать все документы «Подснежника» можно было только за достаточно длительное время, когда они находились вне режимного контроля. Например, у вас дома. Другой такой возможности ни у кого не было. А дома были только вы и ваша супруга! Что с вами? Вам плохо?

Свидетель молчал. Лицо генерал-лейтенанта расплывалось. Главком чувствовал, что сейчас потеряет сознание. Петин вскочил, налил стакан воды из графина, молча поставил перед ним. Балаганский жадно выпил. Вода была теплой и затхлой, никакого облегчения она не принесла.

— Как вы себя чувствуете? — послышался издалека голос Трегубова.

— Нормально, — с трудом выдавил из себя Балаганский. — Настолько, насколько нормально можно чувствовать себя в моём положении.

— Подождите в приёмной! Нам нужно время, чтобы расшифровать запись и составить протокол.

Пошатываясь, Балаганский вышел в приёмную и лег на стулья для посетителей. Здесь, в воскресной тишине пустующего казённого здания, за толстыми стёклами окон, не было слышно ничего. Вообще ничего, даже громкого тиканья часов.

«Остановились часы, — подумал Георгий. — А может, я оглох...»

Откуда ни возьмись, появился порученец Полибина Виталик с автоматическим тонометром в одной руке и аптечкой в другой. Он дал главкому понюхать нашатыря, потом привычно померил давление, озабоченно сдвинув брови, дал выпить какую-то таблетку.

— Давление высокое! — пояснил он. — У Виктора Эдуардовича такое тоже бывает, я ему капотен даю и сладким чаем отпаиваю. Полежите немного, сейчас все пройдет...

Балаганский думал, что капитан отведет его в комнату отдыха Полибина, уложит на диван и напоит чаем. Ему вдруг очень захотелось сладкого чаю... Но порученец исчез так же внезапно, как и появился. Балаганский опять повалился на стулья и полежал около получаса, размышляя — нормально ли, что генерал-майор, главком РВСН, валяется в пустой приемной заместителя начальника УФСБ, как бомж на вокзале? Ему показалось, что ничего нормального в этом нет, тем более, что Полибин, конечно, знает о его состоянии, но даже не посчитал нужным принять какое-то личное участие... Видно, что-то менялось в окружающем мире, и далеко не в лучшую для него сторону. Потом ему стало легче, и он сел. Потекли тягостные минуты ожидания...

Западная Сибирь
Ракетная шахта

Тестирование «Сатаны» заканчивалось. «Трубопроводы — норма, разрывные болты разделения ступеней — норма, пневмогидравлическая система — норма, утечка сжатых газов с борта — ноль...»

Тридцать лет, безусловно, сделали свое дело: аккумуляторы пришлось в очередной раз подзарядить, несколько блоков переключить на резервные, но общий вывод был положительным: «Исправность 98,7%. Вероятность поражения цели 94%».

Конечно, в обычном режиме при таких параметрах пуск был бы отложен, но «Периметр» рассчитывался на условия войны, а на войне, как известно, все средства хороши, в том числе и не совсем кондиционные. Начался стартовый отсчет: «Шестьдесят, пятьдесят девять, пятьдесят восемь...»

Прихрамывая, Джонатан спустился в отсек боевого управления и замер, растерянно осматриваясь по сторонам. Его окружали три стены из разнокалиберных блоков: разноцветные лампочки, кнопки, рычажки, сигнальные транспаранты, переключатели, стрелочные циферблаты, — словно огромный треугольник из сотен приборов вставили внутрь капсулы-трубы трехметрового диаметра. У основания треугольника, перед пультом управления стояло высокое кресло, как в самолете, с пристяжными ремнями, еще два таких же располагались у боковых сторон, спинами друг к другу.

— Что стоишь?! — рявкнул Руслан. Он не спустился, а слетел по вертикальному трапу, в крохотном помещении сразу стало тесно.

— Но здесь всё совсем не так, как у нас, в Америке, — сказал Джонатан.

— Садись, разберешься! — Руслан подтолкнул его к креслу за пультом. — Здесь все просто, чтоб не запутаться в решающий момент!

Американец плюхнулся в командирское кресло, взглянул на два монитора слева — один под другим. Их тёмные экраны были покрыты непонятно откуда взявшейся пылью.

«Сорок семь, сорок шесть, сорок пять...» — продолжала неслышный отсчет стартовая система.

— Здесь ноутбук даже подключать некуда... Аппаратура аналоговая. — Джонатан беспомощно развел руками.

Он чувствовал себя как угонщик, который с самым современным код-граббером подошел не к привычному «Мерседесу», а к «Победе», для которой нужен не навороченный электронный сканер, а примитивная заводная ручка...

— Значит, думай, вникай! Ты что, тупее тех, кто сидел за этим пультом? Не сможешь разобраться с оборудованием конца семидесятых годов?

Руслан выругался и сел в другое кресло, перед таким же пультом, только более компактным. И тут же радостно воскликнул:

— Молодец, американец! Пошла работа! Давай, давай, для тебя это путь к богатству! И к выходу на поверхность!

Джонатан молчал. Он даже не успел прикоснуться к органам управления: пульт уже жил какой-то своей, скрытой жизнью. Часть транспарантов светилась зеленым цветом, часть желтым. Американец понимал, что цвета отражают степень готовности отдельных блоков.

«Тридцать, двадцать девять, двадцать восемь...»

Красным цветом зажегся транспарант «Крышка ШПУ открыта».

— Молодец, бродяга, молодец! — радовался Руслан. Он сидел спиной к основному пульту и считал, что все происходящее — результат действий Джонатана.

Руслан слабо разбирался в аппаратуре пуска, но кое-что знал. Над прямоугольным красным транспарантом с надписью «Информация не прошла» располагались две небольшие квадратные крышки. На левой написано «Приказ», на правой — «Ключ». Правая была поднята, и из-под нее действительно торчал ключ с круглой головкой. Тот самый ключ — КЛЮЧ ПУСКА! Обычно пусковые ключи хранятся в специальном сейфе, в опечатанной коробочке, и только при автономном режиме он может находиться в таком положении. На этом и строился расчет!

«Двадцать один, двадцать, девятнадцать...»

— Раз шахту открыл, значит, все готово? — сквозь зубы спросил Руслан, испытывающий непривычное возбуждение и какое-то чувство, похожее на страх.

— Да, — шевельнул Джонатан похолодевшими губами.

Он уже понял, что выполняет роль статиста в чудовищной игре, которую ведут за него другие люди, а может, и механизмы. Но признаться в этом значило — расстаться с жизнью.

— Тогда давай одновременно, на счёт «три»! — приказал Руслан. — Раз! Два! Три!

Они попытались повернуть ключи, но те не поворачивались, хотя эта попытка была отмечена чуткой аппаратурой.

«Оператор в кресле боевого управления», — констатировала система «Периметра». Реакция главного компьютера была мгновенной — команда прошла по всем элементам системы: «Отменить подготовку к пуску! Выйти из автономного режима управления!»

— Шайтан! — Руслан нажал кнопку «Приказ», но и она не поддалась.

Он жал и жал, но безуспешно. А через мгновенье все лампочки и транспаранты погасли, пульт омертвел.

— Что-оо-о?! — взревел Руслан. — Ты все выключил, грязная собака!

Выхватив из кобуры АПС, он подскочил к американцу и выстрелил ему в затылок. Кровь забрызгала приборы, а простреленная голова упала на пульт, которого так и не коснулись руки мнимого Васи.

«Бах! Бах! Бах!» В ярости Руслан принялся расстреливать пульт и всё, что видел вокруг. Пули пробивали аппаратуру и рикошетировали от стенок капсулы, рассчитанной на противостояние даже атомному взрыву. Во все стороны брызнули осколки стекла и металла.

«Фьюить, дзынь!»

Освещение погасло. Лишь вспышки выстрелов да летевшие от пульта искры подсвечивали погрузившийся во мрак отсек. Расстреляв весь магазин, Руслан полез по трапу наверх. В десятом уровне освещение работало исправно. Здесь он немного отдышался и расстегнул куртку. Под ней был такой же пояс, как и у Сагида. Руслан вытащил из рукавов провода, зажал их побелевшими пальцами, застегнулся и начал подъём наверх.

Москва

Минуты складывались в часы. Балаганский вначале сидел, потом сходил в туалет, помочился и умылся холодной водой из-под крана. Чтобы скоротать время, хотел зайти к Полибину, но, войдя в приемную, услышал за неплотно прикрытой дверью, как тот говорит по телефону:

— Не могу, придется сидеть на месте, пока следаки уйдут... Ну, что поделаешь — дело серьезное... Да как он... Жидко... Когда улики предъявили — сразу в обморок хлопнулся! Действительно, слабак... А должен был в час «Ч» наносить ракетно-ядерный удар...

Балаганского будто в дерьмо окунули. Он развернулся, вышел в коридор и вернулся обратно в приемную заместителя.

— Ты больно крутой! — бормотал он, расхаживая от двери к окну и обратно. — Тебя бы «вниз», на кнопку посадить! И без всякого часа «Ч» в штаны бы наложил! И *эти орлы* тоже... За три часа не могут протокол составить! Герои!

Наконец, из кабинета выглянул Петин.

— Заходите! — бросил он и снова скрылся за двойной дверью.

Вроде ничего особенного не сказал, а прозвучало грубо. За долгие годы Балаганский привык к уважительному обращению. «Товарищ генерал, товарищ главнокомандующий, товарищ член коллегии Министерства обороны, уважаемый Георгий Петрович...» А тут безличное «заходите»! Так приказывают собаке. И то — дворовой, непородистой... Но делать нечего — сейчас *их* сила! Вздохнув, он зашел в кабинет, который стал для него пыточной камерой.

Петин стоял у окна и смотрел на улицу. Трегубов расположился теперь за основным столом, по-хозяйски развалившись в кресле замнача УФСБ. Навернос, он везде чувствовал себя хозяином, потому что часто сидел на местах арестованных начальников...

— Прочтите! — протянул он протокол допроса. — Если замечаний нет — распишитесь внизу каждой страницы.

Балаганского снова покоробило от пренебрежительного безличного обращения. Он сел за приставной столик и принялся читать. Буквы складывались в слова, слова в предложения, и все вроде было правильно, он действительно это говорил, но устная речь, перенесенная на бумагу, приобрела какой-то другой смысл — вроде он во всем виноват... И Инесса тоже виновата... Но формально придраться не к чему. Да и переть против *этих* не имело смысла. Одно дело, когда он сидит за пультом спецсвязи и за ним вся ракетная мощь страны... А сейчас *их* сила... Георгий Петрович расписался, как от него и требовалось, — внизу каждой страницы. А в конце, под диктовку, написал: «С моих слов записано верно и мною прочитано» и опять расписался.

Бесшумно подошедший сзади Петин сразу же забрал документ и положил перед своим начальником.

— Я могу идти? — спросил Балаганский.

— Можете, — сказал «бульдог». — Только советую вам не ездить сегодня домой. Переночуйте в каком-нибудь другом месте. На «А-4», например.

— Почему? — вскинул взгляд Балаганский.

— Потому, что в вашей квартире произведён обыск и там... э-э-э... некоторый беспорядок. Распорядитесь, пусть кто-нибудь проведет уборку...

— Подождите, какой обыск?! И почему «кто-нибудь»?! Инесса уже наверняка вызвала прислугу!

— Это вряд ли. Гражданка Балаганская арестована.

— Как арестована?! Да вы что... Может, вы и меня арестуете?!

— Может быть! — очень серьезно ответил Трегубов, наклонился вперед, навалившись грудью на чужой стол, и впился в него своим сверлящим взглядом. — Это будет зависеть от успеха направленной в Сибирь группы. Если все обойдется без тяжких последствий, то вы останетесь на свободе. А вот что касается службы... Я не уверен, что вам удастся ее продолжить!

Западная Сибирь
Стартовая позиция «Сатаны»

Ми-8 с бортовым номером «240» описал полукруг и, развернувшись против ветра, приземлился все на ту же поляну. Из него выпрыгивали фигуры в камуфляже. Теперь рядом с расстрелянным Ка-26 стояли уже два одинаковых, как близнецы, вертолета.

— Проверить, товарищ капитан? — Сержант Ермилов сделал знак своей «тройке».

Полосин мрачно покачал головой. Он никак не мог прийти в себя. От командира остались только окровавленные ошметки, и то нельзя было наверняка сказать — что принадлежит Дыгаю, а что — его убийце. Волков и Нигматов пришли в себя, ранений у них не обнаружено — только ожоги и сильная контузия. Еще четверо пострадали, но значительно меньше...

— Это наши. Мы же их только что проверяли, там, где шар был...

Сержант кивнул и остановил бойцов.

— Иди к остальным. И не дергайся, сейчас сюда все налетят: и начальство, и следователи... Если ты каждую «вертушку» с автоматчиками встречать будешь... — Не договорив, Полосин махнул рукой и направился навстречу вновь прибывшим.

Они сошлись на полдороге.

— Старший группы майор Сизенко! — представился идущий впереди широкоплечий человек, чем-то похожий на Шварценеггера. И внушительно добавил: — Военная контрразведка, из Москвы. Доложите обстановку!

Его спутники подошли и обступили капитана.

— В соответствии с полученной директивой мы облетали заброшенные стартовые позиции и обнаружили здесь семерых неизвестных с оружием, — начал доклад Полосин.

Московская группа внимательно слушала. Когда капитан сообщил, что несколько диверсантов проникли в командный пункт, двое атлетов в зеленой спецформе молча бросились ко входу в тоннель.

— Куда это они? — удивился капитан.

— Это «Скрипач» и «Гений» — спецназ ГРУ, — пояснил майор Наметышев.

— Да тут своих скрипачей и гениев хватает. — Полосин указал на окруживших зеленый холм бойцов с автоматами наизготовку.

Зеленые фигуры растолкали их, занимая удобные для себя позиции.

— У наших подготовка получше, — сказал Сизенко. — Не отвлекайся, капитан!

Полосин рассказал про взрыв, про гибель командира, потом, вспомнив, — про внезапно открывшийся люк ракетной шахты.

— Вот, смотрите! — он показал рукой.

Все взволнованно повернули головы в указанном направлении и успели увидеть, как толстенная крышка, с прежним ужасающим скрежетом, стала медленно опускаться.

— Что это значит? — спросил Сизенко, обращаясь к ракетчикам.

Цепаев и Наметышев только пожали плечами. Зато Юрий Захарович, от которого в силу сугубо гражданского вида не ждали дельных пояснений, оказался на высоте.

— Это значит, что ваши диверсанты своим появлением на КП сорвали пуск! — спокойно сказал он.

— И что будет дальше? — нетерпеливо спросил Сизенко.

— Ничего! «Изделие» вышло из автономного режима и перешло на управление из Центрального командного пункта. Только теперь ему нужна «стреляющая смена» за боевым пультом...

Пока Журавлев объяснял особенности работы системы «Периметр», из открытой зеленой двери подземного тоннеля вышел небритый человек кавказской внешности в просторной, наглухо застегнутой зеленой куртке. Он быстро оглядел цепочку бойцов в касках и бронежилетах, направленные на него автоматы, взглянул на голубое, в облаках, небо и яркое солнце, потом неожиданно улыбнулся.

— Стоять! Руки поднял! — раздались угрожающие окрики.

— Да сдаюсь я, сдаюсь!

Он демонстративно выбросил пистолет под ноги солдат оцепления и поднял руки, но не остановился.

— Стоять! Стреляю!

— Не надо стрелять, я свой! Это я остановил пуск! Отведите меня к командиру!

Бойцы антидиверсионной группы растерянно переглядывались. Они были обучены предотвращать взрывы, «обезвреживать», «ликвидировать», «валить» врагов, но разбираться в подобных тонкостях, когда явный диверсант представляется «своим», — этого они не умели. Тем более что крышка шахты действительно закрылась.

— Стоять, стреляю! — рявкнул «Скрипач».

Он тоже не разбирался в тонкостях, да ему это и не было нужно. Но Руслан этого не понимал. Он лишь состроил доброжелательно-глуповатую гримасу и продолжал идти, сокращая дистанцию. Он знал — если изображать миролюбие, то оно перевесит непослушание и стрелять в него никто не будет. Но он ошибался, потому что «спецы» ГРУ подготовлены лучше обычной антидиверсионной группы и стреляют тогда, когда другие вместо этого начинают думать.

«Та-дах!» — автомат вздрогнул в руках «Скрипача».

«Та-дах!» — сказал свое слово автомат «Гения».

Одна пуля попала в левый глаз, вторая в шею. Диверсант умер раньше, чем упал на землю. Он даже не попытался соединить руки, сжимающие оголенные провода.

Через полчаса московская группа, забрав раненых, вылетела в расположение дивизии. Оттуда майор Сизенко доложил о происшедшем в Главный штаб РВСН. Дежурный немедленно передал информацию капитану Ерманову. Порученец тут же набрал мобильный номер главкома. Раз, второй, третий... Но безуспешно — телефон был отключен.

Москва

Дверь в квартиру была опечатана. Балаганский с отвращением сорвал узкую бумажку с синими штампами военно-следственного комитета, смял ее и отбросил в сторону, будто раздавил ядовитую сколопендру. Внутри будто Мамай прошел: вещи из шифоньера и книги с полок валялись на полу, подоконник в кабинете сорван, в нескольких местах поднят паркет, домашний сейф распахнут настежь... Балаганский обессиленно опустился в свое любимое кресло. Такого он не ожидал. Впрочем, еще утром он не ожидал ни допроса, ни обыска. И все же... Неужели в квартире генерала можно устраивать такой погром? Наверное, только в одном случае: когда он перестает быть генералом...

Балаганский отогнал мрачные мысли: никто его не отстранял от должности и не увольнял со службы! Надо позвонить Юре, пусть возьмет пару солдатиков из хозобслуги, да наведут здесь порядок... Он достал телефон и, обнаружив, что тот отключен, нажал клавишу включения. И сразу же раздался звонок. Это был Юра Ерманов.

— Здравия желаю, Георгий Петрович! — радостно закричал он, так что Балаганский отстранил трубку от уха. — А я звоню, звоню...

— А зачем ты звонишь? — устало спросил Балаганский.

— Поступила информация от майора Сизенко! Они нашли и обезвредили ракету...

— Молодцы, — невесело кивнул главком. — Подробности известны?

— Так точно! — Звонкий голос оглушал даже сейчас, и генерал отодвинул трубку еще дальше. — На стартовой позиции произошло боестолкновение антидиверсионной группы с террористами! Все террористы уничтожены! Но при этом погиб командир наших, подполковник Дыгай!

— Дыгай?!

— Да, а убил его тоже бывший ракетчик — капитан Веселов! Его сокурсник по академии! Надел пояс шахида и подорвался вместе с ним!

«Добился все-таки своей цели! С маниакальным упорством добивался — и добился: отомстил врагу... А враг вовсе и не враг, он вообще ни в чем не виноват... Дурак ты, Серега! Враг у тебя был совсем другой!»

Он впервые вспомнил об Инессе. Но ничего, кроме отвращения, не испытал, потому что видел ее не в привычном облике любимой женщины, несмотря на возраст сохранившей стройность и красоту, а в виде ужасного чудовища, скинувшего маскировочную оболочку человеческого тела.

— Алло, алло! Товарищ генерал! — доносилось из зажатой в опущенной руке трубки.

Но Балаганский не реагировал. Он думал о том, является ли происшедшее в сибирской тайге «тяжкими последствиями»? Хотя понимал, что ответ тут очевиден.

Июнь 2015 г.
Ростов-на-Дону

ОГЛАВЛЕНИЕ

Литературно-художественное издание

Корецкий Данил Аркадьевич

НАЙТИ «САТАНУ»

Роман

Редакционно-издательская группа «Жанровая литература»

Зав. группой *М. Сергеева*
Ответственный редактор *Т. Захарова*
Технический редактор *Н. Духанина*
Компьютерная верстка *А. Пучковой*

ООО «Издательство АСТ»
129085, г. Москва, Звездный бульвар, д. 21, строение 3, комната 5
Наш электронный адрес: **www.ast.ru**
E-mail: **astpub@aha.ru**

«Баспа Аста» деген ООО
129085, г. Мәскеу, жұлдызды гүлзар, д. 21, 3 құрылым, 5 бөлме
Біздің электрондық мекенжайымыз: www.ast.ru
E-mail: astpub@aha.ru

Қазақстан Республикасында дистрибьютор
және өнім бойынша арыз-талаптарды қабылдаушының
өкілі «РДЦ-Алматы» ЖШС, Алматы қ., Домбровский көш., 3«а», литер Б, офис 1.
Тел.: 8(727) 2 51 59 89,90,91,92
Факс: 8 (727) 251 58 12, вн. 107; E-mail: RDC-Almaty@eksmo.kz
Өнімнің жарамдылық мерзімі шектелмеген.

Өндірген мемлекет: Ресей
Сертификация қарастырылмаған

Подписано в печать 07.09.2015. Формат 84х108 $^1/_{32}$.
Гарнитура «NewtonC». Печать офсетная. Усл. печ. л. 21,84.
Тираж 17000 экз. Заказ 612.

Отпечатано в филиале «Тверской полиграфический комбинат
детской литературы» ОАО «Издательство «Высшая школа»
170040, г. Тверь, проспект 50 лет Октября, д. 46
Тел.: +7 (4822) 44-85-98. Факс: +7 (4822) 44-61-51

ISBN 978-5-17-090299-6

16+

9 785170 902996